만들면서 배우는 파이썬

하나 둘 셋

나 인 섭

YD Edition 연두에디션

저자 소개

나인섭

저자는 1990년대부터 인쇄체/필기체 문자인식, 문자 궤적복원, 문서 구조분석, 영상 검색 및 매칭, 지능형 자동차 인식, DNA 지문 인식, 와인라벨 인식, 꽃 분할 및 인식, 사진 자동분류, 간판인식, 폭발물 성분 자동인식, 악보인식 및 연주, 자동차 번호판 인식, 제스처/동작 인식, 이동객체 분할/인식, 얼굴인식 및 추적, 행동 인식, 감정인식 등 시각지능과 관련한 연구들을 수행하고 있다.

1990년대에 인쇄체/필기체 문자인식을 연구하고 석사논문으로 문자인식을 위한 문자의 속성을 자동 인식하는 주제로 학위를 취득하였다. 2000년대에 박사논문으로 지능형 자동차 인식을 위한 그림자 제거를 주제로 학위를 취득하였다.

저자의 학문적 계보는 인공지능에 확률적 접근과 베이즈 네트워크라는 용어를 만들고 컴퓨터계의 노벨상인 튜링상을 수상한 UCLA 유디펄 교수(인지과학연구실)와 한국과학기술원 교수로 정년퇴직한 김진형교수(인공지능연구실) 그리고 전남대학교 인공지능융합대학 초대학장인 김수형교수(패턴인식연구실)와 함께 한다.

저자는 2018년부터 조선대학교에서 교수로 재직 중이다.

만들면서 배우는

파이썬 하나 둘 셋

발행일 2021년 12월 10일 초판 1쇄
지은이 나인섭
펴낸이 심규남
기 획 염의섭 · 이정선
표 지 신현수 | **본 문** 이경은
펴낸곳 연두에디션
주 소 경기도 고양시 일산동구 동국로 32 동국대학교 산학협력관 608호
등 록 2015년 12월 15일 (제2015-000242호)
전 화 031-932-9896
팩 스 070-8220-5528
ISBN 979-11-92187-02-0
정 가 20,000원

이 책에 대한 의견이나 잘못된 내용에 대한 수정정보는 연두에디션 홈페이지나 이메일로 알려주십시오.
독자님의 의견을 충분히 반영하도록 늘 노력하겠습니다.
홈페이지 www.yundu.co.kr

"본 연구는 과학기술정보통신부 및 정보통신기획평가원의 SW중심대학지원사업의 연구결과로 수행되었음"
(2017-0-00137)

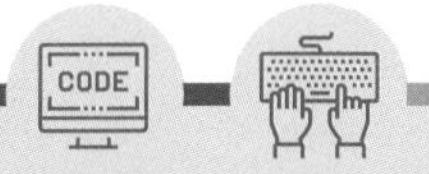

PREFACE

이 원고를 기획할 때 의도는, 파이썬을 처음 프로그램 언어로 배우는 사람이 파이썬 문법을 익혀, 추후 빅데이터와 인공지능 프로그램에 활용할 힘을 키우게 하는 것이었습니다. 그런 의도에서 만들면서 하나씩 배워갈 수 있는 초보자의 교재란 뜻에서 "만들면서 배우는 파이썬 프로그래밍 하나 둘 셋"이라 제목을 정하였습니다.

이 교재의 구성은 다음과 같습니다.

0장 준비단계에서는 프로그래밍 언어란 무엇인가? 우리가 사용할 파이썬 언어는 어떤 언어인지를 소개하고 직접 파이썬을 설치해보고, 설치된 파이썬에서 정상적으로 프로그램이 동작하는지 만들어 봅니다.

1장부터 5장까지는 모든 프로그램 언어가 공통적으로 가지고 있는 입 · 출력문, 변수 · 상수 · 기본 자료형, 문자열 출력형식, 연산자, 조건문 그리고 반복문과 같은 제어문, 함수에 대해 공부합니다.

6장에서는 파이썬에서 활용할 컨테이너, 리스트, 튜플, 사전, 집합과 같은 특수한 자료 형태에 대해 자료형의 확장이라는 이름으로 공부합니다.

7장부터는 파일 입 · 출력과 예외 처리, 파이썬 스타일 코딩, 클래스와 객체 그리고 모듈과 패키지에 대해 공부합니다.

11장과 12장에서는 외부 패키지로 pyQT5와 응용 프로젝트로 스네이크 게임, 사용자 함수의 시각화를 공부합니다.

그리고 부록에는 Visual Studio Code 단축키, 파이썬 내장 함수 목록, 주요 파이썬 패키지 참조 사이트 목록, ASCII 문자 집합을 제공합니다.

원고를 탈고하고 보니, 일상과 시간에 쫓기며 작성한다는 변명으로, 처음 시작할 때 목표한 바를 마음으로 충분하지 못합니다. 마지막까지 책을 완성할 수 있도록 원고 출판에 도움을 준 연두출판사의 염의섭 부장님과 책 디자인과 교정에 정성을 다해주신 이정선 부장님 그리고 양으로 음으로 도움 주신 분들께 감사의 말씀 전해드립니다.

막는 것 산이거든 무느고 못가랴, 파도건 눈보라 건 박차 헤치자

저자 **나인섭**

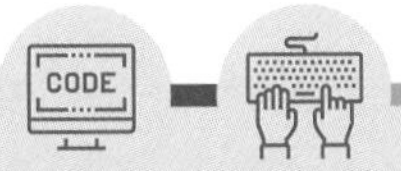

CONTENTS

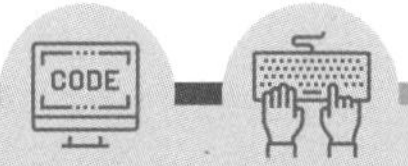
CODE

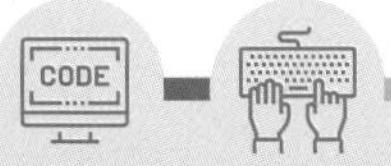

CHAPTER 0
준비단계

1. 프로그래밍 언어란 무엇인가?
2. 파이썬 언어소개
3. 파이썬 설치 및 프로그램 만들기

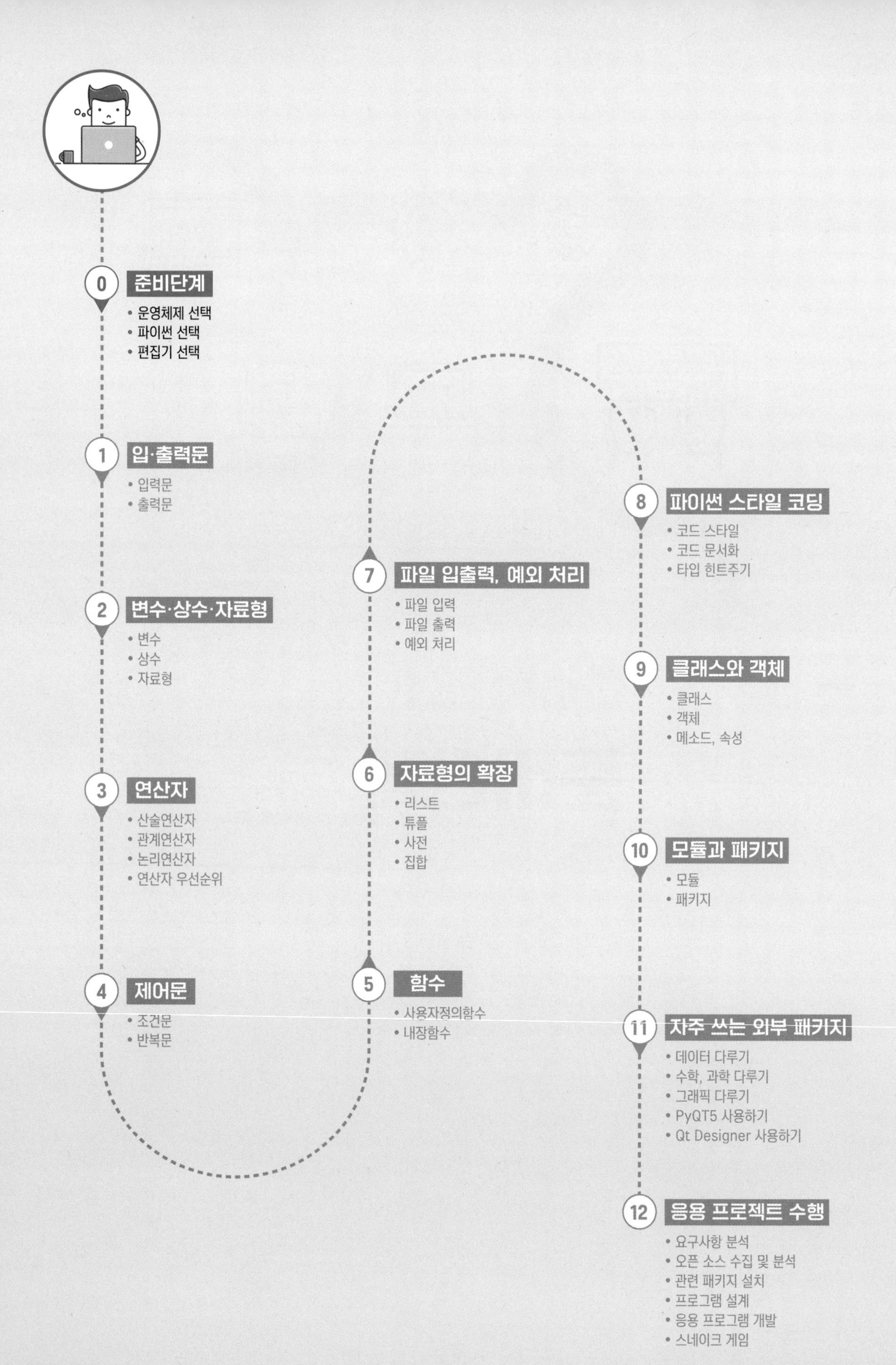

0 준비단계
• 운영체제 선택
• 파이썬 선택
• 편집기 선택
1 입·출력문
• 입력문
• 출력문
2 변수·상수·자료형
• 변수
• 상수
• 자료형
3 연산자
• 산술연산자
• 관계연산자
• 논리연산자
• 연산자 우선순위
4 제어문
• 조건문
• 반복문
5 함수
• 사용자정의함수
• 내장함수
6 자료형의 확장
• 리스트
• 튜플
• 사전
• 집합
7 파일 입출력, 예외 처리
• 파일 입력
• 파일 출력
• 예외 처리
8 파이썬 스타일 코딩
• 코드 스타일
• 코드 문서화
• 타입 힌트주기
9 클래스와 객체
• 클래스
• 객체
• 메소드, 속성
10 모듈과 패키지
• 모듈
• 패키지
11 자주 쓰는 외부 패키지
• 데이터 다루기
• 수학, 과학 다루기
• 그래픽 다루기
• PyQT5 사용하기
• Qt Designer 사용하기
12 응용 프로젝트 수행
• 요구사항 분석
• 오픈 소스 수집 및 분석
• 관련 패키지 설치
• 프로그램 설계
• 응용 프로그램 개발
• 스네이크 게임

이 장에서는 1. 프로그래밍 언어가 무엇인지를 설명해보고, 2. 우리가 배울 파이썬에 대해 소개하고, 3. 실습으로 파이썬을 직접 설치해 보고, 4. 간단한 파이썬 프로그램을 만들어 보겠습니다.

1. 프로그래밍 언어란 무엇인가?

이 글을 읽는 여러분들은 4차 산업혁명, 알파고, 딥마인드 등의 용어에 이미 익숙할 것입니다. 2016년 1월에 다보스 세계경제포럼(https://www.weforum.org/)에서 클라우스 슈밥 회장이 "4차 산업혁명"이라는 용어를 처음 이야기하였습니다. "4차 산업혁명"에 대해 이야기하며, 다가오는 미래 사회는 인공지능과 모든 산업이 융합하는 사회가 될 것이라고 설명하였습니다. 슈밥 회장의 설명이 있고 바로, 2016년 3월에 구글 딥마인드(DeepMind)의 인공지능 바둑 프로그램인 알파고(AlphaGo)가 세계 바둑 최강자인 이세돌 9단을 4대 1로 이기면서 컴퓨터는 절대 인간의 지적 능력을 넘어서지 않을 것이라는 자부심을 무너뜨렸습니다. 바둑에서 인간이 컴퓨터에 지면서, 산업계는 인간이 컴퓨터에게 지능을 내어 주는 상황에 이르렀다고 인식함과 동시에 슈밥 회장이 이야기한 "4차 산업혁명" 시대에 인공지능과 모든 산업이 융합하는 새로운 가능성을 보게 되었습니다.

우리는 여기서, 컴퓨터가 어떻게 지능을 갖게 되는가? 그리고 컴퓨터가 어떻게 스스로 일(작업)을 하게 되는가? 라는 의문이 생깁니다. 이에 대한 의문을 해결해주는 답이 "컴퓨터 프로그램"이라는 단어입니다. 컴퓨터 프로그램은 인간의 명령을 컴퓨터가 이해할 수 있게 잘 정리하여 규칙에 맞게 작성한 명령들의 집합입니다. 이런 컴퓨터 프로그램을 작성하는 데 사용되는 것이 컴퓨터 프로그래밍 언어입니다.

즉, 컴퓨터 프로그래밍 언어라는 것은 우리가 하고자 하는 일들을 컴퓨터가 이해할 수 있는 형태로 만들어주는 컴퓨터 프로그램입니다. 다시 말해, 인간의 명령을 컴퓨터가 이해할 수 있는 형태로 정해진 규칙에 따라 지시하는 프로그램입니다.

컴퓨터가 이해할 수 있게 인간의 명령을 규칙에 따라 작성하는 과정을 우리는 "컴퓨터 프로그래밍한다"라고 표현합니다. 즉 컴퓨터 프로그래밍한다는 것은 인간의 명령을 컴퓨터가 이해하게 정해진 규칙에 따라 잘 조직화하는 과정입니다. 또, 이렇게 컴퓨터 프로그래밍을 하는 도구를 컴퓨터 프로그램 언어라 합니다.

컴퓨터 프로그래밍을 하기 위한 컴퓨터 프로그램 언어는 인간의 언어가 "한국어", "영어", "중국어", "일본어", "알래스카어" 등과 같이 여러 형태로 존재하듯이 "파이썬, "C언어", "JAVA", "BASIC", "PASCAL", "어셈블리어", "PHP", "PEARL" 등과 같이 다양하게 존재합니다. 또한, "안녕하세요.","Hello","니하오","곤니찌와"와 같이 각 인간의 언어들이 동일한 의미를 각 나라의 언어의 형식대로 다르게 표현하듯이, 컴퓨터 역시 사용하는 프로그램 언어에 따라 표현하는 방법이 다릅니다.

우리는 이 교재에서 "파이썬"이라는 컴퓨터 프로그램 언어를 사용하여 프로그래밍할 예정입니다. 파이썬은 일반 컴퓨터 프로그램 뿐만 아니라 인공지능 컴퓨터 프로그램 작성에도 최적화되어있다고 평가받고 있는 언어입니다.

그럼, 일반 컴퓨터 프로그램과 인공지능 컴퓨터 프로그램은 어떻게 다른가요? 일반 컴퓨터 프로그램은 컴퓨터 언어로 작성된 명령만을 따라 작업을 수행하는 것이고, 인공지능 컴퓨터 프로그램은 작성된 명령 외에도 학습과 추론을 기반으로 규정되지 않은 상황에 대해서도 스스로 판단하여 작업을 수행하는 프로그램입니다. 아래 그림처럼 3+4=7부터 99+11=110까지 총 4가지의 알려진 덧셈 규칙들이 존재할 때, 일반 컴퓨터 프로그램은 정의된 4가지에 대해서만 문제를 해결하고 새로운 형태의 문제 99+16에 대해서는 문제를 해결하지 못하고 에러를 발생시킵니다. 그런데, 인공지능 컴퓨터 프로그램은 이미 알려진 4가지의 경우를 기반으로 덧셈 모형의 기능을 학습하게 되어, 아

래 그림의 99+16과 같이 새로운 덧셈 문제가 제시되어도 문제를 해결할 수 있습니다.

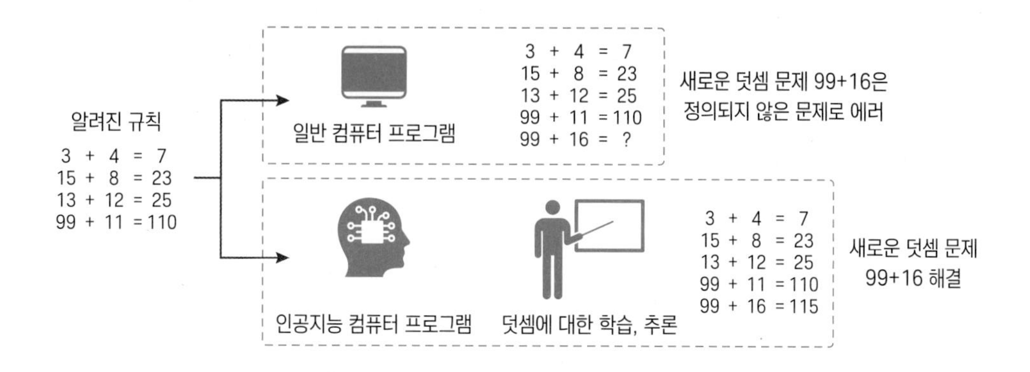

일반적으로 파이썬 프로그램을 배운다는 것은 기초 프로그래밍 과정으로 파이썬으로 원하는 응용 프로그램을 작성하기 전에 파이썬 프로그램의 명령들에 적용되는 규칙들의 사용법을 공부하는 과정 (이것을 파이썬 문법, 파이썬 사용법 또는 파이썬 기초 프로그래밍을 공부한다고 부른다.)과 응용 프로그래밍 과정(학습된 파이썬 명령을 이용하여 만들고자 하는 응용 프로그램을 프로그래밍하는)으로 나눌 수 있습니다.

다음 그림은 우리가 파이썬 프로그램의 기초 프로그래밍 과정을 학습하는 과정을 나타낸 것입니다. 이 과정은 개별 프로그래밍 언어만이 가지는 특수한 기능을 제외하고는 일반적인 컴퓨터 프로그램 언어를 공부할 때 보편적으로 적용되는 내용이라 생각하시면 되겠습니다. 따라서, 파이썬 언어를 공부하게 되면 다른 프로그램 언어를 공부할 때 손쉽게 언어를 이해할 수 있습니다.

파이썬 프로그램 언어를 공부할 때는 ① 준비단계, ② 문법을 공부하는 단계, ③ 응용 프로그램을 개발하는 단계로 구분하여 진행됩니다.

① 준비단계에서는 먼저, 윈도우즈, 리눅스, 맥OS 등과 같은 사용할 운영체제를 선택합니다. 그리고 사용할 프로그램 언어의 버전을 선택합니다. 또한, 프로그램을 개발할 통합 개발환경(IDE) 혹은 프로그램 편집기를 선택합니다.

② 문법을 공부하는 단계에서는 a.입 · 출력문, b.변수 · 상수 · 자료형, c. 연산자, d. 제어문, e. 함수, f. 자료형의 확장, g. 파일 입 · 출력, 예외 처리, h. 파이썬 스타일 코딩, i. 클래스와 객체, j. 모듈과 패키지 그리고 k. 자주 쓰는 외부 패키지를 공부합니다.

③ 응용 프로그램 개발 단계에서는 요구사항분석, 오픈 소스 수집 및 분석, 관련 패키지 설치, 프로그램 설계, 응용 프로그램 개발에 관한 내용을 공부합니다.

a. 입 · 출력문에서는 먼저 출력문으로 print문을 이용하여 화면에 출력하는 것을 공부하고, input문을 이용하여 키보드로부터 값을 입력받는 방법을 공부합니다.

b. 변수 · 상수 · 자료형에서는 변수란 무엇인지, 상수란 무엇인지를 공부하고 정수형, 실수형, 문자열 등의 자료형에 관해 공부합니다.

c. 연산자에서는 연산자와 피연산자에 대해 공부하고 덧셈, 뺄셈, 곱셈, 나눗셈 등의 산술 연산자, 크다, 작다, 크거나 같다, 작거나 같다 등의 관계 연산자, and, or, not 등과 같은 논리 연산자를 공부하고, 이들 연산자의 연산 우선순위를 공부합니다.

d. 제어문에서는 조건문과 반복문을 공부합니다. 조건문으로 if 문을, 반복문으로 for 문과 while 문을 공부합니다.

e. 함수에서는 사용자 정의 함수와 내장 함수를 공부합니다.

f. 자료형의 확장에서는 리스트, 튜플, 사전, 집합 자료형을 공부합니다.

g. 파일입출력과 예외 처리에서는 open과 파일 핸들러를 이용한 파일입력문과 출력문 read, write, readline, with~as 그리고 예외 처리로 try~except문을 공부합니다.

h. 파이썬 스타일 코딩에서는 PEP8 코드 스타일과 PEP8 리팩토링, 문법과 코드 스타일 검사 그리고 코드의 문서화를 공부합니다.

i. 클래스와 객체에서는 클래스와 객체 만들기, 생성자, 상속, 오버라이딩, 클래스 변수 등에 관해 공부합니다.

j. 모듈과 패키지에서는 모듈과 패키지 만들기, import, import~as, from~import문에 관해 공부합니다.

k. 자주 쓰는 외부 패키지에서는 자주 사용하는 외부 패키지를 소개합니다.

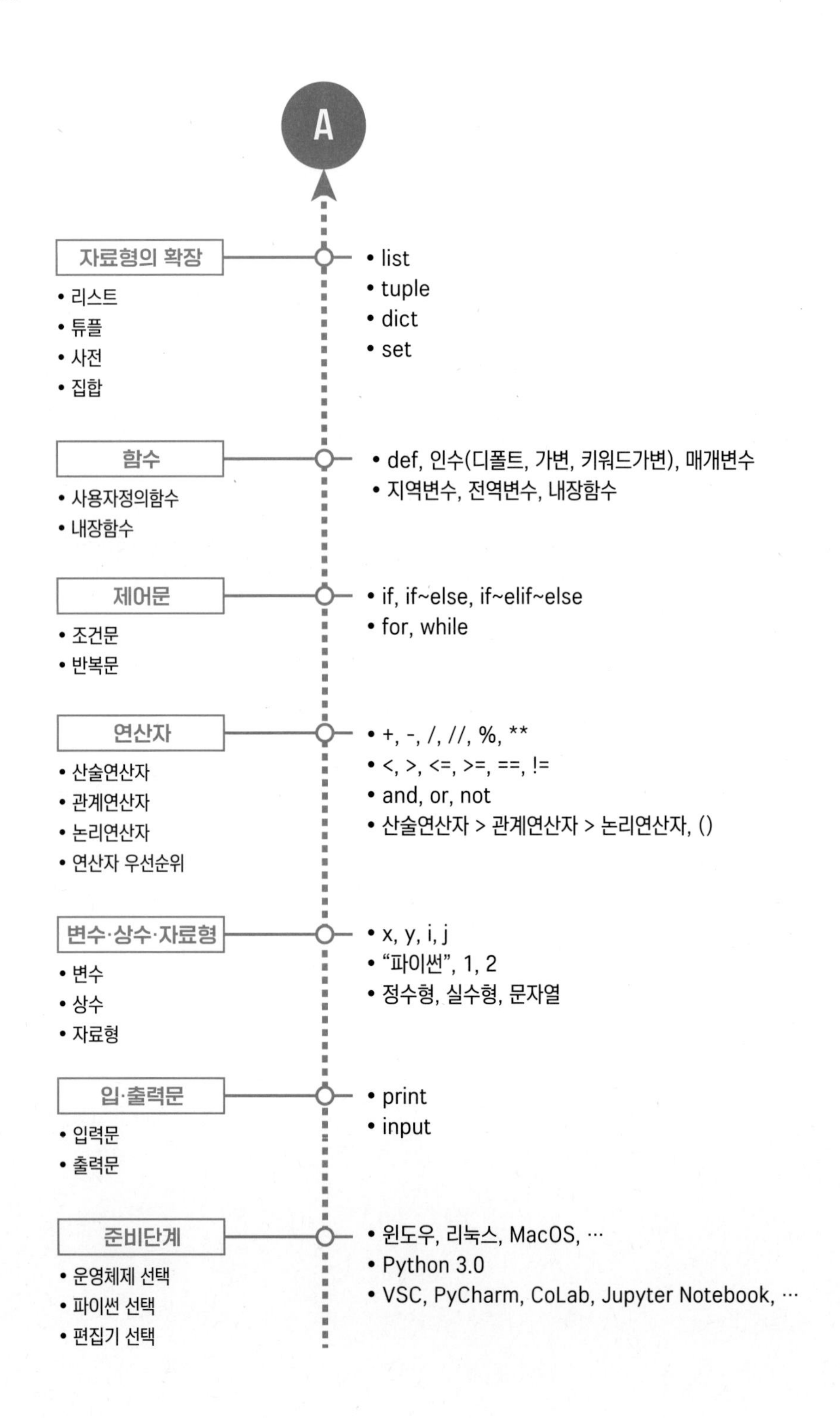
A
자료형의 확장
• 리스트
• 튜플
• 사전
• 집합
• list
• tuple
• dict
• set
함수
• 사용자정의함수
• 내장함수
• def, 인수(디폴트, 가변, 키워드가변), 매개변수
• 지역변수, 전역변수, 내장함수
제어문
• 조건문
• 반복문
• if, if~else, if~elif~else
• for, while
연산자
• 산술연산자
• 관계연산자
• 논리연산자
• 연산자 우선순위
• +, -, /, //, %, **
• <, >, <=, >=, ==, !=
• and, or, not
• 산술연산자 > 관계연산자 > 논리연산자, ()
변수·상수·자료형
• 변수
• 상수
• 자료형
• x, y, i, j
• "파이썬", 1, 2
• 정수형, 실수형, 문자열
입·출력문
• 입력문
• 출력문
• print
• input
준비단계
• 운영체제 선택
• 파이썬 선택
• 편집기 선택
• 윈도우, 리눅스, MacOS, …
• Python 3.0
• VSC, PyCharm, CoLab, Jupyter Notebook, …

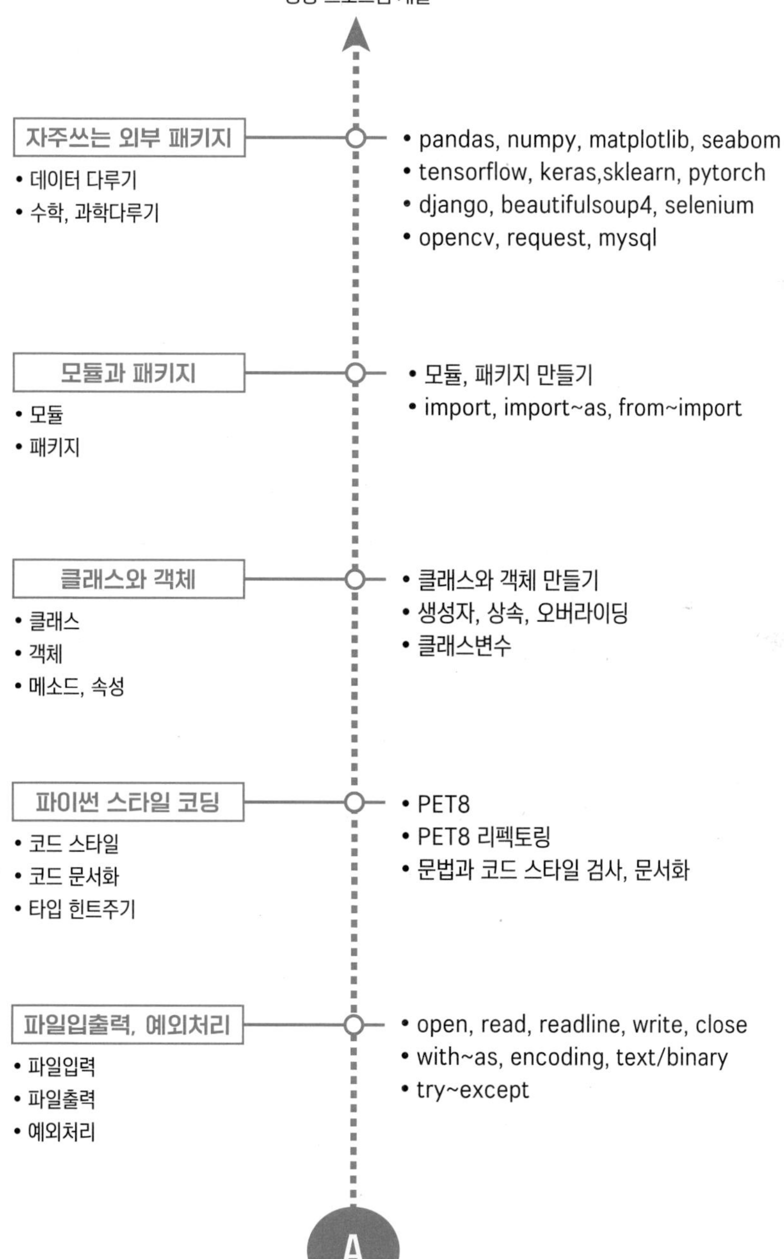

응용 프로젝트 수행
• 요구사항 분석
• 오픈 소스 수집 및 분석
• 관련 패키지 설치
• 프로그램 설계
• 응용 프로그램 개발
자주쓰는 외부 패키지
• 데이터 다루기
• 수학, 과학다루기
• pandas, numpy, matplotlib, seabom
• tensorflow, keras,sklearn, pytorch
• django, beautifulsoup4, selenium
• opencv, request, mysql
모듈과 패키지
• 모듈
• 패키지
• 모듈, 패키지 만들기
• import, import~as, from~import
클래스와 객체
• 클래스
• 객체
• 메소드, 속성
• 클래스와 객체 만들기
• 생성자, 상속, 오버라이딩
• 클래스변수
파이썬 스타일 코딩
• 코드 스타일
• 코드 문서화
• 타입 힌트주기
• PET8
• PET8 리펙토링
• 문법과 코드 스타일 검사, 문서화
파일입출력, 예외처리
• 파일입력
• 파일출력
• 예외처리
• open, read, readline, write, close
• with~as, encoding, text/binary
• try~except
A

지금까지 프로그램 언어란 무엇인지를 공부하였다면 반드시 다음 2개의 유튜브 영상을 시청하시길 권해드립니다. 만일 수업 교재로 공부를 하고 있다면 수업 시간에 모두 같이 시청하여 학습 공감대를 형성하시길 바랍니다.

- 왜 모든 사람들이 프로그래밍을 배워야 하는가?(9'49")
  https://youtu.be/Qqc6z4sn4Cg
- 프로그래밍을 배워야 하는 이유는?(5'40")
  https://youtu.be/jPpCFnNNuqo

참고

왜 모든 사람들이 프로그래밍을 배워야 하는가?
https://youtu.be/VJYEck8TdRc

애플사의 창립자인 스티브잡스는 생전에 한 인터뷰에서 이런 말을 했습니다.

"이 나라의 모든 사람은 프로그램을 공부해야 합니다. 프로그래밍은 생각하는 방법을 가르쳐주기 때문입니다. 이것은 마치 법대에서 법을 공부하면 모든 사람이 변호사가 되지는 못해도 생각하는 방법을 배우게 되는 것과 마찬가지입니다. 프로그래밍도 법을 공부하는 것과는 조금 다르지만 생각하는 방법을 가르쳐준다. 나는 컴퓨터 프로그래밍이 미술이나 역사와 같은 교양과목으로 채택되어 모든 사람이 최소한 1년 정도는 공부해야 합니다고 생각합니다."

위키피디아에서 말하는 프로그래밍의 정의는 다음과 같습니다.

"컴퓨터 프로그래밍 또는 간단히 프로그래밍 혹은 코딩은 하나 이상의 관련된 추상 알고리즘을 특정한 프로그래밍 언어를 이용해 구체적인 컴퓨터 프로그램으로 구현하는 기술을 말합니다. 프로그래밍은 기법, 과학, 수학, 공학, 심리학적 속성들을 가지고 있습니다."

이 프로그래밍을 통해서 우리가 매일 매일 반복하는 작업이나 공정을 자동화하기도 하고, 자동으로 운행되는 자동차를 만들기도 하고, 우주를 왕복할 수 있는 우주 비행선을 만들기도 합니다. 지금 시청하고 계신 유튜브 또한 하나의 프로그램이고, 이제는 수없이 많은 프로그램이 우리의 생활 일부가 되어서 프로그램이 없이는 단 하루도 살아갈 수가 없는 세상이 됐습니다. 쉬운 예로 길거리의 수많은 신호등, 매일 매일 보는 텔레비전, 항상 우리의 손에 꼭 쥐어져 있는 스마트폰, 심지어는 맛있는 밥을 만들어주는 밥솥까지도 프로그램으로 움직이고, 우리는 이것들이 없이는 하루도 생활할 수 없게 되었습니다.

이런 프로그램을 만드는 과정이나 행위를 프로그래밍이라고 합니다.

2. 파이썬 언어소개

파이썬 언어는 네델란드 암스테르담 출신의 귀도 반 로섬(Guido Van Rossum)이 C언어를 기반으로 1989년부터 개발하여 1991년에 공식 버전을 발표한 프로그램 언어입니다. 파이썬 버전 2는 2000년, 파이썬 버전 3은 2008년에 발표하였습니다.

아래 그림과 같이 파이썬은 뱀모양의 심볼을 가지고 있는데, 이는 파이썬이라는 이름이 그리스 신화에서 대지의 여신 가이아의 자식으로, 델포이 지역을 다스리며 사람들에게 예언을 전달하던 뱀의 이름(피톤: Python)과 같기 때문입니다. 신화에서 피톤은 제우스의 아들 아폴론의 화살을 맞고 죽게 됩니다. 아폴론은 가이아와 피톤을 위하는 피티아 제전을 8년마다 열게 됩니다 (더 자세한 이야기는 그리스 신화에서 찾아보세요).

하지만 정작 로섬이 프로그램 언어를 파이썬으로 정하게 된 이유는 자신이 좋아하는 영국의 코미디 프로그램 "Monty Python's Flying Circus(몬티 파이썬의 날아다니는 서커스)"에서 따온 것이라고 합니다. 이 프로그램은 1969년부터 1974년까지 방영된 방송으로 제작자 이름이 몬티 파이썬입니다.

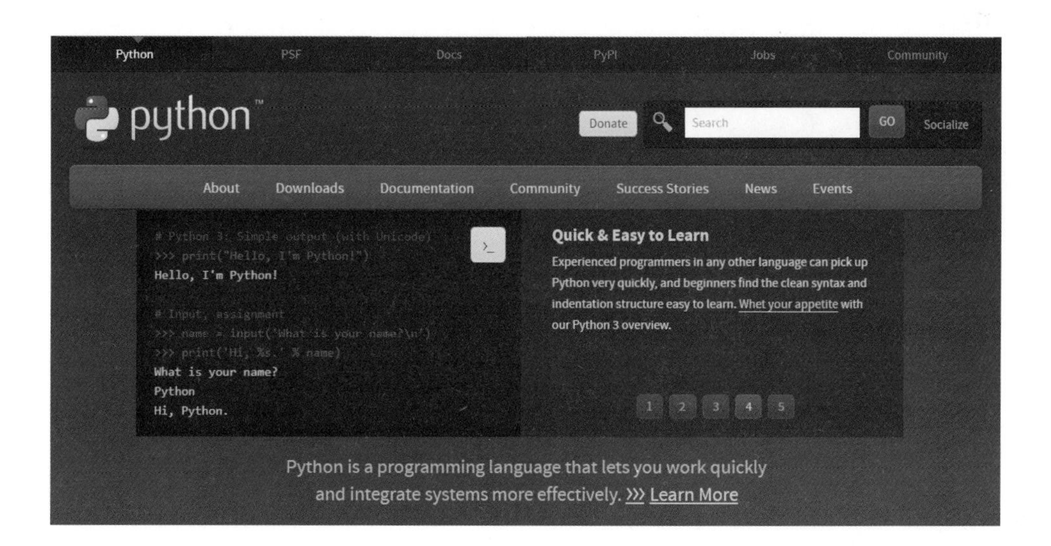

티오베 언어 인덱스(TIOBE programming language index)는 대표적인 검색엔진 25의 검색 결과를 바탕으로 가장 인기 있는 프로그램 언어의 순위를 2001년부터 매년 발표하

고 있습니다. 피와이피엘 언어 인덱스(PYPL programming language index)는 구글에서 얼마나 많이 프로그램 튜토리얼이 검색되는가를 기준으로 순위를 정하고 있습니다.

전 세계적으로 파이썬을 사용하는 현황을 티오베 언어 인덱스와 피와이피엘 언어 인덱스를 통해 살펴보면 2021년 5월기준 티오베 언어 인덱스에서는 파이썬이 11.87%의 사용량으로 2위, 피와이피엘 언어 인덱스에서는 파이썬이 29.9%의 사용량으로 1위의 프로그램 언어이며 2020년과 비교하여서도 가파르게 파이썬 사용자가 상승하는 것을 확인할 수 있습니다.

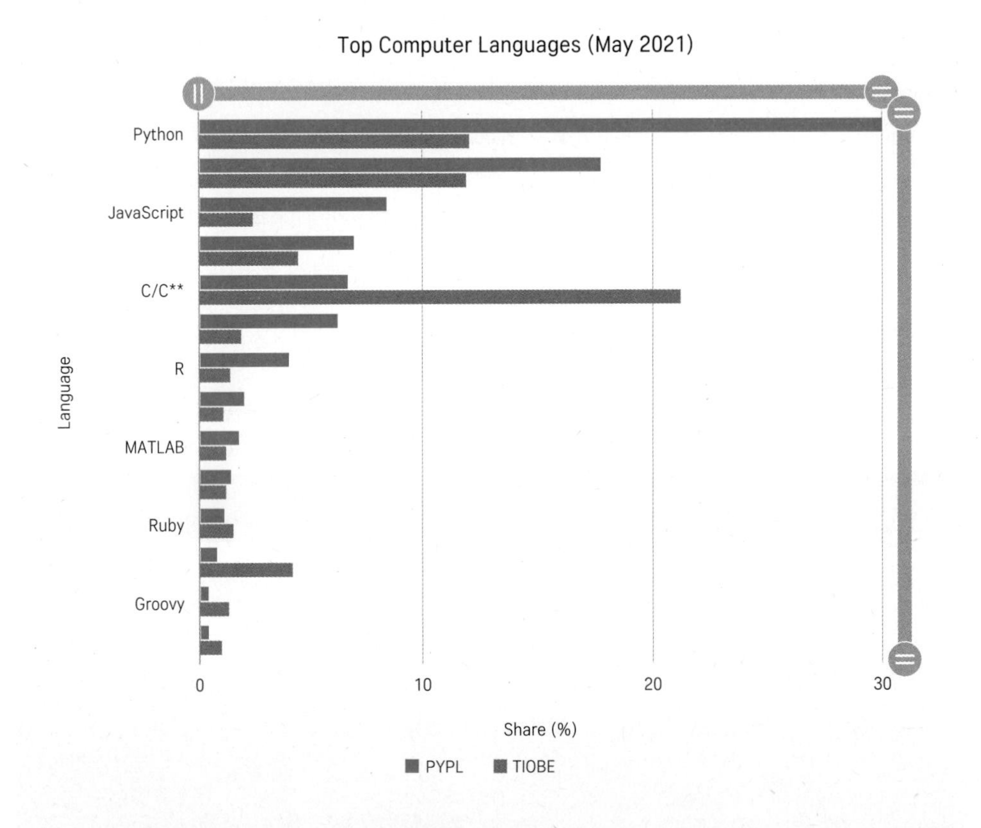

그러면 세계의 많은 개발자가 왜 파이썬을 사용하려 하는 걸까요? 다음에서 파이썬의 특징을 살펴보겠습니다.

첫째, 파이썬은 누구나 무료로 다운로드해서 사용할 수 있는 무료 소프트웨어입니다. 현재, 파이썬은 파이썬 소프트웨어 재단(Python Software Foundation)이 관리하면서, 지속해서 새로운 버전을 개발하고 있습니다.

TIOBE Index

May 2021	May 2020	Change	Programming language	Ratings	Change
1	1		C	13.38%	-3.68%
2	3	↑	Python	11.87%	+2.75%
3	2	↓	Java	11.74%	-4.54%
4	4		C++	7.81%	+1.69%
5	5		C#	4.41%	+0.12%
6	6		Visual Basic	4.02%	-0.16%
7	7		JavaScript	2.45%	-0.23%
8	14	↑↑	Assembly language	2.43%	+1.31%
9	8	↓	PHP	1.86%	-0.63%
10	9	↓	SQL	1.71%	-0.38%
11	15	↑↑	Ruby	1.50%	+0.48%
12	17	↑↑	Classic Visual Basic	1.41%	+0.53%
13	10	↓	R	1.38%	-0.46%
14	38	↑↑	Groovy	1.25%	+0.96%
15	13	↓	MATLAB	1.23%	+0.06%
16	12	↓↓	Go	1.22%	-0.05%
17	23	↑↑	Delphi/Object Pascal	1.21%	+0.60%
18	11	↓↓	Swift	1.14%	-0.65%
19	18	↓	Perl	1.04%	+0.16%
20	34	↑↑	Fortran	0.83%	+0.51%

PYPL Index (Worldwide)

May 2021	Change	Programming language	Share	Trends
1		Python	29.9 %	-1.2 %
2		Java	17.72 %	-0.0 %
3		JavaScript	8.31 %	+0.4 %
4		C#	6.9 %	-0.1 %
5	↑	C/C++	6.62 %	+0.9 %
6	↓	PHP	6.15 %	+0.1 %
7		R	3.93 %	+0.0 %
8		Objective-C	2.52 %	+0.1 %
9		Swift	1.96 %	-0.2 %
10	↑	TypeScript	1.89 %	+0.0 %
11	↓	Matlab	1.71 %	-0.2 %
12		Kotlin	1.62 %	+0.1 %
13	↑	Go	1.42 %	+0.1 %
14	↓	VBA	1.33 %	-0.0 %
15	↑↑↑	Rust	1.13 %	+0.4 %
16	↓	Ruby	1.12 %	-0.1 %
17	↑↑↑↑↑↑↑↑↑	Ada	0.72 %	+0.3 %
18	↓	Visual Basic	0.7 %	-0.2 %
19	↓↓↓	Scala	0.67 %	-0.4 %
20	↓	Abap	0.61 %	+0.1 %
21	↓	Dart	0.55 %	+0.0 %
22	↑↑	Lua	0.49 %	+0.1 %
23	↑↑↑	Julia	0.42 %	+0.1 %
24	↓↓↓	Groovy	0.41 %	-0.0 %
25	↓↓↓	Perl	0.4 %	-0.0 %
26	↓↓↓	Cobol	0.36 %	-0.1 %
27	↑	Delphi/Pascal	0.24 %	-0.0 %
28	↓	Haskell	0.21 %	-0.1 %

둘째, 이해하고 배우기 쉬운 고급언어입니다. 파이썬의 코딩 소스는 사람이 사용하는 언어와 문법 체계를 그대로 사용하여 간단한 영어를 이해할 수 있는 수준이면 쉽게 소스 코드를 이해하고, 간단하게 코드를 작성할 수 있습니다.

셋째, 플랫폼 독립적 언어입니다. 파이썬은 윈도우즈, 리눅스/유닉스, MacOS 등 다양한 운영체제 환경에서 동일한 코드로 동작하는 프로그램 언어입니다.

넷째, 유용한 오픈소스 패키지(라이브러리)를 풍부하게 제공합니다. 파이썬은 공개 소스(Open Source)정책으로 운영되며, 파이썬은 많은 제 3자 라이브러리를 무료로 제공합니다. 통계, 선형대수등을 쉽게 지원하는 Numpy, 게임을 쉽게 만드는 pygame, 웹 크롤링 지원하는 Scrapy, 이미지 처리를 쉽게하는 Pillow, 그래픽 인터페이스를 지원하는 wsPython, PyQT, 생물학 분석을 쉽게 제공하는 Biopython, 심층학습을 지원하는 tensorflow, keras, pytorch 등이 그 예입니다.

다섯째, 다양한 분야에서 활용할 수 있습니다. 이미, 파이썬은 인공지능, 빅데이터, 각종 응용프로그램, 유틸리티, 게임, 웹프로그래밍, 해킹, 사물인터넷(IoT) 등 여러 실무 분야에서 많이 사용되는, 컴퓨터 프로그램을 공부할 때 배워야 할 기본 언어입니다.

여섯째, 다중언어로 프로그램 개발이 쉽습니다. 파이썬은 외부 다른 프로그램 언어에서 개발된 라이브러리를 결합(이를 '언어의 바인딩'이라 부른다)하여 손쉽게 사용할 수 있는 API를 제공합니다. ctypes, libsvn 등을 통해 기존에 개발된 c언어 라이브러리나 java라이브러리를 호출하여 함께 사용할 수 있습니다.

일곱째, 실행시 변수의 형식이 결정되는 동적 타이핑 언어입니다. 변수의 데이터 형식을 프로그램 실행할 때 결정하여, 변수의 형식을 고민하지 않고 바로 코딩하는 동적 언어입니다.

여덟째, 대화형 인터프리터 언어입니다. 파이썬은 한줄 단위로 명령을 입력받고 명령 해석기(인터프리터)가 한 줄씩 해석해서 실행하는 대화형 언어입니다.

아홉째, 객체 지향 프로그램 언어입니다. 행위(함수)와 속성(변수)을 묶음으로 하는 객체들의 상호작용을 중심으로 프로그램을 작성하는 객체 지향 프로그래밍 언어입니다. 따라서, 하나의 변수를 선언하더라도 기존에 정의된 상위 클래스의 행위와 속성을 상속받기 때문에 편리한 많은 기능을 쉽게 구현할 수 있습니다.

열 번째, 블록(동일한 영향을 미치는 코드의 범위)을 들여쓰기로 결정하는 줄 맞추기가 중요한 언어입니다.

파이썬 언어의 다양한 특징과 장점을 살펴보았습니다. 프로그램 언어를 처음 접하거나 컴퓨터에 대해 익숙하지 않아서, 지금까지 살펴본 특징과 장점에 대한 설명이 잘 이해가 안 된다고 하더라도 걱정할 필요가 없습니다. 이제부터 하나씩 살펴보며 알아가면 됩니다.

다음은 파이썬 개발의 핵심철학이라는 불리는 팀 피터의 "The Zen of Python"입니다. 이 내용은 파이썬 셸 창에서 ">>> import this"라고 작성하면 출력됩니다. 프로그램 코드를 작성하면서 이곳에 제시된 핵심 철학들을 마음에 새겨 실천해 보면 보다 효율적인 프로그램 코드를 작성할 수 있으리라 봅니다.

파이썬 개발의 핵심 철학

("The Zen of Python, by Tim Peters").

- 아름다운게 추한 것보다 낫다. (Beautiful is better than ugly)
- 명시적인 것이 암시적인 것 보다 낫다. (Explicit is better than implicit)
- 단순함이 복잡함보다 낫다. (Simple is better than complex)
- 복잡함이 난해한 것보다 낫다. (Complex is better than complicated)
- 겹치지 않은 것이 겹친 것(중첩)보다 낫다. (Flat is better than nested)
- 드문드문한 것이 빽빽한 것보다 낫다. (Sparse is better than dense.)
- 가독성은 중요하다. (Readability counts)
- 규칙을 깰 정도로 특별한 경우란 없다. (Special cases aren't special enough to break the rules)
- 하지만 실용성은 이상을 능가한다. (Although practicality beats purity)
- 에러를 결코 조용히 넘어가지 않도록 한다. (Errors should never pass silently)
- 명시적으로 조용히 넘어가라고 하더라도 조용히 넘어가지 않는다. (Unless explicitly silenced)
- 모호한 코드를 대면할 때마다 추측하고 싶은 유혹을 거절하라. (In the face of ambiguity, refuse the temptation to guess)
- 문제를 해결할 단 하나의 명확하고 바람직한 방법이 있을 것이다. (There should be one-- and preferably only one --obvious way to do it)
- 하지만 처음에 코딩을 할 때는 잘 모를 수 있기에 코드의 동작 방법을 정확히 알지 못할 수 있다. (Although that way may not be obvious at first unless you're Dutch)
- 아무것도 안 하는 것보다 지금 하는 게 낫다. (Now is better than never)
- 하지만 아무것도 하지 않는 것이 지금 당장 하는 것보다 나을 수도 있다. (Although never is often better than *right* now)
- 설명하기 어려운 구현이라면 좋은 아이디어는 아니다. (If the implementation is hard to explain, it's a bad idea)
- 쉽게 설명할 수 있는 구현이라면 좋은 아이디어일 것이다. (If the implementation is easy to explain, it may be a good idea)
- 네임스페이스는 매우 훌륭한 아이디어입니다. 많이 사용하자! (Namespaces are one honking great idea -- let's do more of those!)

3. 파이썬 설치 및 프로그램 만들기

우리는 파이썬을 설치에 앞서서 첫째, 사용할 운영체제, 둘째, 파이썬 버전, 셋째, 파이썬 편집기, 이렇게 세 가지 항목을 결정하고 설치를 진행해야 합니다.

첫째, 운영체제: 파이썬은 아래 그림과 같이 윈도우즈, 리눅스/유닉스, MacOS 등 다양한 운영체제를 지원합니다. 따라서 내가 사용할 운영체제를 먼저 결정해야 합니다.

우리는 마이크로소프트 윈도우즈를 사용하도록 하겠습니다. 키보드에서 윈도우즈 키(■)를 누른 상태에서 Pause/break키(Pause Break)를 누르거나, 내 PC 혹은 내 컴퓨터에서 마우스 오른쪽 버튼을 누른 후 속성을 선택하면 현재 사용하는 컴퓨터의 운영환경에 대한 기본 정보를 확인할 수 있습니다. 기본 정보로 사용하는 윈도우즈 버전, 32비트인지, 64비트인지, 설치된 중앙처리장치(CPU)의 종류와 속도 그리고 메모리의 크기 등을 확인할 수 있습니다.

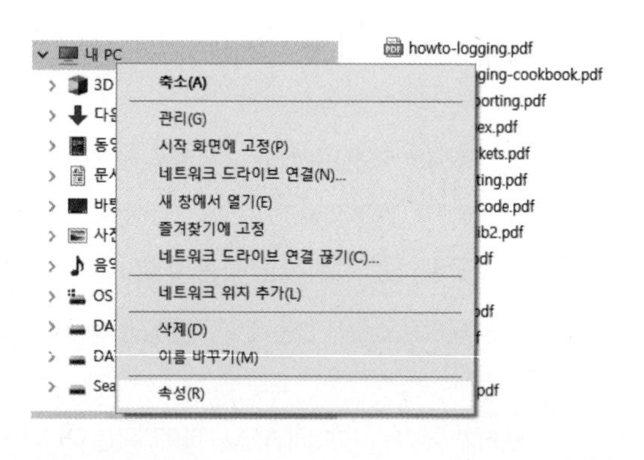

다른 방법으로는 키보드에서 윈도우즈 키(■)를 누른 상태에서 R키를 누르면 명령을

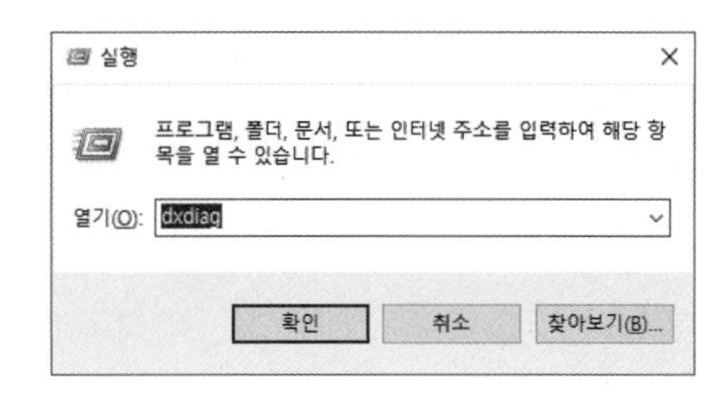

입력하는 창이 나오는데, 이곳에 'dxdiag'라고 입력하면 DirectX 진단 도구가 실행됩니다. 우리는 DirectX 진단도구에서 사용하는 컴퓨터의 운영환경 등의 기본정보를 살펴볼 수 있는데, 꼭, 사용하는 컴퓨터의 운영체제 종류를 기억하도록 하겠습니다. 아래 그림에서는 Windows 10 Pro 64비트라는 것을 기억하면 됩니다.

특히 최근 버전의 파이썬은 윈도우즈 10 이상만 지원하기 때문에 만일, 자신의 윈도우즈가 윈도우즈 10보다 하위 버전이면 해당 윈도우즈에서 동작하는 하위 버전의 파이썬을 선택해야 합니다. 또한, 운영체제 종류가 64비트가 아니고 32비트인 경우도 마찬가지로 파이썬을 다운로드 받을 때 32비트를 지원하는 버전을 찾아서 파이썬을 다운로드 받아야 파이썬 프로그램이 정상적으로 동작하게 됩니다.

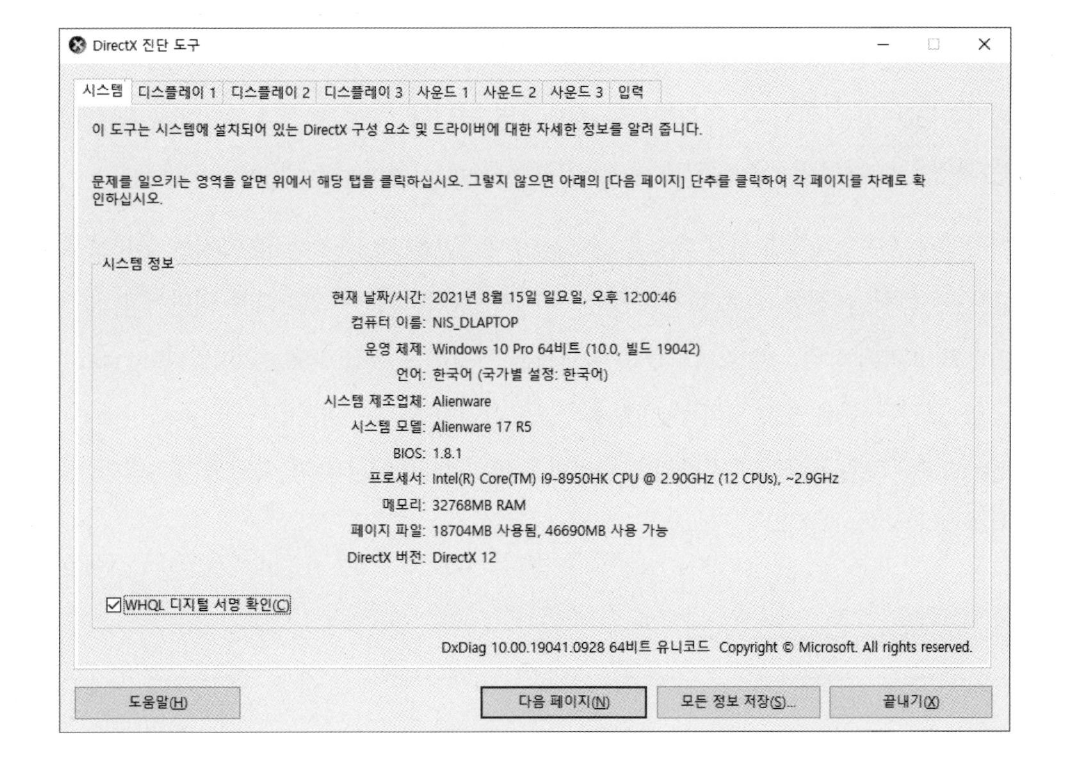

둘째, 파이썬 버전: 파이썬 프로그램은 사람들이 많이 사용하고 관심이 많은 무료 공개 프로그램이다 보니 개발진에 의해 수시로 버전이 바뀌어 배포됩니다. 버전이 자주 바뀌다 보니 버전 간의 함수명이나 사용법이 조금씩 다르거나 지원하는 패키지가 다른 경우들이 있습니다. 그러므로, 우리는 사용하려는 파이썬 버전을 먼저 정확하게 확인하고 해당 버전을 다운 받아 설치해야 원하는 프로그램이 정상적으로 동작합니다. 다양한 버전 중 원하는 버전의 파이썬 프로그램을 내려받는 순서는 다음과 같습니다.

파이썬을 내려받기 위해서 공식 내려받기 인터넷 주소 "https://www.python.org/downloads/"를 입력하고 접속하여 원하는 버전을 내려받으면 됩니다. 파이썬 공식 다운로드 사이트를 접속하면, 다양한 버전을 선택해서 내려받을 수 있는 화면이 나오게 됩니다. 수시로 버전이 바뀌게 되기 때문에 여러분이 접속했을 때마다 다른 화면이 나타나게 되지만, 당황하지 말고 내려받기를 희망하는 버전을 확인하고 내려받기 작업을 진행하면 됩니다. 내려받기 화면의 "Active Python Release"를 통해 현재 진행하고 있는 파이썬 개발 버전들의 최초 배포와 최종 지원일자를 표기하고 있습니다. 특정 희망하는 버전을 내려받기 위해서는 내려받기 화면의 "Looking for a specific release"에서 희망하는 버전을 확인 후 내려받기를 진행하면 됩니다. 특정 버전의 파이썬을 내려받는 과정은 다음 유튜브를 참고할 수 있습니다. "https://youtu.be/kJwNE64Hftw".

이곳에서는 운영체제별 설치 파일을 선택하여 내려받을 때, 표기법 몇 가지를 살펴보겠습니다. 먼저, 버전에 64로 표기된 것은 64비트 운영체제를 지원한다는 의미이고, x86이라고 표기되어 있으면 32비트를 운영체제를 지원하는 버전이라는 의미입니다. x86-64라 표기된 것은 32비트와 64비트를 모두 설치하겠다는 의미입니다. web-based installer는 적은 용량의 설치파일을 내려받은 후, 인터넷에서 추가 파일을 내려받아 설치하겠다는 의미입니다.

Active Python Releases

For more information visit the Python Developer's Guide.

Python version	Maintenance status	First released	End of support	Release schedule
3.9	bugfix	2020-10-05	2025-10	PEP 596
3.8	security	2019-10-14	2024-10	PEP 569
3.7	security	2018-06-27	2023-06-27	PEP 537
3.6	security	2016-12-23	2021-12-23	PEP 494
2.7	end-of-life	2010-07-03	2020-01-01	PEP 373

- "https://www.python.org/downloads/" 접속 및 Windows 버전 선택합니다.

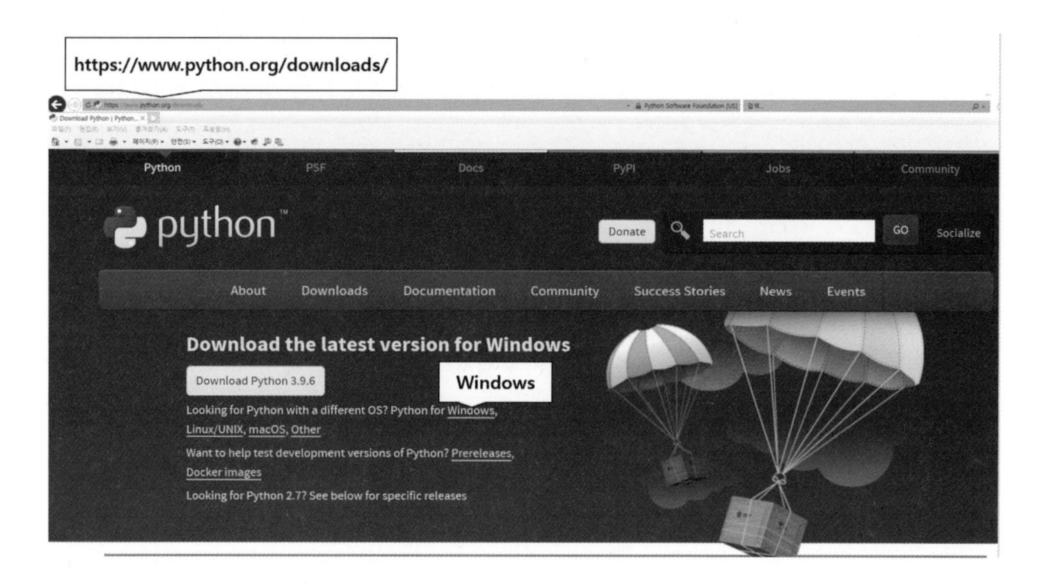

- 안정화 버전(Stable Releases) 중 64비트 설치(install) 버전 선택하여 내려받습니다. 이때, 이전 컴퓨터 운영환경 기본 정보에서 자신의 윈도우즈가 윈도우즈 10보다 이전 버전이거나 32비트 버전이면 관련 설치 파일을 선택하여 내려받아야 합니다.

Python Releases for Windows

- Latest Python 3 Release - Python 3.9.6
- Latest Python 2 Release - Python 2.7.18

안정화 버전

Stable Releases

- Python 3.9.6 - June 28, 2021
  Note that Python 3.9.6 *cannot* be used on Windows 7 or earlier.
  - Download Windows embeddable package (32-bit)
  - Download Windows embeddable package (64-bit)
  - Download Windows help file
  - Download Windows instal
  - Download Windows installer (64-bit)

64비트 설치 버전

Pre-releases

- Python 3.10.0rc1 - Aug. 2, 2021
  - Download Windows embeddable package (32-bit)
  - Download Windows embeddable package (64-bit)
  - Download Windows help file
  - Download Windows installer (32-bit)
  - Download Windows installer (64-bit)
- Python 3.10.0b4 - July 10, 2021
  - Download Windows embeddable package (32-bit)

1. 해당 파일을 내려받고 실행파일을 실행시켜 설치 화면이 나오면, "Add Python 3.9 to PATH"를 선택하여 시스템 환경변수에 경로를 추가하도록 합니다. 만일 경로추가 항목을 표시되지 않아 경로(PATH)를 추가하지 않으면, 파이썬 프로그램 설치 후

정상적으로 파이썬 프로그램이 실행이 되지 않는 경우가 생깁니다. 이 때 (경로 설정을 하지 않았을 때)는 시스템 환경변수를 직접 수정해 주어야 하는 번거로움이 생기기 때문에 반드시 프로그램 설치할 때 설정해야 번거로움을 피할 수 있습니다.

2. 설치 시 "Install Now"와 "Customize installation"을 선택하게 되어 있는데 우리는 "Install Now"를 선택하여 기본값으로 설치합니다.

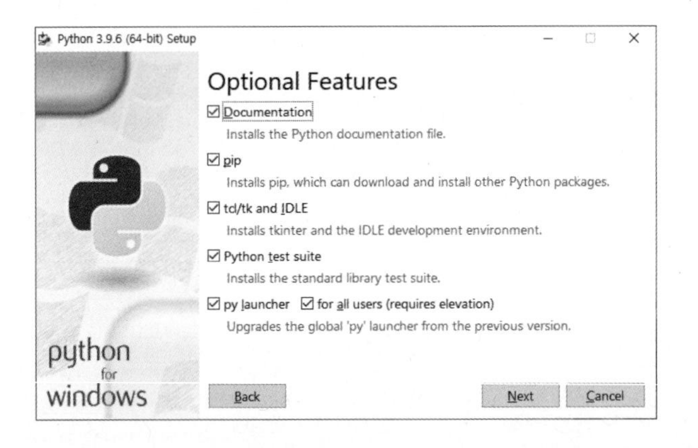

본인이 시스템에 대해 잘 알아서, 프로그램을 설치하고자 하는 위치를 수정하거나 선별적으로 설치 파일들을 설치하고자 할 때는 그림에서와 같이 "Customize installation"을 선택하여 진행합니다. 그러면 부가적 특징들을 설치하는 화면이 나오는 데 이 때 파이썬에서 제공하는 통합 개발환경인 IDLE를 선택합니다.

3. 부가적 특징을 선택한 후 다음을 누르면 Advanced Options에서 기본으로 선택된 것 외에 환경변수에 파이썬 경로를 선택해주고 나머지 것도 선택합니다. 이때, 파이썬 경로가 C:\Program Files\Python39로 설정되는데, 필요에 따라 자신이 원하는 위치와 이름으로 수정하면 됩니다. 우리는 기본값을 사용하도록 합니다.

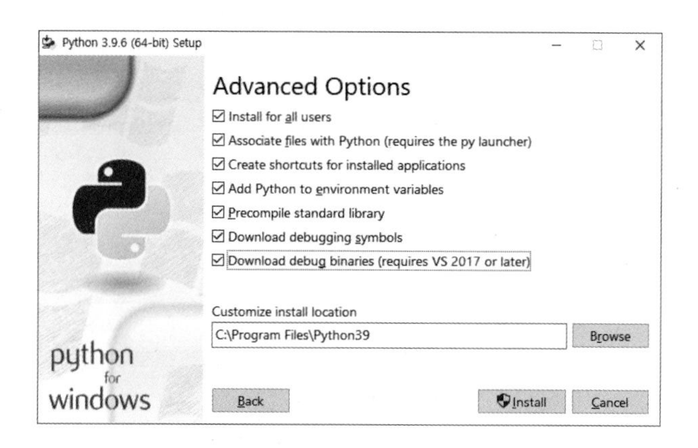

4. 설치가 정상적으로 완료가 되면 Setup was successful 화면이 나오는데, 컴퓨터에 처음 파이썬을 설치하게 되면, 설치 완료 후 설치 완료창 아래쪽에 "Disable path length limit" 버튼이 나타납니다. 이 때 반드시 이 버튼을 눌러 환경변수의 경로 길이 제한을 해제하기를 권장합니다. 아래의 왼쪽 그림은 최초로 파이썬을 설치한 화면이고, 오른쪽은 이미 설치된 곳에 파이썬을 설치한 화면입니다. 경로 길이 제한이 해제되지 않고 여러 프로그램들을 경로에 계속 추가하게 되면, 나중에 설치되는 프로그램의 경로가 환경변수 길이 제한으로 인해 정상적으로 환경변수에 적용이 되지 않는 경우가 생겨날 수 있습니다. 이 때문에 반드시 경로 제한을 해제할 것을 당부합니다.

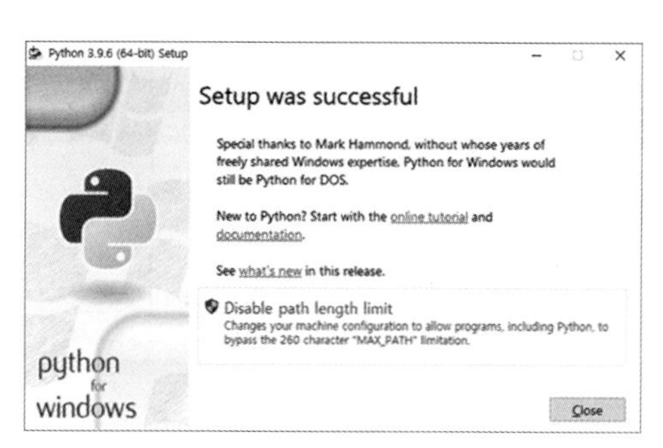

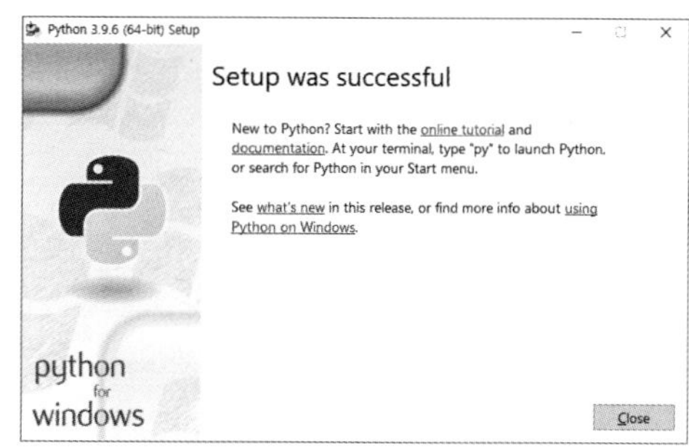

- 설치가 완료되면 아래와 같은 목록이 프로그램에 나타납니다. 정상적으로 프로그램이 동작하는지를 확인하기 위해 파이썬 쉘 프로그램 "Python 3.9(64-bit)"를 클릭합니다. 파이썬 쉘이 정상적으로 실행되면 >>>의 쉘 프롬프트가 나타납니다. 이곳에 "import this"라고 입력하여 The Zen of Python이 출력되면 정상적으로 프로그램 설치된 것입니다.

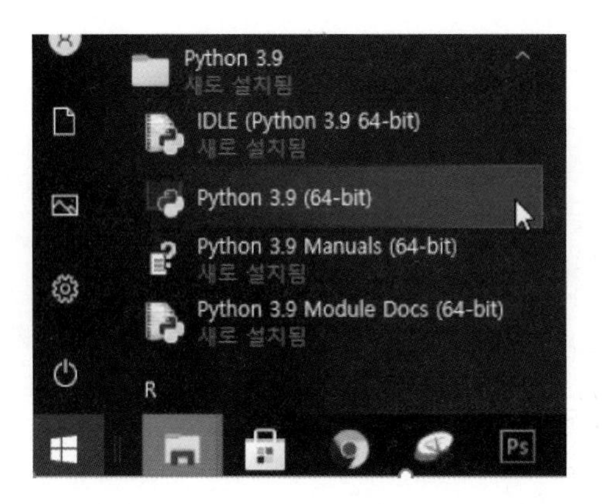

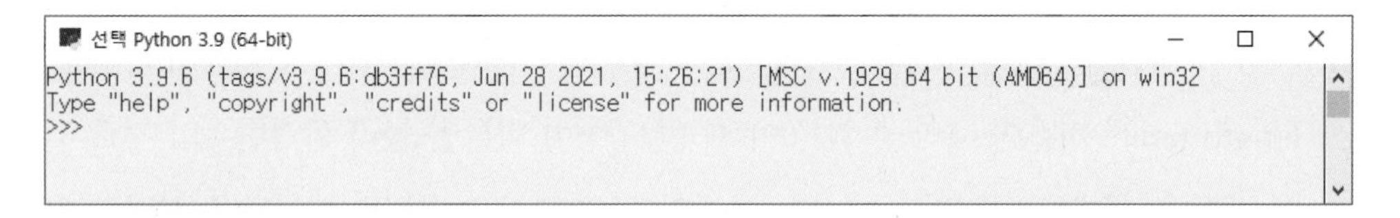

선택 Python 3.9 (64-bit)

```
>>> import this
The Zen of Python, by Tim Peters

Beautiful is better than ugly.
Explicit is better than implicit.
Simple is better than complex.
Complex is better than complicated.
Flat is better than nested.
Sparse is better than dense.
Readability counts.
Special cases aren't special enough to break the rules.
Although practicality beats purity.
Errors should never pass silently.
Unless explicitly silenced.
In the face of ambiguity, refuse the temptation to guess.
There should be one-- and preferably only one --obvious way to do it.
Although that way may not be obvious at first unless you're Dutch.
Now is better than never.
Although never is often better than *right* now.
If the implementation is hard to explain, it's a bad idea.
If the implementation is easy to explain, it may be a good idea.
Namespaces are one honking great idea -- let's do more of those!
>>>
```

셋째, 편집기: 파이썬은 프로그램 개발을 편리하게 지원하는 다양한 편집기가 있습니다. 작업하려는 프로젝트의 성격에 맞는 편집기를 선택해야 효율적으로 코드를 작성할 수 있습니다. 편집기가 없더라도 기본적인 프로그램 실행은 앞에서 설치한 파이썬의 쉘 창으로 실행을 할 수 있습니다. 하지만, 코드의 길이가 길어지고 다양한 패키지들을 활용하는 프로젝트를 진행하기에는 쉘창에서 코딩하는 것은 한계가 있기 때문에, 개발에 적합한 통합 개발환경을 살펴보아야 합니다.

대표적인 통합 개발환경 몇 가지를 살펴보면 다음과 같습니다.

- 파이참(PyCharm): 현재 가장 많은 사용자가 있는 통합 개발환경으로 여러 운영체제를 지원하며, 다양한 확장 기능을 설치 후 사용할 수 있습니다. 유료와 무료버전으로 제공됩니다.
- 주피터 노트북(Jupyter Notebook, 구글 코랩(Google Colab)): 프로그램 코드를 웹 브라우저에서 실행하고 결과를 확인할 수 있는 대화식 노트북 환경을 지원하는 프로그램입니다. 주피터 노트북은 아나콘다 배포판에 포함되어 배포되고, 구글 코랩은 구글에 회원가입을 하여 코랩 어플을 설치하면, 브라우저가 설치된 어디서나 파이썬 설치환경 및 GPU자원을 제공 받아 별도의 추가 작업 없이 파이썬을 사용할 수 있어 사용자가 늘어나고 있습니다.
- 스파이더(Spyder): 아나콘다 배포판에서 제공되는 도구로 과학기술 계산용으로 특화되어 다양한 운영체제에서 무료로 사용되고 있습니다.
- 비주얼 스튜디오 코드(Visual Studio Code): Visual Studio Code에 파이썬을 설치하여 개발하는 통합 개발환경으로, 최근에 다양한 운영체제를 지원하고 무료인 점 그리고 다양한 확장 기능들을 설치하여 사용하는데 편리하다는 점 등으로 최근 개발자가 꾸준히 증가하고 있습니다.

간단한 편집기는 윈도우즈의 메모장이나 유닉스나 리눅스의 vi편집기 등과 같은 것이 있습니다. 울트라에디터(UltraEditor)나 이클립스 등은 여전히 이용자가 많고 지속적인 사랑을 받는 프로그램입니다. 이들 프로그램은 효율적인 단축키의 운용과 강력한 디버깅 환경으로 빠르게 프로그램을 개발하고 디버깅할 수 있어 많은 사용자를 보유해오고 있습니다. 코드 편집기나 통합 개발 환경의 결정은 사용하는 프로그래밍 언어, 프로젝트 종류, 프로젝트 크기, 운영체제의 지원방식 등 많은 요소에 의해 결정됩니다.

이 교재에서는 파이썬 프로그램 실행 편집 기본환경을 컴퓨팅 리소스를 적게 차지하고, 최근 사용자가 많이 늘어나고 있는 비주얼 스튜디오 코드(VSC)로 진행하고, 파이썬 셸, 파이썬 IDLE, 구글 코랩 등을 필요에 따라 사용할 예정입니다. 처음 사용자들이 혼란스럽지 않게 중간 중간 명확하게 사용하는 편집기와 통합환경에 대해 명시하고 운영하겠습니다.

다음은 운영체제와 편집기 그리고 통합환경 선택에 다양한 조건들을 GeeksforGeeks의 "2020년 파이썬 상위 10개의 코드 편집기 및 통합 개발환경"이라는 자료와 저자의 경험에 따라 파이썬 코드 편집기와 통합 개발 환경 비교 표를 같이 제시하니, 추후 개발자의 환경과 용도에 맞게 선택하기를 바랍니다. 기본 자료는 제트브레인(JetBrains)과 파이썬 소프트웨어 재단(Python Software Foundation)이 150개국 20,000명 이상의 개발자를 대상으로 진행한 2018년 파이썬 개발자 설문 결과와 파이썬 개발자 귀도 반 로섬(Guido Van Rossum) 그리고 웹 데이터, 여러 개발자의 의견들을 종합하여 작성된 자료에 저자가 일부 수정한 내용입니다.

사용자의 파이썬 프로그래밍 실력에 따라 다음과 같은 코드 편집기와 통합 개발 환경을 권장하고 있습니다. 초급 프로그래머는 IDLE 또는 온라인 파이썬 편집기를 권장합니다. 만일 프로그래밍에 조금 익숙해졌다면 비주얼 스튜디오 코드나 주피터 노트북과 같은 중급 단계의 편집기 사용으로 전환하기를 권합니다. 중급 프로그래머는 파이참, Sublime, Atom, 비주얼 스튜디오 코드, 주피터 노트북, 이클립스+파이데브, 스파이더 사용을 권합니다. 고급 프로그래머는 파이참, Vim, Emacs, Sublime, Atom, 비주얼 스튜디오 코드, 주피터 노트북, 이클립스+파이데브, 스파이더 사용을 권합니다.

[파이썬 코드 편집기 및 통합 개발환경 비교]

	프로그래밍 능력			개발 목적				운영체제		
	초급	중급	고급	웹개발	데이터 과학	스크립팅	QA	윈도우즈	Linux/ Unix	Mac OS
IDLE 또는 온라인 편집기	●							●		
비주얼 스튜디오 코드		●	●	●				●		
파이참 프로페셔널		●	●	●	●			●	●	●
파이참 커뮤니티	●	●	●			●	●	●	●	●
스파이더		●	●		●			●	●	
주피터 노트북		●	●		●		●	●	●	
구글 코랩		●	●		●			●	●	●
Sublime		●				●	●	●	●	●
Atom		●				●	●		●	●
Vim, Vi, nano			●			●			●	
Emacs			●			●			●	
이클립스, 울트라에디터		●	●			●		●	●	●

프로그래밍 언어의 사용 용도는 다양하지만 표와 같이 4가지의 사용 용도인 경우 파이썬 코드 편집기와 통합 개발환경은 다음과 같이 권장합니다.

- 웹개발의 경우 파이참 프로페셔널, 비주얼 스튜디오 코드

- 데이터과학의 경우 스파이더(Spyder), 주피터 노트북(Jupyter Notebook), 파이참 프로페셔널
- 스크립팅의 경우 Sublime, Atom, 파이참 커뮤니티, 이클립스(Eclipse)+파이데브(PyDev), Vim, Emacs
- QA(Quality Assurance)의 경우 Sublime, Atom, 파이참 커뮤니티, 주피터 노트북(Jupyter Notebook)

  QA(Quality Assurance)란 소프트웨어가 명세서 기준에 합당하게 프로그램이 작동한다는 것을 검증하고 확인하는 프로그래밍 작업으로 품질보증 혹은 품질관리라고도 합니다.

[파이썬 사용 분야 (출처: 제트브레인 설문 2018 재구성)]

순위	파이썬 단독 사용분야(%)	파이썬 보조 사용분야(%)
1	Web development(29)	DevOps/System administration/Writing automation scripts(17)
2	Data analysis(17)	Data analysis(17)
3	Machine learning(11)	Web development(14)
4	DevOps/System administration/Writing automation scripts(10)	Machine learning(10)
5	Education purposes(7)	Education purposes(9)
6	Desktop development(4)	Software prototypeing(7)
7	Programming of web parsers/scrapers/crawlers(4)	Software testing/Writing automated tests(4)
8	Software prototypeing(4)	Programming of web parsers/scrapers/crawlers(4)
9	Software testing/Writing automated tests(3)	Desktop development(4)
10	Network programming(3)	Network programming(2)
11	Embeded development(1)	Embeded development(2)
12	Game development(1)	Game development(1)
13	Computer graphics(1)	Computer graphics(1)

순위	파이썬 단독 사용분야(%)	파이썬 보조 사용분야(%)
14	Multimedia applications development(‹1)	Mobile development(1)
15	Mobile development(‹1)	Multimedia applications development(‹1)
16	Other(5)	Other(5)

비주얼 스튜디오 코드 설치 파일을 내려받기 위해서는, 구글에서 "비주얼 스튜디오 코드"라고 검색한 후 "Download"를 눌러서 설치하려는 운영체제와 개발환경에 맞는 설치 파일을 선택할 수 있습니다.

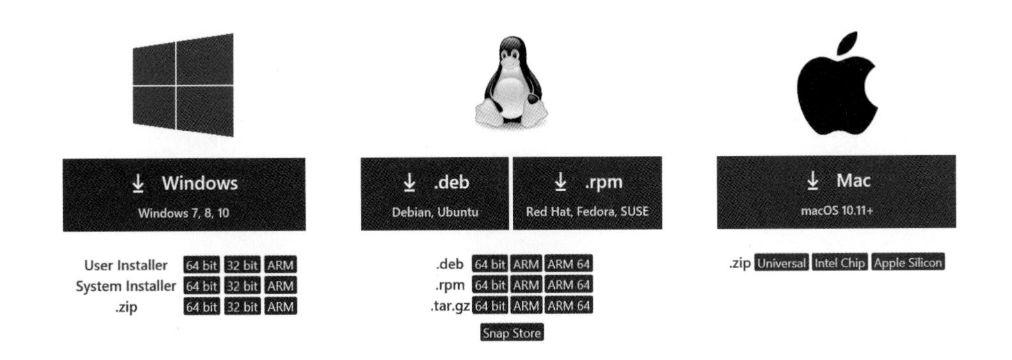

다른 방법으로는 브라우저 주소창에서 비주얼 스튜디오 코드 홈페이지 주소를 입력하고 (https://code.visualstudio.com/) 접속한 후 [Download for Windows]를 선택하여 설치합니다.

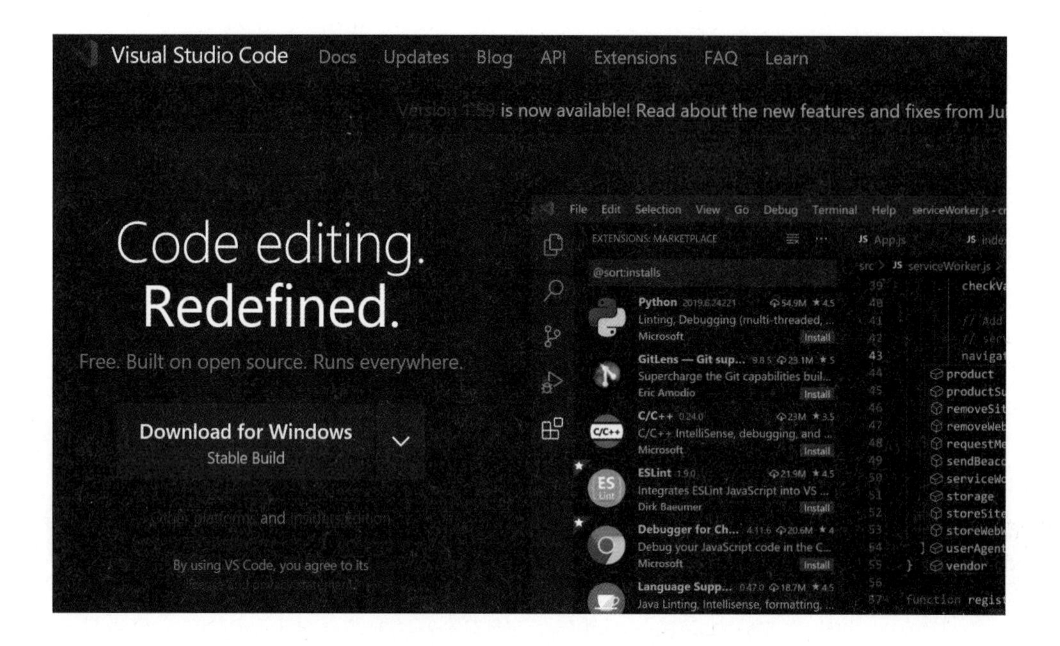

1. 내려받은 비주얼 스튜디오 코드 설치 파일을 실행하면, 사용권에 대한 동의 요청 선택화면이 나옵니다. 동의합니다를 선택하고 다음을 누릅니다.

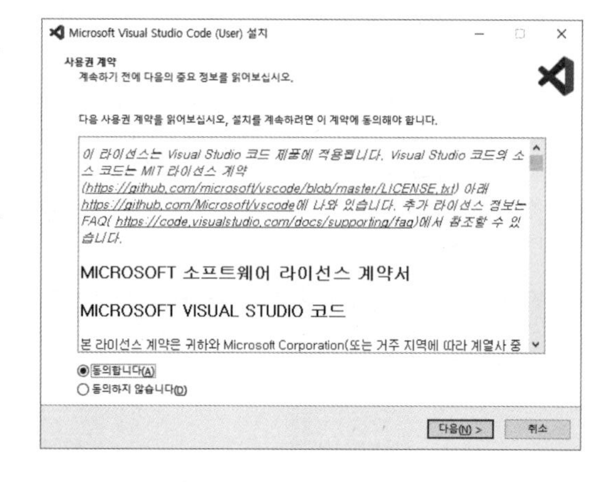

2. 설치할 폴더가 표시됩니다. 다른 폴더를 선택하려면 [찾아보기]를 눌러 변경하고, 그렇지 않으면 다음 버튼을 누릅니다. 우리는 기본값으로 그냥 다음 버튼을 누릅니다.

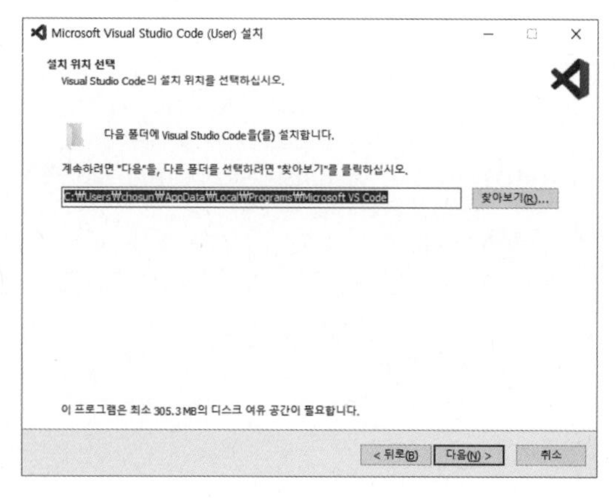

3. 시작 메뉴 폴더의 이름을 지정합니다. 다음 버튼을 누릅니다.

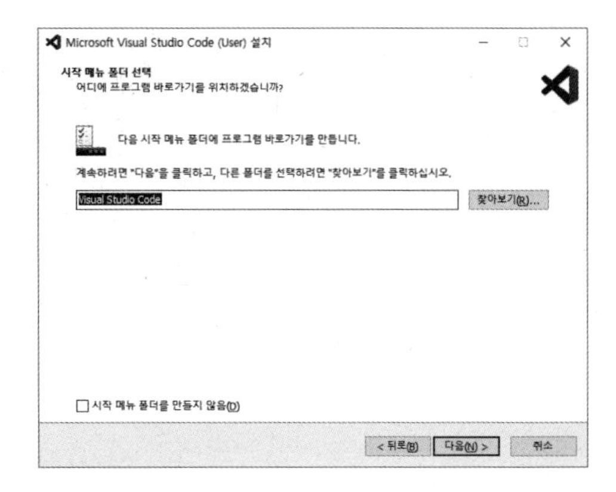

4. 추가작업을 선택합니다. 바탕화면에 바로가기를 만들고 싶다면 [바탕화면에 바로가기 만들기]를 선택합니다. 우리는 모든 기능을 선택한 후 다음 버튼을 누릅니다.

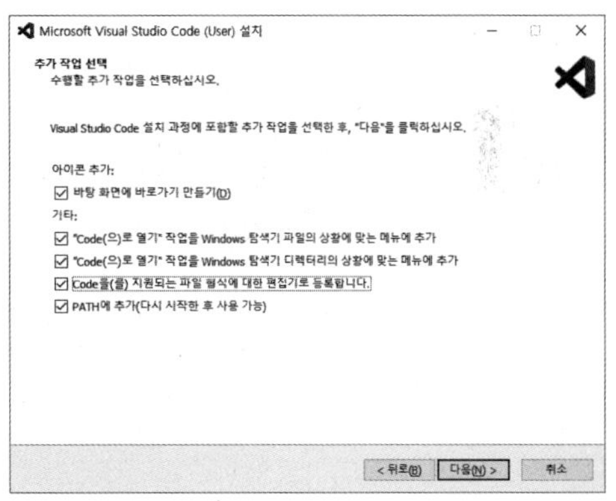

5. 지금까지 선택한 내용을 올바른가를 확인하고 잘못된 선택이 있으면 [뒤로]버튼을 눌러 내용을 수정하고 그렇지 않으면 설치 버튼을 누릅니다.

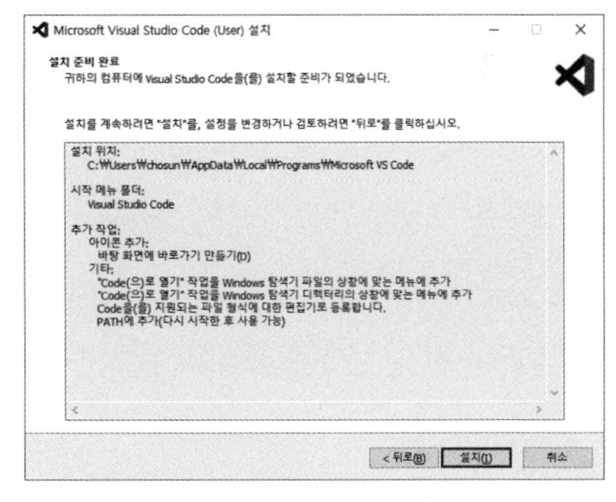

6. 정상적으로 설치가 완료되면 다음과 같은 화면이 나옵니다. 설치 후 종료 버튼을 누르면 비주얼 스튜디 코드가 실행됩니다.

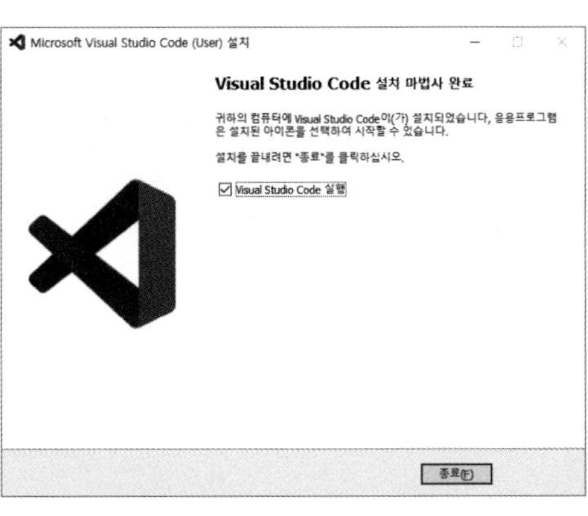

비주얼 스튜디오 코드를 처음 실행하면 기본 언어 팩이 영문으로 설정되어 있습니다. 한글 메뉴를 사용하기 위해서는 한글 언어 팩을 설치해야 합니다. 설치순서는 1. 왼쪽에 있는 도구 아이콘 중에 가장 아래에 있는 [확장]을 선택합니다. 2. [확장]을 선택한 후 나타난 검색창에 [Korean]이라고 입력합니다. 3. 화면에 나타난 한글 언어 팩 install 버튼을 누릅니다. 4. 오른쪽 창에 한글 언어 팩 상세 내용과 함께 나타난 install버튼을 누릅니다. 5. install버튼을 누르고 나면 오른쪽 화면 하단에 Restart버튼이 나타나는데, Restart버튼을 누르면 비주얼 스튜디오 코드 프로그램이 다시 시작하면서 메뉴가 한글로 나타나게 됩니다.

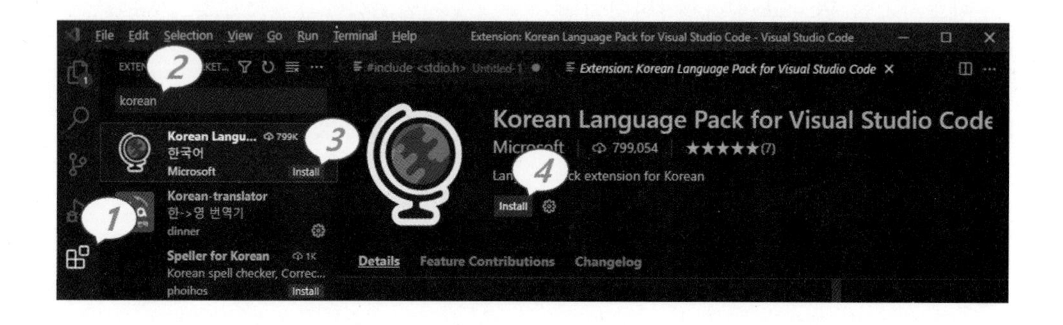

이제 설치된 비주얼 스튜디오 코드에서 파이썬 코드를 작성해 보겠습니다. 작성 순서는 1. 메뉴에서 파일을 선택합니다. 2. 새 파일을 선택합니다. 3. 작성화면에 내가 원하는 코드를 작성합니다. 우리는 "import this"라는 명령을 작성합니다. 이때, 1과 2의 단계를 단축키로 사용하고자 할 때는 Ctrl키를 누른 상태에서 N키를 누르면, 메뉴를 거치지 않고 바로 새 파일을 작성할 수 있습니다.

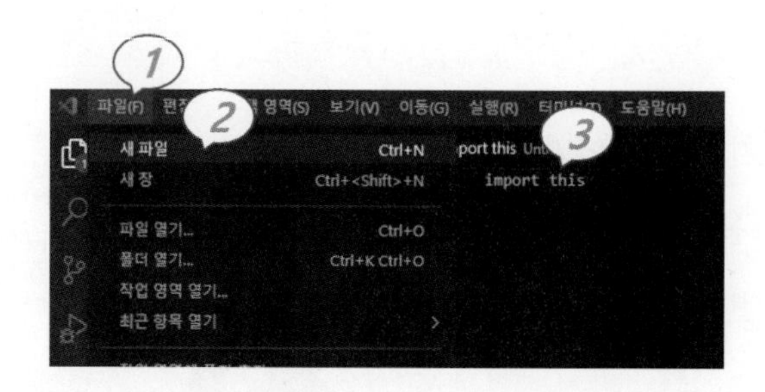

이제 작성한 코드를 저장해보겠습니다. 저장 순서는 1. 메뉴에서 파일을 선택합니다. 2. 저장을 선택하면 저장이 됩니다. 저장할 때 단축키를 사용하려면, Ctrl키를 누른 상태에서 S키를 누르면, 메뉴를 거치지 않고 바로 저장할 수 있습니다.

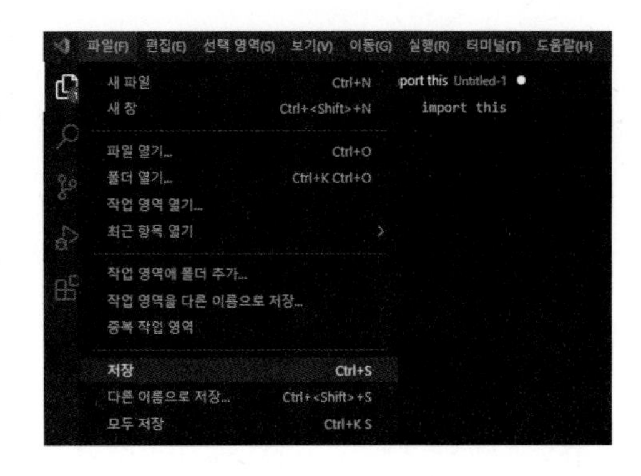

저장을 선택하고 나면 저장할 폴더를 지정하게 되는데, 우리 교재에서는 C 드라이브 밑에 "myproject"라고 작성하고 이곳에 프로젝트 파일들을 저장합니다. 1. C 드라이브에 "새 폴더 만들기"로 myproject 만들기. 2. 저장 파일형식을 선택하게 되는 데 화면과 같이 많은 파일 형식이 나오면, 3. 화면과 같이 Python을 선택합니다.

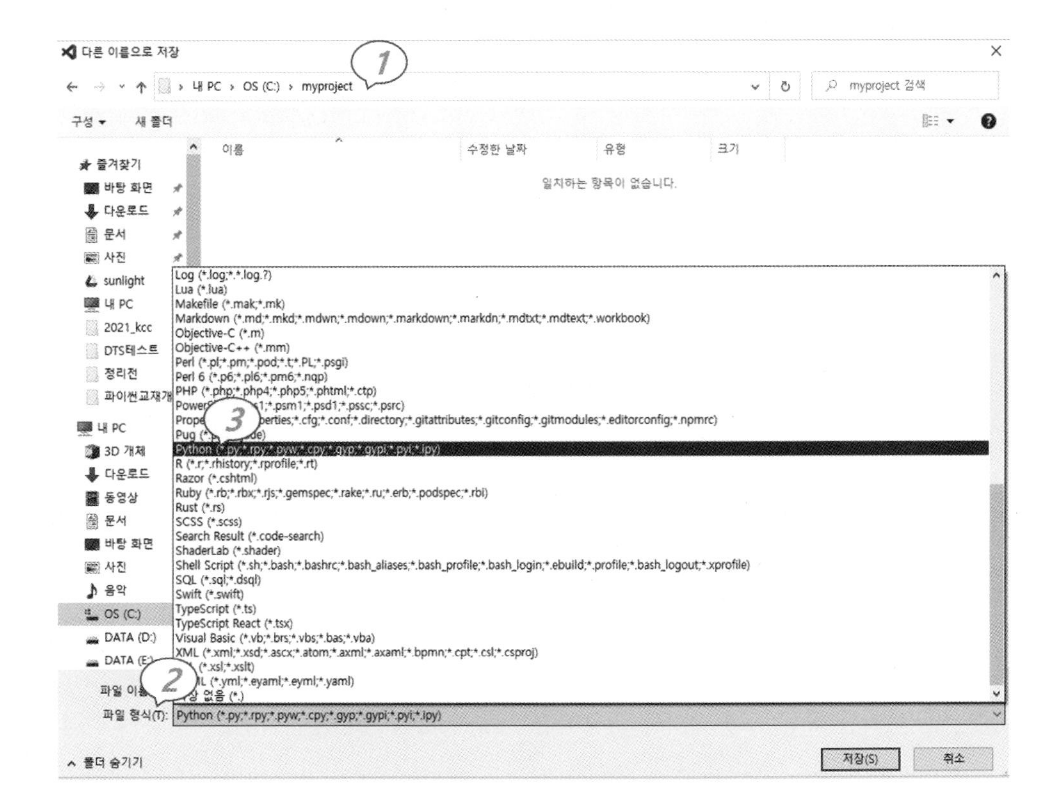

저장할 파일 이름에는 "test"라고 저장하고 나면, 1. 상단에 test.py – Visual Studio Code라고 방금 저장한 파일 이름이 나타나고, 2. 또, 바로 아래 탭 형태로 test.py라고 현재 사용하는 파일 이름이 나타납니다. 그리고 3. 그 아래 C:> myproject > test.py와 같이 현재 작업하고 있는 폴더의 위치와 파일이름이 나타납니다. 4. 화면 오른쪽 하단에 이 파일 형식에 대해 "Python에 권장되는 확장을 설치하시겠습니까?"라는 메시지가 나타납니다. 이는 파이썬을 사용한다면 추천해 줄 확장 프로그램이 있다는 의미이니, 5. [권장 사항 표시]를 누르면, 파이썬 확장 메뉴로 이동하고 권장 사항들이 표시됩니다.

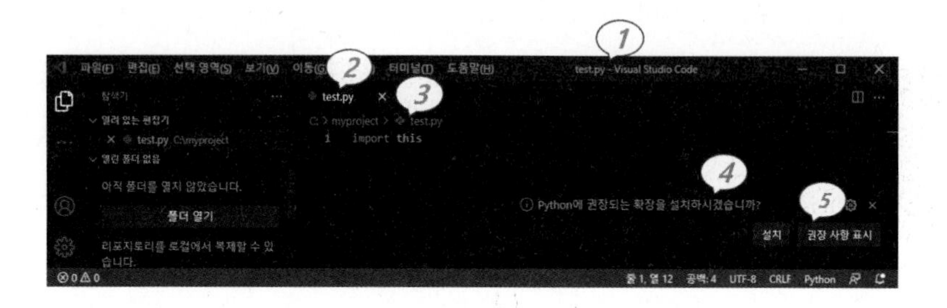

1. 선택된 확장 메뉴에, 2. 권장사항 검색어 @id:ms-python.python가 자동 표기되고 3. 설치 버튼이 표기됩니다. 4. 권장 파이썬 프로그램은 InteliSense, Liniting, 디버깅, 코드 탐색, Jupyter Notebook 지원 등의 기능을 지원하게 되며, 설치를 눌러 프로그램을 설치합니다.

2. 만일, 파이썬 확장 기능 설치를 권장하는 메뉴가 나타나지 않는다면, 여러분이 직접 좌측의 확장 메뉴 아이콘 [확장]을 선택할 수 있습니다. 검색창에 "Python"이라고 입력하면 파이썬 관련된 다양한 선택 메뉴가 나타나는데 이 중에서 "Python"을

선택하여 설치하면 됩니다. 이렇게 확장 기능을 이용하여 파이썬을 설치하게 되면, 비주얼 스튜디오 코드의 편집창을 사용하면서 코드 자동 완성 기능이라든지, 실행 중 변수의 값을 확인할 수 있는 것과 같은 여러 가지의 추가 기능을 사용할 수 있습니다.

확장 기능 설치가 마무리되면, 1. 화면의 왼쪽 아래 끝에 현재 설치되어 사용하는 파이썬의 버전이 출력됩니다. 해당 버전을 누르게 되면, 2의 화면에 컴퓨터에 설치되어 있는 다양한 버전의 파이썬이 목록이 나타납니다. 이 교재를 작성하는 컴퓨터의 경우 아나콘다(Anaconda)기반의 파이썬 3.8.8과 방금전에 설치한 3.9.6버전 그리고 3.8.3버전이 설치되어 있는 것을 확인할 수 있습니다. 지금 사용하는 컴퓨터에 기존에 설치된 프로그램의 존재 여부에 따라 2.에 나타나는 목록은 다르게 나타날 수 있습니다. 또한 이 목록에서 원하는 버전의 파이썬을 선택하여 실행을 진행할 수 있습니다.

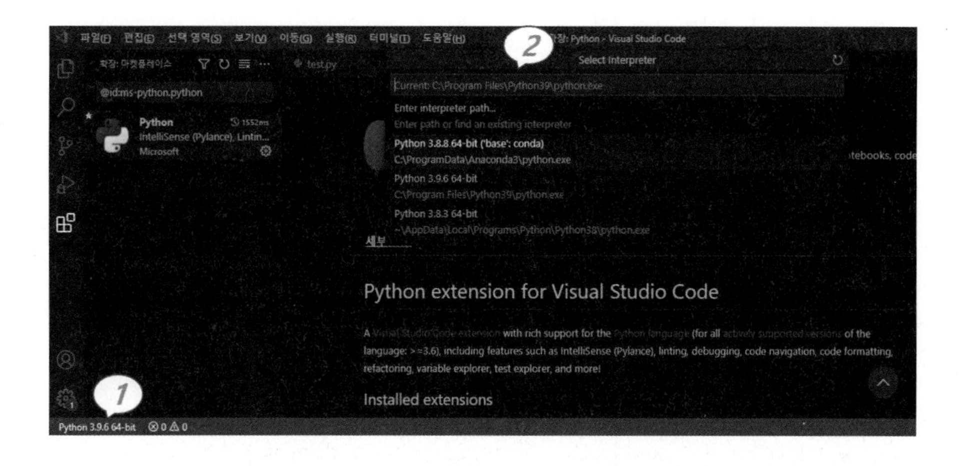

3. 이제 작성한 코드를 실행해 보면, 1. 탭 메뉴에서 시행하고자 하는 소스를 선택합니다. 2. 왼쪽 메뉴에서 실행 및 디버그 아이콘을 선택합니다. 3. 화면에 나타난 실행 및 디버그를 실행합니다.

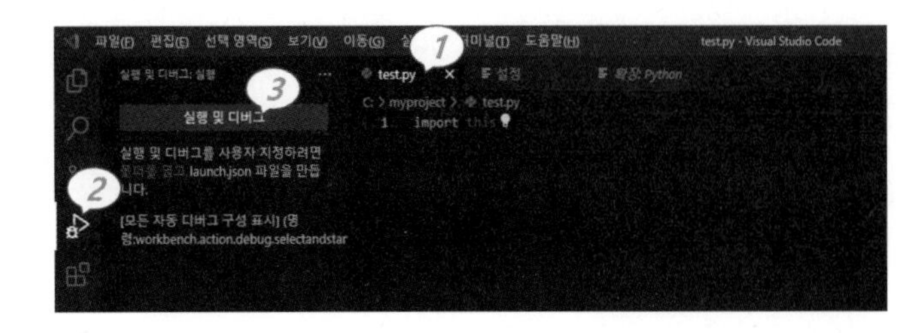

4. 나타난 선택창에서 "Python File Debug the currently active Python file"을 선택합니다.

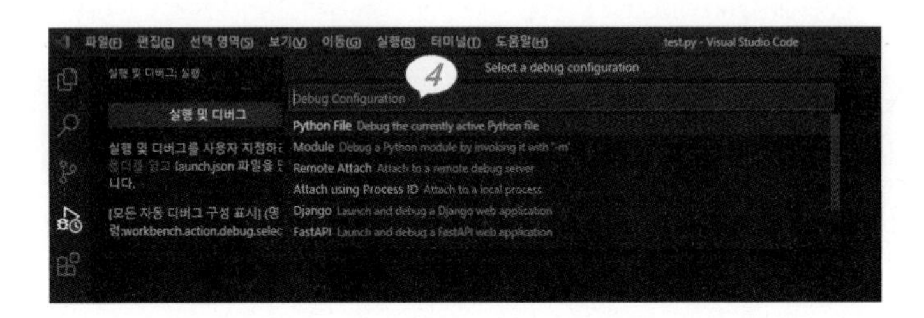

5. 화면에 [터미널], [디버그 콘솔] 등의 탭 메뉴가 나타나며, 작성한 프로그램 import this 코드의 결과 "The Zen of Python"이 터미널에 표시됩니다.

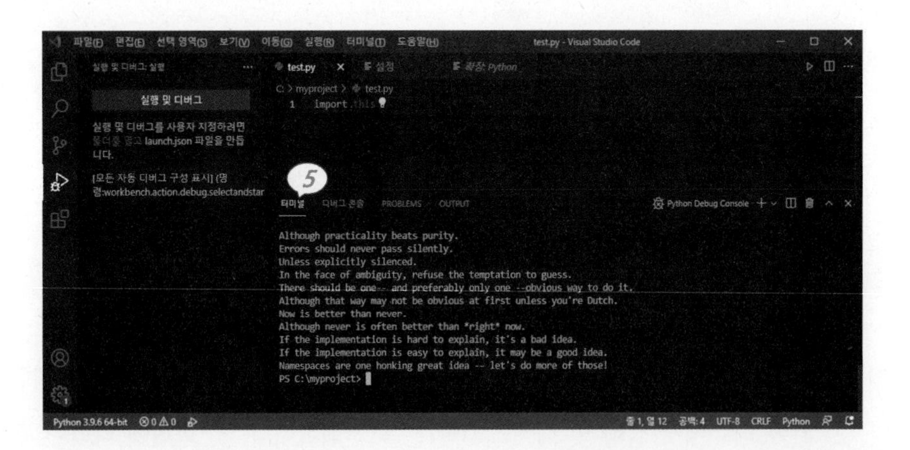

왼쪽 [실행 및 디버그] 버튼을 눌러 프로그램을 실행해 보았는데, 이번에는 상단 메뉴의 [실행] → [디버깅 시작 F5]을 선택해서도 프로그램을 실행해 보세요. 왼쪽의 [실행 및 디버그] 버튼을 눌러 프로그램을 실행하는 것과 같은 결과를 확인할 수 있

CHAPTER 1

입·출력문

1. 화면에 출력하는 프로그램 만들기
2. 키보드로부터 입력을 받는 프로그램 만들기
3. print()문에서 end와 sep 옵션 사용하기

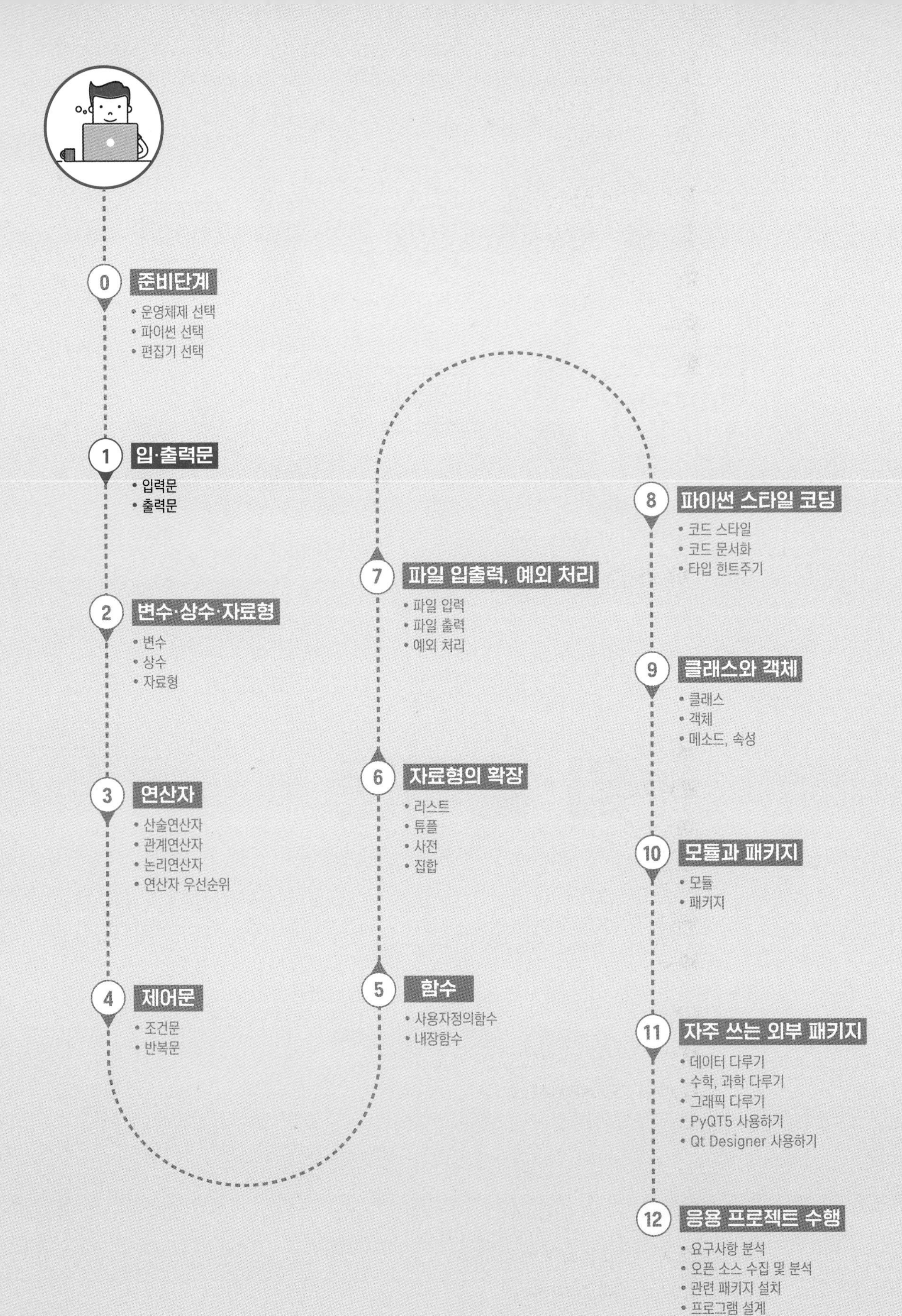
0 준비단계
• 운영체제 선택
• 파이썬 선택
• 편집기 선택
1 입·출력문
• 입력문
• 출력문
2 변수·상수·자료형
• 변수
• 상수
• 자료형
3 연산자
• 산술연산자
• 관계연산자
• 논리연산자
• 연산자 우선순위
4 제어문
• 조건문
• 반복문
5 함수
• 사용자정의함수
• 내장함수
6 자료형의 확장
• 리스트
• 튜플
• 사전
• 집합
7 파일 입출력, 예외 처리
• 파일 입력
• 파일 출력
• 예외 처리
8 파이썬 스타일 코딩
• 코드 스타일
• 코드 문서화
• 타입 힌트주기
9 클래스와 객체
• 클래스
• 객체
• 메소드, 속성
10 모듈과 패키지
• 모듈
• 패키지
11 자주 쓰는 외부 패키지
• 데이터 다루기
• 수학, 과학 다루기
• 그래픽 다루기
• PyQT5 사용하기
• Qt Designer 사용하기
12 응용 프로젝트 수행
• 요구사항 분석
• 오픈 소스 수집 및 분석
• 관련 패키지 설치
• 프로그램 설계
• 응용 프로그램 개발
• 스네이크 게임

1. 화면에 출력하는 프로그램 만들기

■ 나의 이름을 화면에 출력하는 프로그램을 작성해 봅시다.

저자가 다양한 컴퓨터 프로그램 언어를 배울 때, 제일 처음 작성하게 하는 프로그램은 화면에 "hello world"라는 문장을 출력하라는 경우가 많았습니다. 과거에는 영어로 되어있는 교재로 공부하고, 그 예제를 사용하는 경우가 많아서 그랬으리라 추측합니다. 이 교재에서 우리는 처음 만드는 프로그램으로 각자 자신의 이름을 출력해 보겠습니다.

자신의 이름을 화면에 출력하기 위해서는 파이썬에서 화면에 특정한 문자열을 출력하는 명령을 먼저 알아야 합니다. 화면에 특정한 문자열을 출력하는 명령은 print()를 사용합니다. 출력하고픈 문자열을 큰 따옴표(" ") 안에 입력하면, 다음 예제와 같이 문자열이 화면에 출력됩니다. 우리의 편집기인 VSCode에서 Ctrl 키와 F5 키를 동시에 눌러 작성한 코드를 실행시켜봅니다. Ctrl 키와 F5 키를 동시에 누르면 프로그램이 실행되고, 화면 하단 터미널 창에 프로그램의 실행 결과가 출력되게 됩니다.

코드

```
print("나인섭")
```

실행 결과

```
나인섭
```

프로그램을 실행시키는 방법은 Ctrl키와 F5키 외에도 상단 메뉴 중 [실행]메뉴를 선택한 후 [디버깅 없이 실행]을 클릭하여도 동일한 결과가 출력됩니다. 또, 다른 방법은 프로그램 코드 화면에서 마우스 오른쪽 버튼을 누르면 [run python file in terminal]이라는 항목이 나타나는데, 이 항목을 선택하여도 동일한 결과가 출력됩니다.

■ 덧셈한 결과를 화면에 출력하는 프로그램을 작성해 봅시다.

방금 전 우리는 화면에 자신의 이름을 출력하는 프로그램을 작성해보았습니다. 이번에는 화면에 5+7과 같은 계산식의 결과를 출력해 보겠습니다. 화면에 계산된 결과를 출력할 때도 우리는 print문을 사용하여 화면에 출력하면 됩니다. 조금 전에 화면에 이름을 출력하였던 것처럼 print문의 큰따옴표(")내에 "5+7"와 같이 작성하고 실행해 보겠습니다.

코드

```
print("5+7")
```

실행 결과

```
5+7
```

그런데 프로그램 실행 결과가 우리의 기대와 다르게 "5+7"과 같이 출력되는 것을 확인할 수 있습니다. 그렇다면, 이번에는 큰따옴표(")없이 print문 내부에 5+7을 작성해서 출력 결과를 살펴보겠습니다.

코드

```
print(5+7)
```

실행 결과

```
12
```

어떤 결과가 나왔나요? 실행 결과에 출력된 것처럼 우리가 기대한 것처럼 5와 7을 더한 값 12가 출력되었습니다. 두 프로그램의 차이는 큰따옴표(")을 사용하였는가 사용하지 않았는가인데 왜 두 프로그램의 결과가 서로 다르게 나왔을까요? 그 이유는 파이썬에서는 큰따옴표(")를 사용하게 되면 큰따옴표(") 내에 어떤 값이 표현되어 있더라도 큰따옴표(") 내부에 작성된 내용을 변형 없이 출력하기 때문입니다. 따라서 계산식을 사용하거나 특정 값을 확인하고자 할 때는 priint문에 큰따옴표(") 없이 명령을 실행해야 합니다.

자 이제 여러분들은 덧셈 외에도 다음 뺄셈, 곱셈 그리고 나눗셈을 한 번씩 실행해서 결과를 출력해 봅니다. "5-7", "5*7", "5/7", 5-7, 5*7, 5/7

2. 키보드로부터 입력을 받는 프로그램 만들기

■ 이름을 키보드로부터 입력받아 화면에 출력하는 프로그램을 작성해 봅시다.

이번에는 키보드로부터 자신의 이름을 입력받아 화면에 출력하는 프로그램을 작성해 보겠습니다. 이 프로그램을 작성하기 위해서는 우리는 두 가지의 작업을 진행해야 합니다. 먼저, 키보드로부터 이름을 입력받는 작업, 그리고 입력받은 이름을 화면에 출력해주는 작업입니다. 화면에 입력받은 이름을 출력하는 것은 우리가 앞에서 배웠던 print문을 사용하면 되겠습니다. 그렇다면 키보드로부터 이름을 입력받을 때 사용하는 명령은 무엇일까요? 키보드로부터 입력된 값을 출력하는 명령은 input()입니다. 다음 코드와 같이 프로그램을 작성하여 실행해 봅니다.

코드

```
name = input("이름을 입력하세요 : ")
print(name)
```

실행 결과

```
이름을 입력하세요 : ▯
---
이름을 입력하세요 : 나인섭
나인섭
```

```
name = input("이름을 입력하세요")
```

키보드로부터 값을 입력받기 위해 input명령을 실행할 때는 입력을 기다리며 화면에 출력 문장을 큰따옴표(" ")안에 작성합니다. 우리는 "이름을 입력하세요 : "라고 작성하였고, 이때 문장의 뒤쪽에 콜론(:)과 공간을 한칸 띄어서 키보드로부터 이름을 입력받을 때 여유 공간을 두어 구분하였습니다. 이렇게 입력받은 값은 name이라는 변수에 대입되게 프로그램을 작성하였습니다. 화면에서 이름을 입력할 때는 terminal 화면에 마우스를 클릭한 후 이름을 입력합니다.

```
print(name)
```

입력받은 이름이 저장된 name변수의 값을 화면에 출력합니다. 괄호 안에 큰따옴표(" ")를 사용하지 않은 이유를 생각해봅니다.

■ 년도를 입력받아 입력받은 년도부터 200년 뒤면 몇 년이 되는지 출력하는 프로그램을 작성해 봅시다.

이번에는 키보드로부터 년도를 입력받아 200년 뒤면 몇 년이 되는지를 계산하여 출력하는 프로그램을 작성해 보겠습니다. 이 프로그램을 작성하기 위해서는 우리는 세 가지의 작업을 진행해야 합니다. 먼저, 키보드로부터 년도를 입력받는 작업, 두 번째는 입력받은 년도에 200을 더하는 작업, 그리고 계산된 200년 뒤의 년도를 출력하는 작업입니다.

코드

```
year1 = input("년도를 입력하세요 : ")
year2 = year1 + 200
print(year2)
```

실행 결과

```
년도를 입력하세요 : □
---
년도를 입력하세요 : 1392
Traceback (most recent call last):
  File "c:\python\test.py", line 2, in <module>
    year2 = year1 + 200
TypeError: can only concatenate str (not "int") to str
```

```
year1 = input("년도를 입력하세요 : ")
```

키보드로부터 년도를 입력받아 year1이라는 변수에 입력받은 값을 대입합니다. 우리는 1392를 입력합니다.

```
year2 = year1 + 200
```

입력받은 year1에 200을 더하여 year2에 계산된 년도 값을 대입합니다. 그런데, 프로그램을 실행시키면 실행 결과와 같이 에러 메시지가 출력됩니다. 에러의 내용은 숫자 계산을 하려는데, 문자값이 있다라는 내용입니다. 이 에러 메시지를 통해 우리는 파이썬에서는 문자와 숫자 간의 연산을 할 수 없다는 것을 확인할 수 있었습니다. 그런데, 왜 이름을 입력 받을 때는 아무 문제가 없었는데 숫자를 입력 받았더니 문제가 났을까요? 그 것은 input문의 특징 때문입니다. 키보드로부터 숫자 값을 입력받고 화면에도 숫자로 보이지만 파이썬의 input문을 통해 입력받은 값은 문자로 인정하기 때문입니다. 이 문제를 해결하기 위해 문자로 입력된 값을 다음과 같이 int() 명령을 사용하여 숫자로 변환 후 계산을 진행해 보겠습니다.

코드

```
year1 = int(input("년도를 입력하세요 : "))
year2 = year1 + 200
print(year2)
```

실행 결과

```
년도를 입력하세요 : ▯
---
년도를 입력하세요 : 1392
1592
```

```
year1 = int(input("년도를 입력하세요 : "))
```

input문의 외부에 int()문으로 감싸게 하면, input문으로부터 얻어지는 결과에 문자를 숫자로 바꾸는 명령인 int()를 적용하는 의미입니다. 이렇게 숫자로 바뀐 결과를 year1에 대입하게 됩니다.

코드

```
year1 = input("년도를 입력하세요 : ")
year2 = int(year1) + 200
print(year2)
```

실행 결과

```
년도를 입력하세요 : ▯
---
년도를 입력하세요 : 1392
1592
```

```
year2 = int(year1) + 200
```

앞에서와 같이 년도 값 입력을 받으면서 바로 숫자 값으로 꼭 변환할 필요는 없습니다. 입력된 year1의 값에 200을 더하는 계산하는 곳에서 year1 변수에 int()문을 감싸게 한 후 계산을 진행하여도 동일한 결과를 얻을 수 있습니다.

참고로 여기서, 우리가 사용한 1392년도는 조선이 건국한 해입니다. 그리고 그로부터 200년이 지난 1592년은 임진왜란이 발생한 해입니다. 또, 1592년부터 200년이 지난

1792년은 우리나라는 정조가 정약용에게 성(추후, 유네스코 세계유산인 수원 화성)을 축조하는 데 사용할 거중기를 고안하게 하였습니다. 세계사적으로는 1792년에 프랑스 혁명이 시작한 해이기도 합니다. 1992년 제14대 대통령선거에서 김영삼 후보가 대통령에 당선되면서 대한민국은 군부독재 시대를 종식하고 문민정부 시대로 전환하게 되었습니다. 이렇게 역사에 대해서도 특정 기준, 여기서는 200년과 같은 단위로 뒤집어 보면 세상을 읽는 또 다른 시각이 생기기도 합니다.

3. print()문에서 end와 sep 옵션 사용하기

(1) end 옵션 사용하기

이번에는 print 문장 내부에 함께 사용할 수 있는 옵션 중 출력되는 문장의 끝에 원하는 기능을 제공해주는 end옵션에 대해 실습해 보겠습니다. 아래 코드와 같이 "아름다운"과 "금수강산" 그리고 "아끼고 보호하자"라는 글을 출력하는 프로그램을 작성하면 아래 실행 결과와 같이 print문장이 끝나는 곳에서 행을 한 행씩 바꾸어 출력하게 됩니다.

코드

```
print("아름다운")
print("금수강산")
print("아끼고 보호하자")
```

실행 결과

```
아름다운
금수강산
아끼고 보호하자
```

이런 경우에 "아름다운 금수강산 아끼고 보호하자"와 같이 이어서 출력하고자 한다면 다음과 같이 end=""옵션을 코드에 적용해 봅니다.

코드

```
print("아름다운", end="")
print("금수강산", end="")
print("아끼고 보호하자")
```

실행 결과

```
아름다운금수강산아끼고 보호하자
```

end="" 옵션은 실행 결과에서 보는 것과 같이 print문장의 끝을 공백없이 이어서 출력하게 합니다. 이 프로그램에서 단순히 공백없는 ""를 사용하였지만, 그 외에도 print문장의 끝에 다양한 기능을 사용할 수 있습니다. 각 print문장 끝마다 "#"를 넣고 싶다면 다음과 같이 코드를 작성하면 됩니다.

코드

```
print("아름다운", end="#")
print("금수강산", end="#")
print("아끼고 보호하자")
```

실행 결과

```
아름다운#금수강산#아끼고 보호하자
```

그러면, end 옵션을 이용하여 행을 바꾸는 것은 어떻게 할까요? end 옵션을 사용하여 행을 바꾸기 위해서는 파이썬이 제공하는 특수키 값을 ""안에 넣어야 하는데 다음 코드와 같이 new line이란 단어에서 가져온 n값을 ""에 \와 같이 넣어 코드를 작성하면 됩니다.

코드

```
print("아름다운", end="\n\n")
print("금수강산", end="\n\n\n")
print("아끼고 보호하자")
```

실행 결과

```
아름다운

금수강산


아끼고 보호하자
```

실행 결과는 첫째 줄의 \n이 두 번 사용되었으므로 행을 두 번 바꾼 결과가 출력된 것이고 두 번째 줄에서는 \n이 세 번 사용되어서 행을 세 번 바꾼 결과가 출력된 것입니다. 추후 우리는 이렇게 \와 같이 사용하는 여러 문자들을 이스케이프 문자라 부르며 print문장 내에서 다양한 기능으로 사용하게 됩니다.

그런데, 앞에서 우리가 사용한 예제 같은 경우는 굳이 세 번의 print문장을 사용하지 않고 다음 코드와 같이 한 번의 print문장에서 동일하게 출력할 수도 있습니다.

코드

```python
print("아름다운","금수강산","아끼고 보호하자")
```

실행 결과

```
아름다운 금수강산 아끼고 보호하자
```

```python
print("아름다운","금수강산","아끼고 보호하자")
```

print문장 내에 여러 개의 항목을 출력할 때는 콤마(,)를 사용하여 구분 짓고 출력합니다. 위의 코드는 총 세 개의 문자열을 화면에 출력하는 프로그램입니다. 출력될 때 콤마로 구분된 경우는 실행 결과에서 보시는 것처럼 한 칸씩 공간을 두고 출력하게 됩니다.

이번에는 print문장의 입력 값 중에 임의의 위치에서 행을 바꾸고자 합니다. 이럴 때는 문자열 중 행을 바꾸고자 희망하는 위치에 \n을 입력하면 해당하는 곳의 행이 바뀌게 됩니다.

코드

```
print("아름\n다운 \n","금수강산","아끼고 보호하자")
```

실행 결과

```
아름
다운
 금수강산 아끼고 보호하자
```

(2) sep 옵션 사용하기

print문에 여러개의 입력 항목이 있는 경우 각 항목의 끝에 특정한 내용을 출력하거나 행을 바꾸는 작업 등을 하려할 때 사용하는 옵션이 sep입니다. 다음 코드는 실행 결과에서 보여지는 것과 같이 각 항목의 끝에 샵(#)을 출력하게 하는 코드입니다.

코드

```
print("아름다운","금수강산","아끼고 보호하자",sep="#")
```

실행 결과

```
아름다운#금수강산#아끼고 보호하자
```

다음 코드는 각 항목마다 행을 바꾸는 옵션을 주어, 실행 결과와 같이 행이 바뀌게 된 코드입니다.

코드

```
print("아름다운","금수강산","아끼고 보호하자",sep="\n")
```

실행 결과

```
아름다운
금수강산
아끼고 보호하자
```

다음은 sep와 end옵션을 동시에 사용한 코드입니다.

코드

```
print("아름다운","금수강산","아끼고 보호하자",sep="#", end="\n")
print("아름다운","금수강산","아끼고 보호하자",sep="##", end="\n")
print("아름다운","금수강산","아끼고 보호하자",sep="###")
```

실행 결과

```
아름다운#금수강산#아끼고 보호하자
아름다운##금수강산##아끼고 보호하자
아름다운###금수강산###아끼고 보호하자
```

1. "Hello World"와 "Hi Python" 2개 문장을 출력하는데, "Hi" 다음에서 줄바꿈을 처리하여 출력하는 프로그램을 작성해 보세요.

코드

```
print("Hello World")
print("Hi" + "\n" +"Python")
```

실행 결과

```
Hello World
Hi
Python
```

2. print() 문에서 sep 옵션을 이용하여 -기호를 포함한 자신의 전화번호를 출력하는 프로그램을 작성해 보세요.

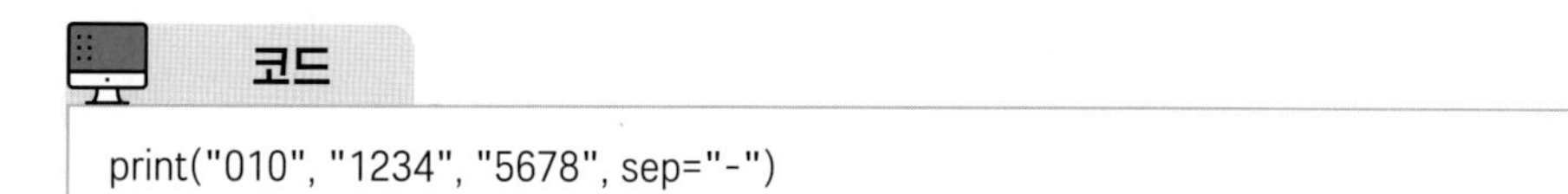

코드

```
print("010", "1234", "5678", sep="-")
```

실행 결과

```
010-1234-5678
```

3. 위의 코드에서 sep 옵션을 end 옵션으로 수정하고, "Call Number"이라는 문장을 출력하는 print()문을 하나 더 추가한 프로그램을 작성해 보세요.

코드

```
print("010", "1234", "5678", end="-")
print("Call Number")
```

실행 결과

```
010 1234 5678-Call Number
```

CHAPTER 2

변수·상수·자료형

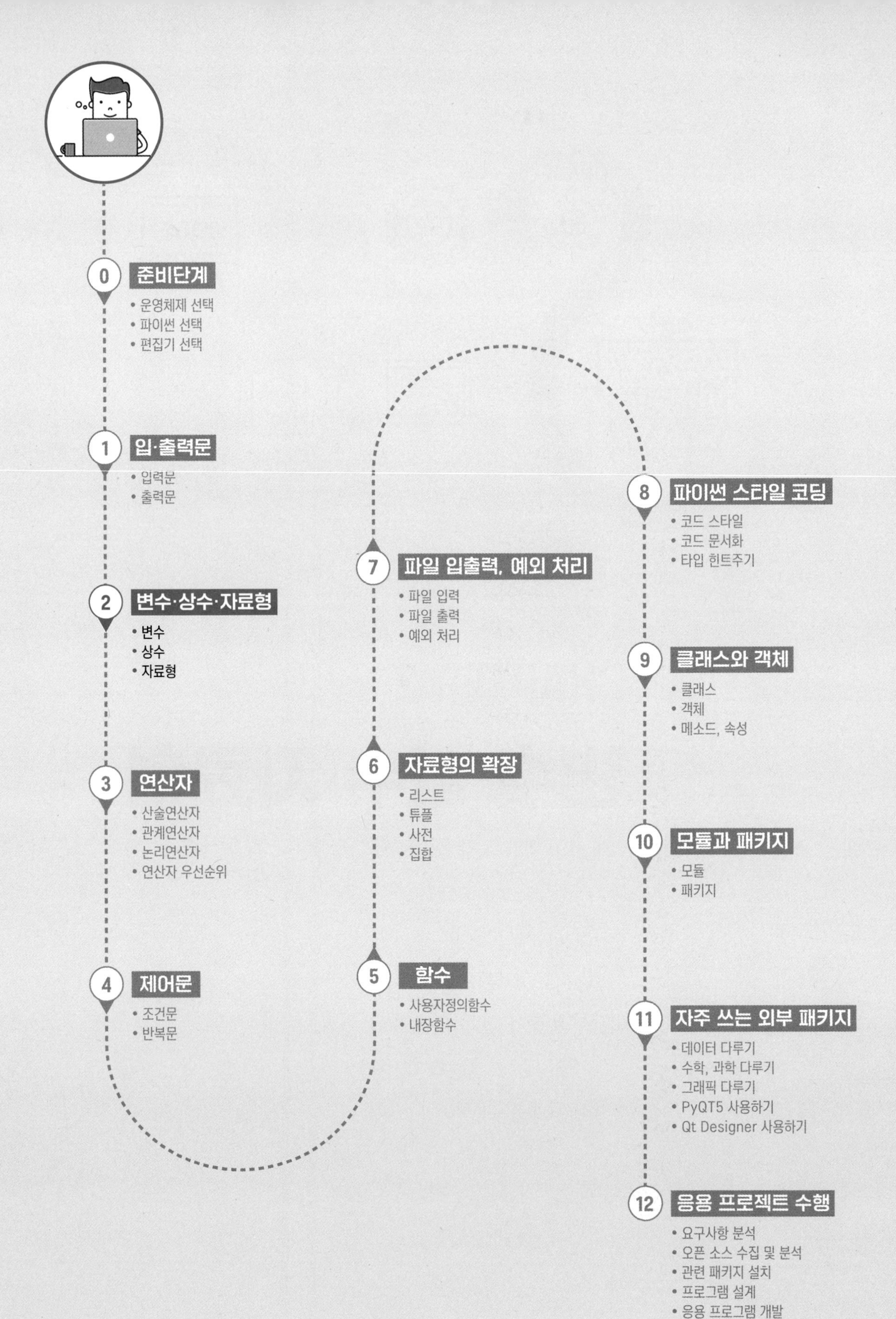
0
준비단계
• 운영체제 선택
• 파이썬 선택
• 편집기 선택
1
입·출력문
• 입력문
• 출력문
2
변수·상수·자료형
• 변수
• 상수
• 자료형
3
연산자
• 산술연산자
• 관계연산자
• 논리연산자
• 연산자 우선순위
4
제어문
• 조건문
• 반복문
5
함수
• 사용자정의함수
• 내장함수
6
자료형의 확장
• 리스트
• 튜플
• 사전
• 집합
7
파일 입출력, 예외 처리
• 파일 입력
• 파일 출력
• 예외 처리
8
파이썬 스타일 코딩
• 코드 스타일
• 코드 문서화
• 타입 힌트주기
9
클래스와 객체
• 클래스
• 객체
• 메소드, 속성
10
모듈과 패키지
• 모듈
• 패키지
11
자주 쓰는 외부 패키지
• 데이터 다루기
• 수학, 과학 다루기
• 그래픽 다루기
• PyQT5 사용하기
• Qt Designer 사용하기
12
응용 프로젝트 수행
• 요구사항 분석
• 오픈 소스 수집 및 분석
• 관련 패키지 설치
• 프로그램 설계
• 응용 프로그램 개발
• 스네이크 게임

1. 변수란 무엇인가?

이 장에서는 앞에서 name = input("이름을 입력하세요 : ")를 설명하면서 name을 우리는 변수라 불렀는데, 이 변수가 어떤 것인가를 알아보겠습니다. 프로그램을 작성할 때 변경되는 값을 대표하는 이름으로 나타내는 것을 변수라 합니다. 방금 예를 든 name = input("이름을 입력하세요 : ") 코드의 경우 키보드로부터 임의값을 입력받는 input문을 통해 값을 입력받게 되는데 매번 다르게 입력되는 값의 대표 이름을 우리는 name이라 정하고, 대표된 name이라는 이름을 print(name)에서처럼 사용하는 것입니다. 그렇게 되면 input 문으로부터 매번 다르게 변하여 입력되는 값을 name이라는 대표 이름으로 관리하게 되어 프로그램을 작성할 때 손쉽게 코드를 이해하고 다루게 됩니다.

변경되는 값을 대표하는 이름으로 나타내는 것을 변수라 합니다.

변수를 설명하는 자료 중에는 변수는 프로그램의 값을 다룰 수 있는 메모리 공간이라고 설명하기도 합니다. 이는 컴퓨터 내부적으로 즉, 전자적으로 어떻게 표현하는가에 초점을 맞추어 설명하는 것인데, 위에서 설명한 변경되는 값을 대표하는 이름을 정하게 되면 해당 값을 컴퓨터 내부적으로는 메모리 공간을 할당하여 사용하게 됩니다. 이렇게 물리적으로 처리되는 메모리 공간 할당에 초점을 맞추어 설명한 것입니다.

전기에 의해 움직이는 컴퓨터는 내부에서는 "전원을 켜다"와 "전원을 끄다"와 같이 두 가지 경우만을 표현하는 이진 정보를 단위로 하여 내부 정보를 전달하고 관리하는데, 우리는 이 단위를 비트(bit)라 부릅니다. 우리가 컴퓨터라 부르는 IBM컴퓨터나 애플컴퓨터 그리고 핸드폰 등의 주변의 전자장치에서는 컴퓨터 프로그램을 폰 노이만이 제안한 프로그램 내장 방식으로 작동시킵니다. 프로그램 내장 방식은 특정한 작업을 수행할 때 내부의 메모리 공간에 프로그램을 내장시킨 후 작업을 진행하는 것을 말합니다. 여기서 메모리 공간에 사용되는 반도체 이름이 램(RAM)입니다. 램이란 임의 접근 메모리(Random Access Memory)의 약자로 현대의 전자장치의 필수 하드웨어입니다. 우리가 자주 주변에서 접하는 삼성전자와 SK하이닉스 관련 기사를 보면 메모리 반도체, 비메모리 반도체라는 용어가 나오는데 램은 메모리 반도체에 해당합니다.

변수에 값을 할당할 때 위치는 일반적으로 왼쪽에 적습니다. 우리가 사용할 변수명을 왼쪽에 적어주고 오른쪽에 값을 대입(=)시켜서 사용하면 됩니다. 변수명은 프로그램을 코딩하는 프로그래머가 임의로 정하여 사용하는데, 가능하면 다시 읽었을 때 해당하는 변수가 의미하는 것을 쉽게 알 수 있게 name과 같이 변수명에 의미를 담아 정의하는 것이 좋습니다. 물론 낙타(camel), 헝가리언, 파스칼, 뱀(snake) 표기법과 같이 특정할 규칙을 정하여 변수명을 정하는 여러 가지 방식들이 있습니다. 프로그램 작성이 어느 정도 익숙해지고 나면 다양한 변수명 표기법 중 본인이 편리하게 사용할 수 있는 방식을 선택하여 프로그램을 작성하는 습관을 만들어가기를 권합니다.

참고

변수, 함수 표기법

표기법이란 변수 또는 함수의 이름을 정할 때 사용하는 일정한 규칙입니다. 표기법은 프로그래머들이 자신들이 작성한 프로그램 코드에 대해 이해하기 쉽고 편리하게 관리하기 위해서 뿐만 아니라 다른 프로그래머가 자신의 코드를 읽을 때 이해하기 쉽게 하기 위해서도 필요합니다.

물론 꼭 변수명이나 함수명을 정할 때 표기법을 따라서 작성할 필요는 없습니다. 다만, 작성한 소스 코드를 보다 간단명료하면서 이해하기 쉽게 하여 작성하게 되면, 프로그램 작성의 효율성과 추후 유지보수에 도움이 됩니다. 이렇게 일정한 규칙을 정해 사용하는 표기법을 따르면 혼자 작업할 때 뿐만 아니라 여럿이 공동작업을 하게 될 때도 매우 유용합니다.

- 낙타(카멜)표기법

  낙타의 등 모양처럼 각 단어의 첫 문자를 대문자로 표기하고 붙여 쓰되, 맨 처음 문자는 소문자로 표기하는 방법으로 띄어쓰기 대신에 대문자로 단어를 구분하여 표기하는 방법입니다.

  – 규칙: 첫글자는 소문자로 사용하고 다음 단어부터 대문자를 사용한다.

  예시) maxNumber , iPhone, iLoveYou

- 헝가리안 표기법

  마이크로소프트 개발자 중 헝가리 프로그래머가 개발한 표기법으로 자료형이나 변수의 특성을 알 수 있는 접두어를 사용하여 표기하는 방법입니다. str, s는 문자열이라는 의미로, f는 flag라는 의미로 그리고 n은 정수 혹은 개수의 의미로 사용됩니다. 같은 의미가 있는 서로 다른 타입의 변수가 있을 때 이름 충돌을 방지할 수도 있습니다.

– 규칙: 변수명 앞에 자료형이나 특성을 나타내는 접두어를 사용한다.

예시) strBuffer, fChecked, , sValue, nCount

- 파스칼 표기법

모든 단어의 첫 글자를 대문자로 시작하는 표기법으로 여러 개의 단어를 붙여 쓸 때에 단어의 첫 글자를 대문자로 구분하여 표기하는 방법입니다. 낙타표기법의 한 종류로 보는 경우도 있습니다.

– 규칙: 단어의 첫글자를 대문자로 표기한다.

예시) PowerPoint, TotalSum, BackgroundColor

- 뱀(snake) 표기법(언더바(_) 표기법)

모든 단어는 소문자로 표시하고 단어와 단어 사이에 언더바(_)를 표시하여 뱀처럼 보인다고 하여 뱀 표기법이라 이름 부릅니다. 소스 코드를 보기 쉽고 이해하기 편리하게 관리합니다.

– 규칙: 단어와 단어사이를 언더바(_)로 표기한다.

예시) max_number, total_sum, background_color

■ 변수의 형식: 변수명 = 값

앞에 사용하였던 "아름다운", "금수강산", "아끼고 보호하자"를 변수 x, y에 대입하고 이들을 출력하는 프로그램을 작성해 봅니다. 변수 x에 처음 값 "아름다운"을 입력한 후, 다시 "아끼고 보호하자"를 입력하였을 때 출력되는 x값이 어떻게 되었는지를 생각해봅시다. 이렇게 처음 변수 x에 "아름다운"을 대입시켰을 때, 변수 x는 "아름다운"이라는 값을 가지고 있다가, 다시 그 뒤에 "아끼고 보호하자"를 대입하게 되면 변수 x의 값이 바뀌게 됩니다. 이렇게 값이 바뀌게 되기 때문에 우리는 변수라 부릅니다.

코드

```
x = "아름다운"
y = "금수강산"
x = "아끼고 보호하자"

print(x)
print(y)
```

실행 결과

```
아끼고 보호하자
금수강산
```

코드를 작성할 때는 위 코드에서 보이는 것처럼 변수를 선언하는 부분, 입력 받는 부분, 계산하는 부분 그리고 출력하는 부분 등의 의미를 갖는 코드별로 한 행씩 공간을 추가해서 서로 코드를 구분하게 되면 추후 코드를 읽어 나가고 해석하는 데 도움이 됩니다.

이번에는 앞에서 사용한 변수 x, y, z값을 하나의 print문을 이용하여 출력해 봅니다.

코드

```
x = "아름다운"
y = "금수강산"
z = "아끼고 보호하자"

print(x, y, z)
```

실행 결과

```
아름다운 금수강산 아끼고 보호하자
```

print문 안에 여러 개의 변수를 콤마(,)로 구분하여 출력시켰을 때, 출력된 실행 결과는 정의된 변수들 사이에 한 칸의 공간을 두고 출력됩니다. 이제 앞에서 배웠던 sep 옵션을 이용하여 변수들 사이의 공간을 없애 보겠습니다.

코드

```
x = "아름다운"
y = "금수강산"
z = "아끼고 보호하자"

print(x, y, z, sep="")
```

실행 결과

```
아름다운금수강산아끼고 보호하자
```

이렇게 sep 옵션은 print문의 각 변수의 끝에 특정한 출력이나 기능을 동작하게 할 때 유용합니다.

이번에는 키보드로부터 두 개의 변수 i, j값을 입력받아 두 개의 변수를 곱한 결과를 출력하는 프로그램을 작성해 봅니다. 이 프로그램을 작성하기 위해서는 먼저 i 값과 j 값을 input을 사용하여 입력받고, 입력받은 i, j를 곱셈 계산을 한 후 결과를 출력하는 단계로 프로그램을 작성해야 합니다. 코드에서 보는 것처럼 입력부분과 계산부분 그리고 출력부분 사이에는 한 행씩 추가하여 코드를 의미별로 구분해 봅니다.

코드

```
i = input("i 값을 입력하세요: ")
j = input("j 값을 입력하세요: ")

k = i * j

print("i x j =", k)
```

실행 결과

```
i 값을 입력하세요: ▯
j 값을 입력하세요: ▯
---
i 값을 입력하세요: 5
j 값을 입력하세요: 7
Traceback (most recent call last):
  File "c:\python\test.py", line 4, in <module>
    k = i * j
TypeError: can't multiply sequence by non-int of type 'str'
```

이전에 이미 경험한 에러 메시지가 화면에 나타나는 것을 확인 할 수 있습니다. 왜 에러가 났을까요? 이유는 변수 i와 변수 j에 입력되는 input문장의 돌려주는 결과 값은 문자이기 때문입니다. 그러다 보니 문자와 숫자를 서로 계산해야 하는데, 파이썬에서는 문자와 숫자 간에는 서로 계산이 이루어지지 않습니다. 따라서, 정상적으로 계산하기 위해서는 우리는 변수 i와 변수 j를 숫자 형태로 바꿔주어 계산을 진행할 수 있습니다. 문자를 숫자로 바꿔주는 int문을 사용하여 다음과 같이 코드를 수정합니다.

코드

```
i = int(input("i 값을 입력하세요: "))
j = int(input("j 값을 입력하세요: "))

k = i * j

print("i x j =", k)
```

실행 결과

```
i 값을 입력하세요: ▯
j 값을 입력하세요: ▯
---
i 값을 입력하세요: 5
j 값을 입력하세요: 7
i x j = 35
```

이렇게 두 개의 변수 i, j를 입력받아 곱셈하는 프로그램을 작성하고 보니, 출력 행태를 "i x j= 35"의 형식이 아니라 입력된 값을 대입시켜 " 5 x 7 = 35"와 같이 매번 변숫값이 바뀌는 것에 맞추어 출력되었으면 하는 생각이 듭니다.

이렇게 매번 입력받은 변숫값을 출력문에 출력하기 위해서는 다양한 접근 방법이 있겠지만 콤마(,)를 이용하여 출력문의 항목을 여러 개 사용하는 코드를 작성해 볼 수 있습니다. 이때 우리는 화면에 그냥 출력할 문자열은 큰따옴표(") 안에 표기하고, 변수들은 출력될 순서에 맞추어 위치를 결정하여 작성하면 원하는 결과를 얻는 코드가 작성됩니다.

코드

```
i = int(input("i 값을 입력하세요: "))
j = int(input("j 값을 입력하세요: "))

k = i * j

print( i,"x", j, "=", k)
```

실행 결과

```
i 값을 입력하세요: □
j 값을 입력하세요: □
---
i 값을 입력하세요: 5
j 값을 입력하세요: 7
5  x  7 = 35
```

```
print( i,"x", j, "=", k)
```

위와 같이 코드를 작성하여 원하는 결과를 달성해 놓고 보니 큰따옴표(")를 여러 번 쓰는 것도 번거로운 작업입니다. 그래서 출력에 표현되는 모든 값을 큰따옴표(") 안에 표기할 수 있을까 생각하게 됩니다. 다음 코드를 작성해서 실행해 봅니다.

코드

```
i = int(input("i 값을 입력하세요: "))
j = int(input("j 값을 입력하세요: "))

k = i * j

print( "%d x %d = %d"%(i, j, k) )
```

실행 결과

```
i 값을 입력하세요: □
j 값을 입력하세요: □
---
i 값을 입력하세요: 5
j 값을 입력하세요: 7
5 x 7 = 35
```

```
print( "%d x %d = %d"%(i, j, k) )
```

우리는 위의 코드처럼 출력하고 싶은 모든 변수를 큰따옴표(") 안에 표기하였습니다. 이 코드에서 큰따옴표(") 안의 %d와 큰따옴표(") 밖의 %(i, j, k)이 서로 쌍으로 연결되어 값을 전달하게 됩니다. 첫 번째에 있는 변수 i 값은 제일 먼저 나타난 %d에 그 값을 전달하고, 두 번째에 있는 변수 j는 큰따옴표(") 내의 두 번째에 있는 %d에 값을 전달합니다. 그리고 마지막 세 번째에 있는 k는 큰따옴표(") 내의 세 번째에 있는 %d에 값을 전달하여 화면에 출력하게 됩니다. 이렇게 print문에서 원하는 표현 형식으로 큰따옴표(") 내에 문자열을 다양한 형식으로 출력하는 방법은 print문의 문자열 출력형식에서 자세히 다루겠습니다.

참고

예약어

파이썬에서 변수로 사용할 수 없는 단어들이 있는데, 파이썬 내부적으로 파이썬이 만들어질 때 미리 사용하겠다고 예약해 놓은 단어들입니다. 우리는 이를 예약어라 부릅니다. 일부에서는 예약어라 부르지 않고 키워드라고 부르기도 합니다. 예약어는 이미 시스템 내부에서 사용되고 있기 때문에 프로그래머는 프로그래밍 중 변수명이나 함수명으로 사용할 수 없습니다. 만일 사용하게 되면 에러가 발생하게 됩니다. 파이썬에서 예약어를 확인하는 방법은 다음과 같이 명령을 실행하면 화면에 출력하여 확인 할 수 있습니다.

```
import keyword
print(keyword.kwlist)
```

출력된 결과는 다음과 같습니다.

```
['False', 'None', 'True', '__peg_parser__', 'and', 'as', 'assert', 'async',
'await', 'break', 'class', 'continue', 'def', 'del', 'elif', 'else', 'except', 'finally'
, 'for', 'from', 'global', 'if', 'import', 'in', 'is', 'lambda', 'nonlocal', 'not', 'or',
'pass', 'raise', 'return', 'try', 'while', 'with', 'yield']
```

파이썬은 대·소문자를 구분하여 코딩하는 프로그램언어입니다. 따라서 변수명으로 예약어인 False는 사용될 수 없지만 false는 변수명으로 사용 가능합니다.

참고

식별자

파이썬에서 식별자(identifier)는 변수, 함수, 모듈, 클래스 또는 객체를 식별하는데 사용되는 이름을 이야기합니다. 식별자를 작성할 때는 현재 파이썬에서 한글로 작성이 가능하지만 가능하면 알파벳으로 작성하기를 권합니다. 우리나라 사람들에게는 한글로 식별자를 작성하는 것이 더 좋은 방법이기는 하지만 현재 작성하는 코드 외의 외부소스 코드와 호환성이나 국내외 협업 등 다양한 문제를 고려해보면 아직은 알파벳으로 작업하는 것이 더 이득이라 생각합니다. 또 작성할 때는 가능하면 의미있는 단어를 사용하기를 바랍니다. 유사한 글자로 인한 착시, 착각을 방지하기 위해 일부에서는 첫 알파벳 6자이상을 다른 글자로 작성하기를 권하기도 합니다. 일반적으로 식별자를 만들때에 주로 사용되는 규칙은 다음과 같습니다.

- 대·소문자를 구분한다. False와 false는 서로 다른 식별자이다.
- 예약어를 사용할 수 없다. break나 for등의 예약어는 식별자로 사용할 수 없다.
- 식별자는 문자 또는 언더바(_)로 시작해야 한다. 식별자는 영문자 A-Z 또는 a-z와 언더바(_) 그리고 한글 시작해야 한다. PI9, _PI9, 원주율9 과 같이 문자와 언더바(_)로 식별자는 시작해야 한다.
- 식별자는 숫자로 시작할 수 없다. 즉, 식별자 첫 시작을 제외하고 식별자 내에 숫자(0~9)를 사용할 수 있다. 문자와 언더바(_)로 시작한 후 그 뒤는 숫자를 식별자로 표기 가능하다는 의미이다. PI9, _PI9는 식별자로 가능하지만 9PI와 같은 식별자는 사용할 수 없다.
- 특수문자는 식별자에 올 수 없다. 언더바(_)를 제외하고는 $, !, % 등의 특수문자는 식별자에 사용될 수 없다. $name, na!me, name% 등과 같이 식별자 사이에 특수문자는 식별자에 사용할 수 없다.

- 식별자에는 공백을 포함시킬 수 없다. ItemList는 식별자로 가능하지만 공백이 있는 Item List는 식별자로 사용할 수 없다.

※ 일반적인으로 변수, 함수, 클래스를 식별자를 보고 판단하는 방법은 식별자가 소문자로 시작하는데 print()나 list.sort()와 같이 괄호()가 있으면 함수이고, list, math.pi와 같이 괄호가 없으면 변수입니다. 그리고 class Planet:고 같이 대문자로 시작하는 경우는 클래스인 경우가 많습니다. 모든 소스 코드가 이 규칙을 반드시 따르지는 않지만 작성된 파이썬 소스를 읽을 때 참고바랍니다.

2. print문의 문자열 출력형식

앞에서 우리는 출력문인 print문에서 큰따옴표(")안에 변수의 값을 포함하기 위해 %(i, j, k)와 같은 형태와 큰따옴표(") 내부에 %d와 같은 형태를 사용하여 출력하는 예를 살펴보았습니다. 이곳에서는 우리는 일상에서 많이 사용하는 정수, 문자열, 그리고 실숫값에 대해 어떻게 print문 내부에서 해당하는 값들을 적절하게 다루어 원하는 형태로 출력하는지에 대해 살펴보겠습니다.

(1) print문에 %()를 이용한 문자열 출력

앞 예제에서 실습하였던 print문과 %()를 활용하여 원하는 정보를 출력하는 예제를 살펴보겠습니다. 다음은 한 개의 값 1을 출력하는 예제와 두 개의 값 10과 20을 이용하여 [10 : 20]이라고 출력하는 예제입니다.

코드

```
print("출력 숫자: %d"%(1) )
print("두 개의 숫자: [%d : %d]"%(10, 20) )
```

실행 결과

```
출력 숫자: 1
두 개의 숫자: [10 : 20]
```

```
print("두 개의 숫자: [%d : %d]"%(10, 20) )
```

위 코드와 같이 실행하면 첫 번째 줄의 1만을 출력하는 print 문은 결과로 1이 화면의 원하는 위치에 문자열과 어울려서 출력되고 두 번째 줄에서와 같이 두 개의 값을 넘겨받은 경우는 10과 20을 문자열과 함께 원하는 형태로 출력할 수 있습니다. 정숫값을 다루는 경우는 큰따옴표(") 내부에 %d를 사용하여 출력형태를 원하는 형태로 조정하여 출력합니다. 여기서 %d의 d는 십진수(decimal)라는 의미를 지닙니다.

이렇게 %()를 사용하여 출력형식을 조정할 때는 print 문장 내의 큰따옴표(")의 끝에 %()를 바로 이어 사용하는 것에 주의해야 합니다. 둘 사이에 콤마(,)와 같은 기호를 넣지 않고 바로 사용하는 부분을 유심히 살펴볼 필요가 있습니다. 또 하나 주의할 점은 전달하려는 값이 여러 개인 경우는 해당 값을 큰따옴표(") 내부에서 출력하는 순서대로 %()안에 콤마(,)로 구분하여 입력해야 하는 부분입니다. 순서를 지켜서 입력하지 않으면 원하는 값이 원하는 위치에 출력되지 않습니다.

코드

```
print("가을 하늘은: %s"%("푸르고 높다") )
print("빛의 삼원색은 %s, %s, %s입니다."%("빨강","초록","파랑") )
```

실행 결과

```
가을 하늘은: 푸르고 높다
빛의 삼원색은 빨강, 초록, 파랑입니다.
```


```
print("가을 하늘은: %s"%("푸르고 높다") )
print("빛의 삼원색은 %s, %s, %s입니다."%("빨강","초록","파랑") )
```


위 코드의 경우는 문자열을 print문 내부에 원하는 형태로 조정하여 출력하는 경우입니다. 문자열이기 때문에 %() 안의 값들도 큰따옴표(")로 감싸서 사용합니다. 여러 개의 값을 구분할 때는 앞에서와 마찬가지로 콤마(,)로 구분합니다. 그리고 print문 내부에 전달된 문자열 값을 출력하는 위치에는 %s를 표기합니다. 여기서 %s는 문자열(string)을 나타내는 표기입니다.

코드

```
print("원주율 PI는 %f입니다."%(3.14) )
print("반지름이 %f인 원의 넓이는 %f입니다."%(10.0, 2*3.14*10.0) )
```

실행 결과

```
원주율 PI는 3.140000입니다.
반지름이 10.000000인 원의 넓이는 62.800000입니다.
```

```
print("원주율 PI는 %f입니다."%(3.14) )
print("반지름이 %f인 원의 넓이는 %f입니다."%(10.0, 2*3.14*10.0) )
```

위 코드의 경우는 실숫값을 print문 내부에 원하는 형태로 조정하여 출력하는 경우입니다. 정수나 실숫값을 받는 경우는 예제의 2*3.14*10.0처럼 계산식을 넣을 수도 있습니다. 이때는 계산된 결괏값이 출력되는 해당 위치에 전달되게 됩니다. %f는 실숫값을 전달받을 때 사용되고 부동소수점(floating point)의 의미를 지닙니다. 이때 출력되는 소수점의 길이는 소수점 이하 6자리를 출력합니다.

이번에는 출력문에 직접 값을 넣지 않고 변수를 이용하여 값을 전달해 보겠습니다. 변수를 이용하여 값을 전달하게 되면 코드와 값을 구분하여 좀 더 깔끔하게 코딩을 진행할 수 있으며 한번 선언된 변수를 여러 곳에 재활용할 수 있게 됩니다.

코드

```
x = 1
y = 10
z = 20

print("출력 숫자: %d"%(x) )
print("두 개의 숫자: [%d : %d]"%(y, z) )
```

실행 결과

```
출력 숫자: 1
두 개의 숫자: [10 : 20]
```

코드

```
str1 = "푸르고 높다"
red ="빨강"
green ="초록"
blue ="파랑"

print("가을 하늘은: %s"%(str1) )
print("빛의 삼원색은 %s, %s, %s입니다."%(red, green, blue) )
```

실행 결과

```
가을 하늘은: 푸르고 높다
빛의 삼원색은 빨강, 초록, 파랑입니다.
```

코드

```
pi = 3.14
r = 10.0
print("원주율 PI는 %f입니다."%(pi) )
print("반지름이 %f인 원의 넓이는 %f입니다."%(r, 2*pi*r) )
```

실행 결과

```
원주율 PI는 3.140000입니다.
반지름이 10.000000인 원의 넓이는 62.800000입니다.
```

참고

출력형식

우리는 print문의 출력 형식을 정수에 대해 %d, 문자열에 대해 %s, 그리고 실수에 대해 %f를 사용하는 것을 실습하였습니다. 이곳에서는 print문에 사용되는 자주 사용되는 출력형식들에 대해 살펴보겠습니다.

출력형식	자료형태	사용 예	실행 결과
%d	정수값(decimal)	print("%d",1)	1
%s	문자열(string)	print("%s","단풍")	단풍
%f	실숫값(floting-point)	print("%f",3.14)	3.140000
%c	문자1개(character)	print("%c",'a')	a
%o	8진수(octal)	print("%o",10)	12
%x	16진수(hexa)	print("%x",20)	14
%%	%를 출력	print("%d %%",35)	35%

(2) print문에 .format을 이용한 문자열 출력

앞 예제에서 우리는 print문과 %()를 활용하여 원하는 정보를 출력하는 예제를 살펴보았습니다. 이번에는 print문에서 .format을 이용해서 문자열의 내부에 원하는 값을 출력해 보겠습니다.

코드

```
print("{{}}야 오징어 게임하게 {{}}를 부르렴!".format("234호", "456호"))
```

실행 결과

```
234호야 오징어 게임하게 456호를 부르렴!
```

```
print("{}야 오징어 게임하게 {}를 부르렴!".format("234호", "456호"))
```

이 코드에서는 앞 예제에서 %()를 사용할 때처럼 .format 안의 괄호에 입력된 값이 print문의 중괄호({})와 쌍으로 순서에 맞추어 전달된 후 화면에 출력되게 됩니다. 이렇게 코드를 작성하다보면, 우리는 .format에 있는 값을 우리가 여러번 호출해서 사용한다든지, 순서를 바꾸어 출력하고 싶은 생각이 들기도 합니다. 이런 경우는 다음과 같이 프로그램 코드를 작성하면 됩니다.

코드

```
print("{{0}}야 오징어 게임하게 {{1}}를 부르렴!".format("234호", "456호"))
print("{{1}}야 {{1}}야 오징어 게임하게 {{0}}를 부르렴!".format("234호", "456호"))
```

실행 결과

```
234호야 오징어 게임하게 456호를 부르렴!
456호야 456호야 오징어 게임하게 234호를 부르렴!
```

이 코드에서 중괄호({})안의 숫자 0과 1은 .format안에 작성된 값의 순서를 나타냅니다. 여기서 주의할 점은 중괄호({})안의 숫자가 0부터 시작한다는 점입니다. 두 번째줄의 코드를 살펴보면 .format에 입력된 값의 순서를 인덱스를 이용하여 0과1의 순서를 바꾸어 출력하고 또 필요에 따라 여러 번 호출하여 출력하는 것을 확인 할 수 있습니다.

변수를 사용하여 동일한 출력 실습을 진행하여 봅시다.

코드

```
no1 ="234호"
no2 ="456호"

print("{{}}야 오징어 게임하게 {{}}를 부르렴!".format(no1, no2))
```

실행 결과

```
234호야 오징어 게임하게 456호를 부르렴!
```

코드

```
no1 ="234호"
no2 ="456호"

print("{{0}}야 오징어 게임하게 {{1}}를 부르렴!".format(no1, no2))
print("{{1}}야 {{1}}야 오징어 게임하게 {{0}}를 부르렴!".format(no1, no2))
```

실행 결과

```
234호야 오징어 게임하게 456호를 부르렴!
456호야 456호야 오징어 게임하게 234호를 부르렴!
```

이번에는 .format에 mycolor="Green"처럼 별도의 변수명을 작성하고 값을 할당한 후 해당한 변수명을 호출하여 출력하는 프로그램을 실습해 보겠습니다.

코드

```
print("빛의 삼원색은 {{color}}이고 그중 나는 {{mycolor}}색을 좋아 합니다.".format(color="RGB",
mycolor="Green"))
```

실행 결과

```
빛의 삼원색은 RGB이고 그중 나는 Green색을 좋아 합니다.
```

이 코드에서 우리는 .format내부에 color와 mycolor변수를 선언하고 값을 "RGB"와 "Green"으로 할당하였습니다. 그리고 print문 내부에서 원하는 위치에 해당 변수를 중괄호({})내에 기술하여 print문을 작성하였습니다.

이번에는 .format내에 값과 변수를 선언하는 것을 동시에 작성하고 실습해 봅니다.

코드

```
no1 ="234호"
no2 ="456호"

print("{{1}}는 술래가 되어 {{flower}}이 피었습니다. 라고 외칩니다. {{0}}는 숨습니다.".format(no1,
no2, flower="무궁화꽃"))
```

실행 결과

```
456호는 술래가 되어 무궁화꽃이 피었습니다. 라고 외칩니다. 234호는 숨습니다.
```

■ 출력형식의 소수점 자리수와 공간 채우기

코딩을 하다보면 print문의 출력에서 전달된 값들의 공간의 크기를 미리 결정하여 항상 동일한 간격으로 출력해야 하는 경우와 소수점의 자릿수를 희망하는 숫자로 지정해주어야 하는 경우가 있습니다.

다음 예는 구구단 값을 출력하는 프로그램입니다.

코드

```
print(" %d x %d = %d " %(2, 4, 2*4))
print(" %d x %d = %d " %(2, 5, 2*5))

print(" %3d x %3d = %3d " %(2, 4, 2*4))
print(" %3d x %3d = %3d " %(2, 5, 2*5))
```

실행 결과

```
 2 x 4 = 8
 2 x 5 = 10
   2 x   4 =   8
   2 x   5 =  10
```

구구단의 2단 중 결괏값이 8과 10인 경우와 같이 출력되던 자릿수 패턴이 바뀌게 되는 경우 출력화면의 숫자가 자릿수가 어그러져 혼란스럽게 보입니다. 이런 경우 아래 코드처럼 %d의 %와 d 사이에 미리 설정한 공간 크기만큼의 수로 지정해주면, 실행 결과 중 아래 두 개의 결과처럼 어떤 숫자가 출력되더라도 3자리를 미리 확보하고 화면에 출력하게 됩니다.

```
print(" %3d x %3d = %3d " %(2, 4, 2*4))
```

이렇게 자릿수의 크기를 지정해주는 방법은 다음 예와 같이 %() 출력방법과 .format() 방법 모두 사용할 수 있습니다.

코드

```
age = 10.0
color = "Green"

print(" 내 나이 %10.1f살에 좋아 했던 색깔은 : %-10s입니다." %(age,color))
print(" 내 나이 {{0:10.1f}}살에 좋아 했던 색깔은 : {{1:>10s}}입니다." .format(age,color))
```

실행 결과

```
내 나이      10.0살에 좋아 했던 색깔은 : Green     입니다.
내 나이      10.0살에 좋아 했던 색깔은 :      Green입니다.
```

```
print(" 내 나이 %10.1f살에 좋아 했던 색깔은 : %-10s입니다." %(age,color))
print(" 내 나이 {0:10.1f}살에 좋아 했던 색깔은 : {1:>10s}입니다." .format(age,color))
```

위 예제의 %10.1f와 {0:10.1f}는 동일한 실행 결과를 나타내는 것으로 10자리 공간을 나타내는 데 그 중 소수점 이하 첫째 자리까지만 출력하라는 예입니다. 따라서 결과는 10.0살이라고 출력되게 됩니다. rm 중 {0:101f}의 경우 0번째 인자를 구분하기위해 0: 을 사용하였습니다. 또, %–10s와 {1:>10s}의 경우는 서로 반대 방향 정렬의 결과를 표현하고 있습니다. 문자열에 대해 총 10자리의 공간을 확보하여 출력하는데 %–10s는 마이너스(–)를 표시하여 왼쪽 정렬이라고 나타낸 것입니다. 마이너스(–)부호가 없으면 기본 값은 오른쪽 정렬이 됩니다. 마찬가지로 1:은 1번째 인자를 대상으로 한다는 의미이고, >10s는 문자열이 오른쪽 정렬을 한다는 의미입니다. 이때 <10s라고 표현하거나 기본 값으로 그냥 10s라고 표현하면 문자열이 왼쪽 정렬로 표현하게 됩니다. 숫자들에 대해서 정렬 기본값은 오른쪽 정렬이고 문자에 대해서는 왼쪽 정렬이 기본값으로 설정되어 있습니다.

3. 상수와 주석

(1) 상수

앞에서 우리는 변수에 대해 공부하였습니다. 변수는 변화하는 값을 대표하는 이름을 주어 코딩할 때 사용한다고 했습니다. 변수에 대응되는 개념은 상수입니다. 상수는 그 값이 바뀌지 않고 또 바꿀 수 없는 값입니다. 우리는 변수를 선언할 때 age = 10과 같이 왼쪽에는 변수명을 그리고 오른쪽에는 값을 두고 프로그램을 코딩하였습니다. 이 때 오른쪽의 정수값인 10은 항상 10이고 다른 값으로 바꿀 수가 없습니다. 또 name = "나인섭"과 같은 문자열의 경우 변수는 name이고 그 값은 "나인섭"이라는 문자열입니다. 이때도 name에는 다른 값을 넣어 변하지만 "나인섭"이라는 값은 바꿀 수가 없지요. 이렇게 값 자체에 대해 우리는 리터럴 상수 즉 문자 자체가 상수라는 의미로 사용합니다.

다른 언어에서는 상수를 별도로 선언을 하고 사용할 수 도 있는데, 파이썬에서는 상수에 해당되는 것은 리터럴 상수만이 존재합니다. 굳이 다른 언어에서 사용하던 습관을 도입하고자 한다면, 아래 MAX=100과 같이 개념적으로 변수를 선언하고 변수명을 모두 대문자로 작성하여 프로그램 내에서 상수로 인식하고 사용하는 방법 정도가 있습니다.

```
MAX = 100
```

(2) 주석

프로그램에서 소스 코드에 붙이는 설명글을 주석이라 합니다. 주석 처리의 목적은 크게 다음 두 가지 정도입니다.

첫 번째 주석처리의 목적은 작성된 소스 코드를 더 쉽게 이해할 수 있게 만드는 것에 있습니다. 주석처리가 된 코드는 다른 사람이 작성한 코드를 분석하거나 공동작업을 할 때 특히 유용합니다. 지금은 공개 소스가 소프트웨어산업의 바탕을 이루는 시대이다 보니 공개된 다른 사람이 작성한 프로그램 소스 코드를 가져다 수정하는 경우가 많습니다. 이런 경우에 주석이 잘 달린 다른 사람의 공개 소스 코드를 가져다 작업한다면 신뢰성 있는 코드와 코딩 업무 효율이 매우 높을 것이며, 산업적으로 역시 이미 검증된 소스 코드들을 가져다 사용하게 됨으로써 빠르고 신뢰 있는 작업으로 인한 산업발달과 기존 보다 고도화된 업무를 추진하는 힘이 생기게 됩니다. 아무리 뛰어난 프로그래머라도 코드만 보고 바로 소스 코드의 의도와 프로그램의 흐름을 파악하는 것은 어렵습니다. 그래서 많은 훌륭한 프로그래머들이 자신이 작성한 코드의 용도와 활용에 대해 쉽게 파악할 수 있도록 자신의 코드에 설명을 추가해놓습니다.

주석을 처리하는 두 번째 목적은 현재 실행하고 있는 프로그램 코드 중 선택한 일부 코드를 일시적으로 혹은 선택적으로 파이썬 언어가 해석하고 실행시키지 못 하게 하는 기능을 합니다. 소스 코드를 작성하다 보면 일정 영역의 코드를 실행시키지 않고 실행하고자 하는 경우가 발생하는데 이런 경우에 활용합니다.

주석을 표기하는 방법은 파이썬에서는 샵(#)을 이용하는 방법과 작은따옴표(') 세 개 '''를 이용하는 방법이 있습니다.

- 샵(#)을 이용하는 방법 : 코드 중 샵(#) 표기 이후의 코드를 한 줄 내에서 주석 처리하는 방법
- 작은따옴표(') 세 개를 사용하는 방법 : 작은따옴표(') 세 개(''')가 시작하는 곳에서부터 다음 작은따옴표(') 세 개(''') 끝나는 곳까지의 영역을 주석으로 처리하게 하는 방법

다음 프로그램은 반지름 값 r을 입력받아 원의 넓이를 구하는 프로그램입니다. 여기서는 샵(#)주석을 사용하여 프로그램 설명과 공식을 기록해 놓았습니다. 파이썬 언어는 샵(#)으로 시작하는 모든 줄을 실행할 때 무시하게 됩니다.

코드

```
##
# 다음 프로그램은 반지름 r을 입력받아, 원의 넓이를 구하는 프로그램입니다.
# 원의 넓이 = 2 x 원주율(PI) x 반지름(r)
##########################################

PI = 3.14   #원주율
r= int(input("반지름? "))

print("반지름이 %d인 원의 넓이는 %f입니다."%(r, 2*PI*r) )
```

실행 결과

```
반지름? ▯
---
반지름? 5
반지름이 5인 원의 넓이는 31.400000입니다.
```

```
PI = 3.14   #원주율
```

프로그램 코드 PI = 3.14는 정상적으로 파이썬 언어가 해석을 하고 뒤에 샵(#)이 나타난 시점부터는 파이썬 언어가 해석하지 않고 무시하게 됩니다.

다음 프로그램은 주석을 달고 싶은 영역을 작은따옴표(') 세 개(''')로 감싸서 해당한 영역이 주석처리 된 예시입니다. 파이썬 언어는 작은따옴표(') 세 개(''')로 감싸진 영역을 실행할 때 무시하게 됩니다.

코드

```
'''
 다음 프로그램은 반지름 r을 입력받아, 원의 넓이를 구하는 프로그램입니다.
 원의 넓이 = 2 x 원주율(PI) x 반지름(r)
'''

PI = 3.14   #원주율
r= int(input("반지름? "))

print("반지름이 %d인 원의 넓이는 %f입니다."%(r, 2*PI*r) )
```

실행 결과

```
반지름? □
---
반지름? 5
반지름이 5인 원의 넓이는 31.400000입니다.
```

참고

주석 단축키

우리가 사용하는 VSCode에서 주석을 설정하는 단축기는 다음 두 가지를 제공한다.

먼저, Ctrl + / 는 한줄 샵(#) 주석을 자동으로 설정된다. Ctrl + / 키는 토글(toggle)기능이 있어 한번 누르면 샵(#) 주석이 설정되고 다시 한번 더 누르면 샵(#)주석이 해제된다. 물론 마우스 등으로 블록을 설정하고 그 상태에서 Ctrl + / 키를 눌러도 동일하게 기능이 동작한다.

또 다른 키는 먼저 주석을 설정하고픈 영역을 마우스 등으로 블록 설정한 후 Alt + Shift + A 키를 동시에 누르면 작은따옴표(') 세 개 가 해당 영역의 시작과 끝에 설정된다. 각자 사용하는 에디터마다 고유의 단축키들이 있으니 다른 에디터를 사용하는 경우는 해당 에디터의 단축키를 찾아서 활용하기 바란다.

4. 자료형

자료(data)라는 용어는 두산백과의 정의에 따르면, 재료, 자료, 논거라는 의미인 'datum'의 복수형입니다. 넓은 의미에서 자료는 의미 있는 정보를 가진 모든 값, 사람이나 자동 기기가 생성 또는 처리하는 형태로 표시된 것을 뜻합니다. 어떠한 사실, 개념, 명령 또는 과학적인 실험이나 관측 결과로 얻은 수치나 정상적인 값 등 실체의 속성을 숫자, 문자, 기호 등으로 표현한 것입니다. 우리가 사용하는 컴퓨터에서는 자료의 개념을 숫자, 문자, 기호로 컴퓨터에서 표현할 수 있는 세상에 있는 사실, 개념, 명령, 수치나 값이라고 정의합니다.

- 자료 : 숫자, 문자, 기호로 컴퓨터에서 표현할 수 있는 세상에 있는 사실, 개념, 명령, 수치나 값

따라서, 자료형은 이렇게 숫자, 문자, 기호로 컴퓨터에서 표현되는 값들을 프로그램 언어에서 쉽게 사용하고 처리하기 편리한 형태로 기능과 역할에 따라 자료를 구분한 것입니다. 우리는 이미 입출력문을 공부하면서 자연스럽게 정수형, 문자열, 실수형에 대해 구분 짓고 사용하고 있었는데, 정수형, 문자열, 실수형 등이 파이썬의 기본 자료형에 해당하겠습니다.

- 자료형 : 숫자, 문자, 기호로 컴퓨터에서 표현되는 값들을 프로그래밍 언어에서 쉽게 사용하고 처리하기 편리한 형태로 기능과 역할에 따라 자료를 구분한 것

파이썬에서 제공되는 9가지 표준 자료형은 정수형, 문자형, 실수형, 복소수형, 논리형, 문자열, 리스트형, 튜플형, 집합형, 사전형입니다. 이외에도 사용하는 패키지 별로 다양한 자료형이 지원됩니다.

- 기본 자료형 : 정수형, 문자열, 실수형, 복소수형, 논리형
- 순서 자료형 : 문자열, 리스트형, 튜플형
- 집단형 자료형 : 문자열, 리스트형, 튜플형, 집합형, 사전형

<table>
<tr><th colspan="2">자료형</th><th>명령</th><th>형식</th><th>비고</th></tr>
<tr><td rowspan="3">숫자형</td><td>정수형</td><td>int</td><td>456, -456, 0</td><td></td></tr>
<tr><td>실수형</td><td>float</td><td>3.14, 3.1E-2</td><td></td></tr>
<tr><td>복소수형</td><td>complex</td><td>(3.14+0j)</td><td></td></tr>
<tr><td colspan="2">논리형</td><td>bool</td><td>True, False</td><td>1, 0</td></tr>
<tr><td rowspan="5">집단형</td><td>문자열</td><td>str</td><td>"단풍"</td><td rowspan="3">순서(squence)</td></tr>
<tr><td>리스트형</td><td>list</td><td>["빨","주","노","초","파","남","보"]</td></tr>
<tr><td>튜플형</td><td>tuple</td><td>(6,7,8)</td></tr>
<tr><td>집합형</td><td>set</td><td>{4,5,6}</td><td></td></tr>
<tr><td>사전형</td><td>dict</td><td>{"r":"red", "g":"green", "b":"blue"}</td><td></td></tr>
</table>

이제부터 해당 자료형을 하나씩 배워보겠습니다. 이번 장에서는 정수형, 실수형, 복소수형, 논리형, 문자열에 대해 살펴보고, 리스트형, 튜플형, 집합형, 사전형은 추후 자료형의 확장에서 다루도록 하겠습니다.

■ 자료형의 확인 : type()문

자료형은 주로 변수에 적용되게 되는데 사용하는 변수의 자료형을 확인할 때는 type() 문을 사용하여 확인합니다.

코드

```
Age = 16
print( type(Age) )
```

실행 결과

```
<class 'int'>
```

```
print( type(Age) )
```

변수 Age는 16 값이 들어 있는 정수형입니다. type(Age)를 통해 변수 Age의 자료형을 넘겨 받고 이 값을 화면에 출력하기 위해 print문을 사용하였습니다. 정수형이기 때문에 <class 'int'>라 출력이 됩니다. 파이썬은 객체지향언어이다 보니 사용하는 자료형, 변수 등이 내부적으로는 클래스로 정의되고 클래스의 객체로 사용하게 됩니다. 이에 대한 자세한 설명은 추후 클래스와 객체편에서 설명하겠습니다. 이 장에서는 단지 파이썬이 객체지향언어이다 보니 변수나 자료형을 선언하여도 클래스로 정의되고 해당 클래스의 속성을 상속받아 다양한 기능을 사용할 수 있다 정도만 이해하고 넘어가겠습니다. 상속받아 사용하게 되는 상황은 그때마다 별도로 설명하도록 하겠습니다. 다음은 정수형, 실수형, 복소수형, 논리형 그리고 문자열 자료에 대해 해당 값을 출력한 예시입니다.

코드

```
print(int(456))          #정수형
print(float(3.14))       #실수형
print(complex(3.14))     #복소수형
print(bool(1))           #논리형
print(str("단풍"))        #문자열
```

실행 결과

```
456
3.14
(3.14+0j)
True
단풍
```

다음은 정수형, 실수형, 복소수형, 논리형 그리고 문자열 자료에 대해 해당 값의 자료형을 출력한 예시입니다.

코드

```
print(type(int(456)))        #정수형
print(type(float(3.14)))     #실수형
print(type(complex(3.14)))  #복소수형
print(type(bool(1)))         #논리형
print(type(str("단풍")))      #문자열
```

실행 결과

```
<class 'int'>
<class 'int'>
<class 'float'>
<class 'complex'>
<class 'bool'>
<class 'str'>
```

이렇게 해당 값을 받아 바로 자료형을 출력하다보니 소스 코드가 복잡하게 보입니다. 그래서 변수 value를 이용하여 자료형을 출력해도 동일한 결과를 얻는 것을 확인할 수 있습니다. 변수 value는 행별로 넘겨 받은 자료형을 갖는 변수입니다.

코드

```
value = type(int(456))
print(value)        #정수형

value = type(float(3.14))
print(value)        #실수형

value = type(complex(3.14))
print(value)        #복소수형

value = type(bool(1))
print(value)        #논리형

value = type(str("단풍"))
print(value)        #문자열
```

실행 결과

```
<class 'int'>
<class 'int'>
<class 'float'>
<class 'complex'>
<class 'bool'>
<class 'str'>
```

자료형과 값을 변수 a에 넘겨 받아서 출력하게 되면, value = type(a)와 print(value)는 모든 항목에 동일하게 존재하는 공통 영역이 됩니다. 추후 공통영역을 묶어 하나의 함수로 만들어 사용할 수가 있기 때문에 이렇게 공통영역을 분리하는 습관을 들이는 것도 좋습니다.

코드

```
a = int(456)
value = type(a)
print(value)        #정수형

a = float(3.14)
value = type(a)
print(value)        #실수형

a = complex(3.14)
value = type(a)
print(value)        #복소수형

a = bool(1)
value = type(a)
print(value)        #논리형

a = str("단풍")
value = type(a)
print(value)        #문자열
```

실행 결과

```
<class 'int'>
<class 'int'>
<class 'float'>
<class 'complex'>
<class 'bool'>
<class 'str'>
```

다음은 자료의 형 함수들에 대한 자료형을 출력하는 예시입니다. 자료형은 자료형의 함수로 선언되었든, 변수로 선언되었든 간에 동일하게 출력되는 것을 알 수 있습니다. 이렇게 작성된 자료형들에 대한 다양한 연산에 대해서는 다음 장에서 살펴보겠습니다.

코드

```
print(type(int()))          #정수형
print(type(float()))        #실수형
print(type(complex()))      #복소수형
print(type(bool()))         #논리형
print(type(str()))          #문자열
```

실행 결과

```
<class 'int'>
<class 'int'>
<class 'float'>
<class 'complex'>
<class 'bool'>
<class 'str'>
```

5. 문자열 출력형식 복습

이곳에서는 파이썬을 사용하면서 중요하게 활용되는 문자열 출력 포맷 %()표기와 .format()표기에 대해 정리하시는 시간을 갖도록 하겠습니다.

(1) 정수 출력

이미 이야기하였지만 print문장 중 %d는 정수를 print문 내의 특정 위치에 출력하는 방법입니다. 두 개의 값 234와 456을 특정 위치에 출력하는 print문을 작성하면 다음과 같습니다.

코드

```
print("%d %d"% (234, 456))
print('{} {}'.format(234, 456))
```

실행 결과

```
234 456
234 456
```

이번에는 %d의 %와 d사이에 출력 정수의 수를 지정해주는 경우와 지정하지 않는 경우를 비교해 보겠습니다. 여기에서 특정한 출력 정수의 수를 지정하지 않으면 수를 출력할 때 실행 결과에서 보여지는 것과 같이 왼쪽에서부터 출력하게 됩니다. 그렇지 않고 %와 d 사이에 숫자를 넣게 되면 출력자리를 5개까지 확보를 한다는 것입니다. 따라서 왼쪽 공간 두 칸을 빈 공간으로 두고 456을 출력하게 됩니다.

코드

```
print("%d"% (456))
print("%5d"% (456))
```

실행 결과

```
456
  456
```

이제는 print("%5d"% (456789))와 같이 코드를 작성하면 어떤 결과가 나타날까요? 앞의 코드처럼 456만 출력이 될까요? 아니면 45678이 출력될까요? 또 그렇지 않으면 어떤 결과가 출력될지 아래 코드를 실습해 봅니다.

코드

```
print("%d"% (456))
print("%5d"% (456))
print("%5d"% (456789))
```

실행 결과

```
456
  456
456789
```

정해진 크기보다 더 많은 자리의 수가 들어온 경우는 모든 자리의 숫자를 다 표기하기 위해 먼저 자리수를 다 채우고 추가로 나머지 수가 출력되게 됩니다.

코드

```
print("%d"% (456))
print("%5d"% (456))
print("{{:5d}}".format(456))
```

실행 결과

```
456
  456
  456
```

동일한 기능을 갖는 "{:5d}".format(456)의 형태로 코드를 작성할 수도 있습니다. 이때 해당하는 자료형을 나타내는 d를 반드시 넣어줘야 정상적으로 동작합니다.

코드

```
print("%d"% (456))
print("{{}}".format(456))
print("%5d"% (456))
print("{{:5d".format(456))
```

실행 결과

```
456
456
  456
  456
```

(2) 문자열 출력

문자열 "단풍"을 %s표현을 이용하여 다음과 같이 출력해 봅니다.

코드

```
print("%10s"% ("단풍"))
```

실행 결과

```
        단풍
```

%10s는 아래 그림처럼 문자 10개를 공간 확보하는 문자열을 표현하라는 의미입니다.

								단	풍
1	2	3	4	5	6	7	8	9	10

코드

```
print("%10s"% ("단풍"))
print("{{:>10}}".format("단풍"))
print("{{:<10}}".format("단풍"))
print("%-10s"% ("단풍"))
```

실행 결과

```
        단풍
        단풍
단풍
단풍
```

이번에는 왼쪽이나 오른쪽 빈 공백에 특정 문자 $를 출력하게 해보겠습니다.

코드

```
print("{{:>10}}".format("단풍"))
print("{{:<10}}".format("단풍"))

print("{{:$>10}}".format("단풍"))
print("{{:$<10}}".format("단풍"))
```

실행 결과

```
        단풍
단풍
$$$$$$$$단풍
단풍$$$$$$$$
```

이번에는 왼쪽에 특정 문자 $, ?, _를 출력하게 해보겠습니다. 또 ^를 이용하여 단어를 가운데 정렬하고 빈 공백은 특정 문자 %로 채워서 출력해 보겠습니다.

코드

```
print("{{:$>10}}".format("단풍"))
print("{{:?>10}}".format("단풍"))
print("{{:_>10}}".format("단풍"))
print("{{:%^10}}".format("단풍"))  # 가운데 정렬후 나머지를 특정 문자 %로 채움
```

실행 결과

```
$$$$$$$$단풍
????????단풍
________단풍
%%%%단풍%%%%
```

이번에는 출력하는 문자열 중 일부만을 잘라서 출력하는 방법을 살펴보겠습니다.

코드

```
print("%s"% ("오메 단풍 들것네"))

print("%2s"% ("오메 단풍 들것네"))

print("%.2s"% ("오메 단풍 들것네"))
print("%10.2s"% ("오메 단풍 들것네"))
print("{{:10.2}}".format ("오메 단풍 들것네"))

print("{{:$>10.2}}".format ("오메 단풍 들것네"))
print("{{:10.5}}".format ("오메 단풍 들것네"))
print("{{:$^10.5}}".format ("오메 단풍 들것네"))
```

실행 결과

```
오메 단풍 들것네
오메 단풍 들것네
오메
        오메
오메
$$$$$$$$오메
오메 단풍
$$오메 단풍$$$
```

(3) 실수 출력

이번에는 실숫값 3.1415926532342와 314.15926532342를 %f를 이용하여 출력해 보겠습니다. 실행 결과에서 보듯이 정수부 자릿수와 관계없이 소수부는 소숫점 이하 6자리까지만 출력됩니다.

코드

```
print("%f"% (3.1415926532342))
print("%f"% (31.415926532342))
```

실행 결과

```
3.141593
31.415927
```

이번에는 소수부를 소숫점 이하 2자리 그리고 15자리까지 출력해 봅니다. 실행 결과에 보이는 것처럼 소수부의 소숫점을 15자리까지 출력하게 되면 가지고 있는 값보다 지정된 공간이 더 큰 경우는 빈 공간은 0으로 채워져서 출력합니다.

코드

```
print("%f"% (3.1415926532342))

print("%1.2f"% (3.1415926532342))
print("%1.15f"% (3.1415926532342))
```

실행 결과

```
3.141593
3.14
3.141592653234200
```

이번에는 정수부를 2자리 그리고 15자리까지 출력해 봅니다. 그리고 %02와 %015와 같이 출력하여 지정공간보다 출력값이 큰 경우와 지정공간이 커서 공간이 남으면 남은 공간에 0을 채우게 됩니다. 이상의 예제를 실행해 봅니다. 두 번째 줄의 실행 결과에서 보이는 것처럼 정수부가 지정공간보다 더 작을 경우는 그냥 값이 화면에 출력됩니다. 세 번째 줄처럼 지정공간이 더 큰 경우는 빈 공간이 좌측에 출력됩니다. %02와 %15와 같이 지정하게 되면 지정공간이 빈공간이 되는 경우는 빈 공간을 0으로 채워서 출력합니다.

코드

```
print("%f"% (314.15926532342))

print("%2.2f"% (314.15926532342))
print("%15.2f"% (314.15926532342))

print("%02.2f"% (314.15926532342))
print("%015.2f"% (314.15926532342))
```

실행 결과

```
314.159265
314.15
   314.15
314.15
00000314.15
```

이번에는 %()표현과 .format()표현을 비교하며 실습해 봅니다.

코드

```
print("%f"% (314.15926532342))
print("{{:f}}".format (314.15926532342))

print("%2.2f"% (314.15926532342))
print("{{:2.2f}}".format (314.15926532342))

print("%015.2f"% (314.15926532342))
print("{{:015.2f}}".format (314.15926532342))
```

실행 결과

```
314.159265
314.159265
314.16
314.16
000000000314.16
000000000314.16
```

1. 1, 1.0, "1"의 차이점을 설명하시오.

1은 정수 데이터, 1.0은 실수 데이터, "1"은 문자열

2. 다음 코드를 보고 실행 결과를 말하시오.

코드

```
print("If I have seen further it is by standing on the shoulders of Giants -Isaac New-
ton")
print("거인의","어깨에","올라서서"," 더 넓은 세상을!","바라보라"," -아이작 뉴턴")
print('난쟁이와 거인 중 누가 더 멀리 볼 수 있을까? ')
print('"난쟁이가 거인보다 더 멀리 볼 수 있는 방법은 뭘까?" 생각해봅시다.')
print("'내가 더 멀리 보았다면 이는 거인들의 어깨 위에 올라서 있었기 때문'이라고 1676년에 뉴턴은
말했다. ")
print("\"거인의 어깨 위에 올라선 난쟁이처럼 우리는 고대인보다 더 많이, 더 멀리 볼 수 있다\"
-1130년 베르나르 사르트르")
```

실행 결과

```
If I have seen further it is by standing on the shoulders of Giants -Isaac Newton
거인의 어깨에 올라서서  더 넓은 세상을! 바라보라  -아이작 뉴턴
난쟁이와 거인 중 누가 더 멀리 볼 수 있을까?
"난쟁이가 거인보다 더 멀리 볼 수 있는 방법은 뭘까?" 생각해봅시다.
'내가 더 멀리 보았다면 이는 거인들의 어깨 위에 올라서 있었기 때문'이라고 1676년에 뉴턴은 말했다.
"거인의 어깨 위에 올라선 난쟁이처럼 우리는 고대인보다 더 많이, 더 멀리 볼 수 있다" -1130년 베르
나르 사르트르
```

3. 다음 코드를 보고 실행 결과를 말하시오.

코드

```
print("안녕하세요. 파이썬 수업입니다.")
#print("안녕하세요. 파이썬 수업입니다.")
```

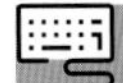

실행 결과

```
안녕하세요. 파이썬 수업입니다.
```

4. 다음 코드를 보고 실행 결과를 말하시오.

코드

```
print(type("안녕하세요"))
print(type(273))
print(type(True))
```

실행 결과

```
<class 'str'>
<class 'int'>
<class 'bool'>
```

CHAPTER 3
연산자

1. 대입 연산자
2. 산술 연산자: +, -, x, /, //, %, **
3. 복합 대입 연산자
4. 관계 연산자: <, >, <=, >=, ==, !=
5. 논리 연산자: and, or, not
6. 비트 연산자
7. 연산자 우선순위: 산술 연산자>관계 연산자>논리 연산자, ()

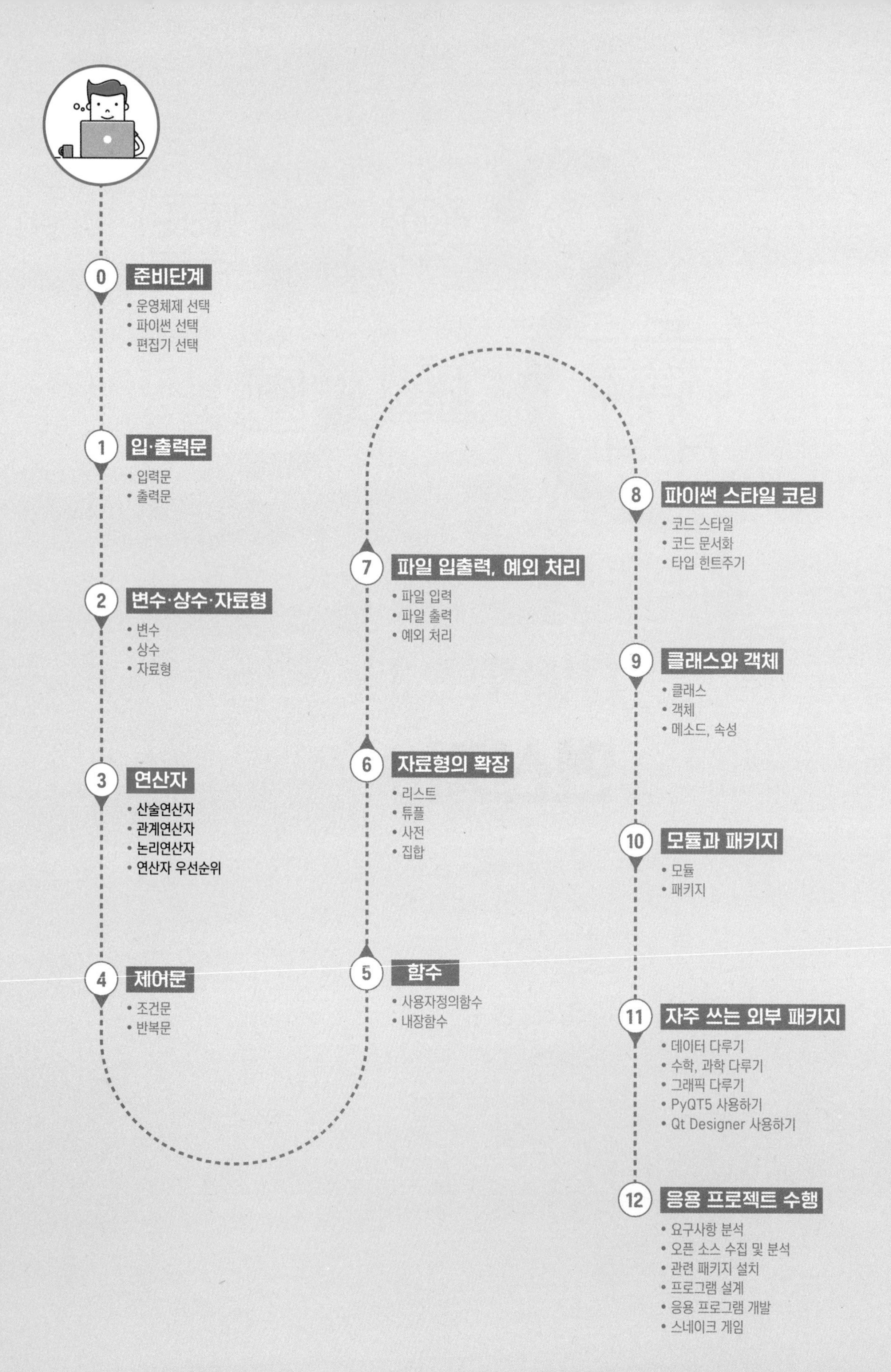
0 준비단계
• 운영체제 선택
• 파이썬 선택
• 편집기 선택
1 입·출력문
• 입력문
• 출력문
2 변수·상수·자료형
• 변수
• 상수
• 자료형
3 연산자
• 산술연산자
• 관계연산자
• 논리연산자
• 연산자 우선순위
4 제어문
• 조건문
• 반복문
5 함수
• 사용자정의함수
• 내장함수
6 자료형의 확장
• 리스트
• 튜플
• 사전
• 집합
7 파일 입출력, 예외 처리
• 파일 입력
• 파일 출력
• 예외 처리
8 파이썬 스타일 코딩
• 코드 스타일
• 코드 문서화
• 타입 힌트주기
9 클래스와 객체
• 클래스
• 객체
• 메소드, 속성
10 모듈과 패키지
• 모듈
• 패키지
11 자주 쓰는 외부 패키지
• 데이터 다루기
• 수학, 과학 다루기
• 그래픽 다루기
• PyQT5 사용하기
• Qt Designer 사용하기
12 응용 프로젝트 수행
• 요구사항 분석
• 오픈 소스 수집 및 분석
• 관련 패키지 설치
• 프로그램 설계
• 응용 프로그램 개발
• 스네이크 게임

연산자는 x= 2 + 3과 같은 표현식(Expression)에 사용됩니다. 파이썬에서 사용할 연산 기호들은 우리가 수학 시간에 배운 연산 기호들과 일치하며, 의미도 유사합니다. 연산자의 종류는 대입 연산자(할당 연산자), 산술 연산자, 증감 연산자, 관계 연산자(비교 연산자), 논리 연산자(부울 연산자), 비트 연산자, 객체 연산자 등이 있습니다.

1. 대입 연산자

우리는 연산자 중 먼저 대입 연산자를 공부하겠습니다. 대입 연산자는 할당 연산자라고도 부르는데, 지금까지 실습하면서 변수에 값을 대입할 때 사용한 연산자 = 기호가 대입 연산자입니다. 대입 연산자(=)는 특정 값을 변수에 대입하는 명령문을 나타내는 명칭입니다.

■ 변수(variable) = 표현식(expression)

표현식(expression)에는 값(상수), 변수, 연산자를 포함한 계산식 등이 올 수 있습니다. 보시는 것과 같이 왼쪽은 반드시 변수가 와야 하며, 오른쪽은 다양한 표현식이 올 수 있습니다. 실제 사용 예는 다음과 같습니다.

■ x = 7 #변수(variable) = 값(상수)

표현식에 값이 오는 경우이며, 변수 = 값의 형태로 사용됩니다. 변수 x에 값(정확히는 리터럴 상수값) 7을 대입한 경우입니다. 여기서 오른쪽 변의 값은 정수형뿐만 아니라 실수형 그리고 문자형 등의 값도 모두 올 수가 있습니다.

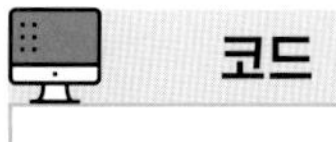


```
x = 7

print(x)
```

실행 결과

```
7
```

■ x = y = z = 0 #변수(variable) = 변수(variable) = 변수(variable) = ... = 값(상수)

변수 = 값의 변형된 형태로 왼쪽에 있는 변수가 한 개의 변수가 아니라 여러 개의 변수에 값을 대입하는 경우입니다. 이 경우는 오른쪽의 값을 가장 오른쪽 대입 연산자(=)에 가까운 순으로 값이 대입됩니다. x = y = z = 0의 경우 z = 0, y = 0, x = 0의 순서로 값이 대입됩니다. 여러 개의 변수를 동시에 초기화할 때 매우 편리하게 사용됩니다.

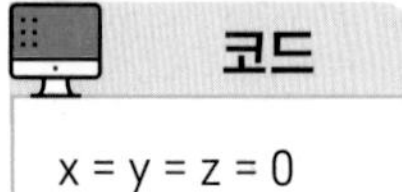

코드

```
x = y = z = 0

print(x, y, z)
```

실행 결과

```
0 0 0
```

■ temp = x #변수(variable) = 변수

표현식에 변수가 오는 경우이며, 변수의 값을 새로운 변수에 대입하는 경우로 변수 = 변수 형태로 사용됩니다. 변수 temp에 변수 x를 대입한 경우입니다. 여기서 오른쪽에 있는 변수 x는 사용 전에 미리 값이 대입되어 있어야 프로그램에 오류가 나지 않습니다.

코드

```
x = 1

temp = x

print(temp, x)
```

실행 결과

```
1 1
```

■ x = y = z = temp #변수(variable) = 변수(variable) = 변수(variable) = ... = 변수

여러 개의 변수에 변숫값을 대입할 때 사용되는 방법으로 변수 = 변수 형태의 변형된 표현 방법입니다. z = temp, y = z, x = y 순으로 값이 대입되며 가장 오른쪽에 있는 변수 temp의 값이 사용 전에 미리 대입되어 있어야 프로그램에 오류가 나지 않습니다.

코드

```
temp = 1

x = y = z = temp

print(x, y, z, temp)
```

```
1 1 1 1
```

■ x = a + b #변수(variable) = 변수(또는 상수) 연산자 변수(또는 상수)

표현식에 계산식이 오는 경우이며, 변수 = 변수(피연산자) 연산자 변수(피연산자) 형태로 x = a + b의 경우 덧셈 연산자(+) 오른쪽과 왼쪽에 변수 a와 변수 b가 연산 되는 피연산자로 위치하여 변수 a 값과 변수 b값을 더한 후 변수 x에 값을 대입시킵니다. 이때 오른쪽 표현식에 연산자 외에 연산 되는 변수를 우리는 피연산자라고 부릅니다. 피연산자는 상황에 따라 변수가 올 수도 있고 값(상수) 혹은 다양한 계산식이 올 수도 있습니다.

코드

```
a = 1
b = 2

x = a + b

print(x)
```

실행 결과

```
3
```

파이썬은 변수에 값을 대입할 때 여러 개의 변수에 값을 동시에 대입할 수 있습니다. 우리는 이것을 동시 대입문 혹은 동시 할당문이라 부릅니다. 동시 대입문을 사용하기 위해서는 반드시 변수의 갯수와 표현식에 따른 값의 갯수가 일치해야 합니다. 여러 변수나 값을 대입하기 위해 구분자로 콤마(,)를 변수들 그리고 값들을 구분하는데 사용합니다. 다음 예를 살펴보겠습니다.

■ x, y = 1, 2 # 변수1, 변수2 = 값1, 값2

두 개의 변수 x, y에 대해 두 개의 값 1과 2를 x = 1과 y = 2와 같이 쌍으로 대입시키는 예입니다. 여러 개의 변수와 값을 동시에 대입시킬 수 있어, 여러개의 변수에 값을 대입시키는데 편리한 기능입니다.

코드

```
x, y = 1, 2

print(x, y)
```

실행 결과

```
1 2
```

■ x, y, z = temp, 1, 2 # 변수1, 변수2, 변수3 = 변수, 값1, 값2

세 개의 변수 x, y, z에 대해 세 개의 값 변수 temp, 1, 2를 x = temp, y = 1, z = 2와 같이 쌍으로 대입시키는 예입니다. 이 때 대입 되어지는 변수 temp는 사용 전에 미리 값이 설정되어 있어야 합니다. 이렇게 여러 개의 변수에 동시에 값을 대입 시키는 경우 예시와 같이 오른쪽 대입되는 값에 미리 선언된 변수가 함께 올 수 있습니다.

```
temp = 10

x, y, z = temp, 1, 2

print(x, y, z)
```

실행 결과

```
10 1 2
```

■ sum1, sum2 = big + small, big + 5 # 변수1, 변수2 = 변수(상수) 연산자 변수(상수), 변수(상수) 연산자 변수(상수)

두 개의 변수 sum1과 sum2에 big + small 계산식의 결괏값과 big + 5 계산식의 결괏값이 각각 대입되는 예제입니다. big과 small과 같이 사용되는 변수의 경우는 사용 전에 미리 값이 설정되어 있어야 합니다.

코드

```
big = 10
small = 3

sum1, sum2 = big + small, big + 5

print(sum1, sum2)
```

실행 결과

```
13 15
```

2. 산술 연산자

이번에서는 계산을 담당하는 산술 연산자를 공부해 보겠습니다. 산술 연산자는 숫자형 자료에 대해 덧셈, 뺄셈, 곱셈, 나눗셈과 같은 계산을 할 때 사용하는 연산자입니다. 덧셈, 뺄셈, 곱셈, 나눗셈은 4가지의 방법을 계산한다고 하여 사칙 연산이라 부르기도 합니다. 또, 한자식으로 표현하시는 분들은 덧셈, 뺄셈, 곱셈, 나눗셈을 가감승제라는 용어를 사용하기도 합니다. 다르게 부르거나 표기된 경우라도 같은 의미를 나타내고 있으니 혼동하지 않기를 바랍니다.

이곳에서 배울 산술 연산자에서는 덧셈(+), 뺄셈(−), 곱셈(*), 나눗셈(/)의 사칙 연산과 나눗셈의 정숫값(몫)만 취하는 나눗셈 연산자(//), 모듈로 연산자라고도 부르기도 하는 나머지 연산자(%) 그리고 지수(제곱) 계산에 사용되는 지수 연산자(**)입니다.

이곳에서 실습하게 될 산술 연산자는 다음 표와 같습니다. 산술 연산자는 숫자형 자료를 계산할 때 사용하는 연산자이므로 숫자가 아닌 자료형에 대해 산술 연산자를 적용하게 되면 연산의 결과가 원하는 내용과 다르게 나오거나 에러가 나올 수 있으므로 신

[산술 연산자]

연산자	의미	사용 예시	실행 결과
+	덧셈	x = 10 + 20	30
−	뺄셈	x = 21.5 − 10.4	11.1
*	곱셈	x = 30 * 2	60
/	나눗셈	x = 1 / 2	0.5
//	나눗셈(몫)	x = 1 // 2	0
%	나머지 값	x = 23 % 7	2
**	지수(제곱)	x = 2 ** 3	8

중하게 사용해야 합니다.

파이썬에서 사용하는 덧셈(+), 뺄셈(−), 곱셈(*), 나눗셈(/) 연산자는 우리가 일상생활과 수학에서 사용하는 방법과 같습니다. 그러나 나눗셈을 수행하는 경우 중 계산하고자 하는 값이 나눈 값의 몫이라면 나눗셈 연산자를 슬러시(/)를 두 개 사용한 나눗셈 연산자(//)를 사용하여 나눈 값의 정수부분만을 결괏값으로 얻어야 합니다.

코드

```
x = 10 + 20
print(x)
```

실행 결과

```
30
```

코드

```
x = 21.5 - 10.4
print(x)
```

실행 결과

```
11.1
```

코드

```
x = 30 * 2
print(x)
```

실행 결과

```
60
```

코드

```
x = 1 / 2
print(x)
```

실행 결과

```
0.5
```

코드

```
x = 1 // 2
print(x)

x = 15 // 2
print(x)
```

실행 결과

```
0
7
```

나머지 연산자인 '%'은 모듈로(modulo) 연산자라고도 불리며 나눗셈이 수행된 후 나머지 값을 결과로 반환해 줍니다. 이 나머지 연산자는 프로그래밍할 때 자주 활용되는 연산자이므로 그 사용법을 명확히 기억하기를 바랍니다.

나머지 연산자가 자주 사용되는 예를 살펴보면 다음과 같습니다.

- 어떤 수가 짝수인지 홀수인지 판별하기 위해서는 나머지 연산자를 사용합니다. '수 % 2'와 같이 사용하여 그 결과가 0이면 짝수, 1이면 홀수가 됩니다.

코드

```
x = 10 % 2
print(x)

x = 11 % 2
print(x)
```

실행 결과

```
0
1
```

- 또, 다른 예를 들면 어떤 수가 3의 배수인지 판별하려고 한다면 '수 % 3'의 결과가 0이면 '3의 배수', 그 외는 '3의 배수가 아님'이 됩니다.

코드

```
x = 9 % 3
print(x)

x = 10 % 3
print(x)

x = 11 % 3
print(x)
```

실행 결과

```
0
1
2
```

- '오늘이 월요일이면 10일 후는 무슨 요일인가'와 같은 문제를 해결하기 위해서도 사용됩니다. 요일을 결정하기 위해 먼저 '(오늘 날짜 + 10) % 7'과 같은 계산식의 결과를 이용하여 요일을 결정하면 됩니다.

코드

```
today = 13

x = (today + 10) % 7    # 0:월, 1:화, 2:수, 3:목, 4:금, 5:토, 6:일
print(x)
```

실행 결과

```
2
```

지금까지 설명한 나머지 연산을 모두 이해하였다면 다음 주어진 문제를 스스로 풀어보도록 실습해 봅니다.

문제 초 단위 시간 t를 변수로 입력받아 해당하는 시간 t의 일, 시, 분, 초 값을 출력하시오.

이 문제를 해결하기 위해서는 다음과 같은 절차를 밟아 프로그램 코딩을 진행합니다.

문제 해결 절차
1. 문제 분석: 해당 문제가 어떤 문제인가 대상을 먼저 분석 파악합니다.
2. 문제 정의: 분석된 문제를 입력, 출력, 일처리 순서로 정의합니다.
3. 기능 설계: 정의된 문제를 기능별로 나누어 설계합니다.
4. 정보 수집: 정의 및 설계된 문제를 해결하기 위해 부족 정보를 수집합니다.
5. 상세 설계: 입력, 처리, 출력하는 부분에 대해 수집된 정보를 기반으로 상세하게 기능별로 구체적인 설계를 합니다.
6. 코딩: 설계된 내용에 맞게 명령어를 나열하여 프로그램을 구현합니다.

1. 문제 분석 : 우리는 주어진 문제가 '시간 계산하기' 문제의 일종으로 시간의 단위별로 변환하여 출력하는 문제라는 것을 알 수 있습니다. 이 문제를 해결하는 데 필요한 사전 지식과 기능이 어떤 것이 있는가를 생각해 봅니다.

2. 문제 정의 : 문제 분석이 끝나면 '시간 계산하기' 기능에 대한 입력, 출력, 일처리 순서에 따라 문제를 정의합니다.

- 입력: 초
- 출력: 시, 분, 초
- 일처리 순서: 초 값을 입력받고, 시간 계산을 하여, 시, 분, 초로 출력

우리는 '시간 계산하기' 문제의 입력되는 값은 초를 단위로 그리고 출력하는 값은 일, 시, 분, 초로 출력해야 하고 일처리 순서는 촛값을 입력받아 시간을 일, 시, 분, 초 단위별로 계산하여 일, 시, 분, 초 값을 출력하는 문제라는 것을 정의할 수 있습니다.

3. 기능 설계 : 정의된 문제에 대해 기능별로 설계합니다. 주어진 '시간 계산하기' 문제는 입력 기능, 시간 계산 기능, 출력 기능으로 설계합니다. 또, 시간 계산 기능은 시 계산, 분 계산, 초 계산하는 기능으로 구분하여 설계합니다. 그럼 일처리 단계는 첫 번째, 초 입력하기(입력), 두 번째 시간 계산하기(처리): 시 계산, 분 계산, 초 계산으로 세분하고, 세 번째 시, 분, 초 출력하기(출력) 단계를 거쳐 진행합니다.

4. 정보 수집 : 정의 및 설계된 문제 해결을 위해 부족한 정보를 수집합니다. 우리는 시간 계산에서 일, 시, 분, 초 간의 서로 어떤 관계인지에 대한 정보가 부족하다는 것을 확인하고, 하루는 86,400초, 한 시간은 3,600초, 그리고 일 분은 60초라는 정보를 수집할 수 있습니다.

5. 상세 설계 : 수집된 정보를 기반으로 각 분야별로 상세하게 알고리즘을 설계합니다. 입력 기능에서는 초 단위 시간을 t라는 변수에 값을 대입하고, 시간 계산 기능에서는 입력된 t 값을 86,400으로 나누어 몫을 변수 day에 값을 대입하고 나머지를 dT에 대입, dT를 3,600으로 나누어 몫을 h에 그리고 나머지를 변수 hT에 대입합니다. hT를 60으로 나누어 몫을 m에 대입하고 나머지를 변수 s에 대입합니다. 끝으로 계산된 day, h, m, s를 출력합니다.

6. 코딩 : 설계된 내용에 맞게 명령어를 나열하고 프로그램을 구현합니다.

코드

```
# 입력: 초
# 처리: 초를 일, 시간, 분, 초 변환
# 출력: 계산된 일, 시간, 분, 초를 출력
# 작성자: 나인섭


t = int(input("계산하고자 하는 초를 입력하세요! "))

day = t // 86400   #하루는 86400초
dT = t % 86400     #일 단위로 계산하고 남은 나머지 초

h = dT // 3600     # 한 시간은 3600초
hT = dT % 3600     # 시간 단위로 계산하고 남은 나머지 초

m = hT // 60       # 일 분은 60초
s = hT % 60        # 분을 계산하고 남은 나머지 초

print("%d 일 %d시간  %d분  %d초"%(day, h, m, s))
```

실행 결과

```
계산하고자 하는 초를 입력하세요!▯
---
계산하고자 하는 초를 입력하세요! 100000
1 일 3시간  46분  40초
```

문제 해결 절차에 따라 알고리즘이 결정되면 결정된 알고리즘에 맞추어 프로그램을 구현하게 됩니다. 프로그램을 구현할 때 많이들 고민하는 문제는 프로젝트 이름을 어떻게 줄 것인가와 변수는 어떻게 이름 지을까입니다. 그래서 가능하면 문제 해결 절차 중 의미 있는 이름을 변수명으로 미리 정하는 습관을 들여놓으면, 코딩할 때는 설계된 알고리즘에 따라서 명령어를 나열하는 단순 작업에 가까운 일만 남게 됩니다.

3. 복합 대입 연산자

이번에서는 복합 대입 연산자를 공부해 보겠습니다. 프로그램을 코딩하다 보면 i = i + 10과 같이 문장 내 표현식과 변수 간에 동일한 변수명을 사용하는 경우가 있습니다. 이때 똑같은 변수를 사용하지 않고 i += 10 과 같이 문장을 간결하게 사용할 수 있는 형태를 연산자가 하나가 아니라 복합적으로 사용되었다하여 복합 대입 연산자라 부릅니다. 복합 대입 연산자는 산술 연산자(+, −, *, /, //, %, 등)와 대입 연산자(=)를 결합한 형태로 사용됩니다.

[복합 대입 연산자]

연산자	사용 예시	의미	i = 5일 때 결과
+=	i += 10	i = i + 10	15
−=	i −= 10	i = i − 10	−5
*=	i *= 10	i = i * 10	50
/=	i /= 10	i = i / 10	0.5
//=	i //= 10	i = i // 10	0
%=	i %= 10	i = i % 10	5
**=	i **= 10	i = i ** 10	9765625

코드

```
i = 5; i += 10; print(i)

i = 5; i -= 10; print(i)

i = 5; i *= 10; print(i)

i = 5; i /= 10; print(i)

i = 5; i //= 10; print(i)

i = 5; i %= 10; print(i)

i = 5; i **= 10; print(i)
```

실행 결과

```
15
-5
50
0.5
0
5
9765625
```

```
i = 5; i += 10; print(i)
```

파이썬은 한 줄에 한 개의 명령문을 작성하는 것을 기본으로 하고 있습니다. 또한 명령문의 종료를 나타내는 특별한 기호를 갖지는 않습니다. 다만, C언어에서와 마찬가지로 한 문장의 끝에 세미콜론(;)을 표기하여도 파이썬 언어에서는 명령문의 끝이라고 또한 인식합니다.

위 코드를 보면 세 개의 명령문을 한 줄로 표기한 것을 알 수 있습니다. 파이썬은 한 줄에 한 개의 명령문을 기술하여 실행하지만, 보시는 것처럼 여러 개의 명령문을 한 줄에 표기할 때는 명령문이 끝나는 곳마다 세미콜론(;)을 사용하여 여러 개의 명령문을 나타낼 수 있습니다. 위 코드의 경우 print(i)뒤에도 세미콜론(;)을 작성해주어도 정상적으로 동작합니다. 이와 같이 여러개의 명령문들을 한 줄로 표기하는 경우는 의미를 갖는 단위별로 한 줄로 나타내어 읽기 편하게 하기 위해서거나 공간을 효율적으로 나타내기 위해 사용됩니다.

예제는 산술 연산자들을 대입 연산자와 함께 사용함으로써 간단하게 표기한 복합 대입 연산자들입니다. i += 10은 i = i + 10의 의미, i -= 10는 i = i - 10의 의미, i *= 10는 i = i * 10의 의미, i /= 10는 i = i / 10의 의미, i //= 10은 i = i // 10의 의미, i %= 10는 i = i % 10의 의미, i **= 10는 i = i ** 10의 의미를 갖습니다.

4. 관계 연산자

이번에서는 비교 연산자라고도 불리는 관계 연산자를 공부해 보겠습니다. 관계 연산자는 x > y와 같이 두 개 피연산자 간의 관계를 비교하여 결과를 참(True, 1)과 거짓(False, 0)으로 반환해 줍니다. 관계 연산자는 두 변수의 값을 자주 비교하는 조건문 if와 반복문 for에서 많이 사용하게 됩니다. 관계 연산자와 함께 사용하는 조건문과 반복문은 해당 장에서 자세히 다루도록 하겠습니다.

[관계 연산자]

연산자	의미	사용 예시	x = 10, y= 20일 때 결과
==	같다	x == y	False
!=	같지 않다	x != y	True
〈	작다	x 〈 y	True
〈=	작거나 같다	x 〈= y	True
〉	크다	x 〉 y	False
〉=	크거나 같다	x 〉= y	False

코드

```
x = 10; y = 20

print(x == y); print(x != y); print(x < y)
print(x <= y); print(x > y); print(x >= y)
```

실행 결과

```
False
True
True
True
False
False
```

두 개의 변수 x, y에 대해 x = 10, y = 20이 주어졌다면 ==는 같다는 의미를 갖는 연산자이므로 x == y 연산식의 결과는 두 변수 x, y의 값이 10과 20으로 다르므로 False를 출력합니다. !=은 같지 않다는 의미를 갖는 연산자이므로 x != y는 두 변수 x, y의 값이 10과 20으로 서로 다르므로 True가 출력됩니다. <는 작다는 의미를 갖는 연산자이므로 x < y는 x가 y보다 작냐는 의미로 10은 20보다 작아서 True가 출력됩니다. <=는 작거나 같다는 의미를 갖는 연산자이므로 x <= y는 x가 y보다 작거나 같냐는 의미로 10은 20보다 작아서 True가 출력됩니다. >는 크다는 의미를 갖는 연산자이므로 x > y는 x가 y보다 크냐는 의미로 10은 20보다 작아서 False가 출력됩니다. >=는 크거나 같다는 의미를 갖는 연산자이므로 x >= y는 x가 y보다 크거나 같냐는 의미로 10은 20보다 작아서 False가 출력됩니다.

5. 논리 연산자

이번에서는 부울 연산자라고도 불리는 논리 연산자를 공부해 보겠습니다. 논리 연산자는 (x > y) and (x != 0)과 같이 주어진 조건에 대해 참과 거짓을 판별하고자 할 때 사용되는 연산자입니다. 논리 연산자에는 AND(논리곱), OR(논리합), XOR(배타적 논리합), NOT(부정)이 있습니다.

[진리표]

X	Y	AND (논리곱)	OR (논리합)	XOR (배타적 논리합)	not X (부정)
T	T	T	T	F	F
T	F	F	T	T	F
F	T	F	T	T	T
F	F	F	F	F	T

변수 X, Y에 대해 진리표와 같은 값이 있을 때, 논리곱(AND)연산은 두 개의 조건이 모두 참인 경우만 참이 되는 연산입니다. 논리합(OR)연산은 두 개의 조건 중 하나라도 참이 있으면 참이 되는 연산입니다. 배타적 논리합(XOR)는 두 개의 참과 거짓 조건이 서로 다르면 참이 되는 연산입니다. 부정(NOT)연산은 참은 거짓으로 거짓은 참으로 전환하는 연산입니다.

[논리 연산자]

연산자	의미	사용 예시	i=3, j=5, x=10, y=20일 때
and	모두 참일 때 참	(i == j) and (x == y)	False
or	하나이상 참이면 참	(i 〈= j) or (x == y)	True
^	조건이 서로 다르면 참	(i 〈= j)^(x == y)	True
not	현재 값의 반댓값	not(x 〈= y)	False

코드

```
i = 3; j = 5; x = 10; y = 20

print((i == j) and (x == y))
print((i <= j) or (x == y))
print((i <= j)^(x == y))
print(not(x <= y))
```

실행 결과

```
False
True
True
False
```

```
print((i == j) and (x == y))
```

두 개의 변수 i, j에 대해 i = 3, j = 5라 주어지고, 두 개의 변수 x, y에 대해 x = 10, y = 20이 주어졌다면 (i == j)는 두 개의 변수 i, j의 값이 서로 다르므로 거짓이고 (x == y) 두 개의 변수 x, j의 값 역시 서로 다르므로 거짓입니다. 따라서 논리곱(and)에 대한 진리표에 따라서 거짓과 거짓을 논리곱(and) 연산을 시켰으므로 거짓이 출력됩니다.

```
print((i <= j) or (x == y))
```

(i <= j)는 3이 5보다 작으므로 참이고 (x == y)는 10과 20이 서로 다르므로 거짓입니다. 따라서 논리합(or)에 대한 진리표에 따라서 참과 거짓을 논리합(or)연산을 시켰기 때문에 참이 출력됩니다.

```
print((i <= j)^(x == y))
```

(i <= j)는 3이 5보다 작으므로 참이고 (x == y)는 10과 20이 서로 다르므로 거짓입니다. 따라서 배타적 논리합(xor)에 대한 진리표에 따라서 참과 거짓을 배타적 논리합(xor) 시켰기 때문에 참이 출력됩니다. 엄밀한 의미에서 이곳에서 사용한 배타적 논리합(xor) 연산은 참(1)과 거짓(0) 즉, 비트에 대해 연산을 진행하므로 다음에 배울 비트에 대한 논리 연산에 해당하지만 논리 연산의 기본 항목으로 배타적 논리합(xor)을 정의하는 차원에서 이곳에 정리하였습니다.

```
print(not(x <= y))
```

(x <= y)는 10이 20보다 작으므로 참입니다. 따라서 부정(not)에 대한 진리표에 따라서 참에 대한 부정(not)연산이므로 거짓이 출력됩니다.

6. 비트 연산자

이번에서는 십진수가 아닌 이진수(binary digit)를 사용할 경우 사용되는 비트 연산자를 공부해 보겠습니다. 비트 연산자에서 비트는 0과 1을 나타내는 이진수의 영어 단어 binary digit를 합성하여 비트(bit)라 표현한 것입니다. 그런 의미에서, 비트 연산자는 변수 등을 선언하는 경우 컴퓨터 내부적으로 이진수(0과 1)의 형태로 변환한 후 사용하는 성질을 이용하여 연산합니다.

비트 연산자는 비트에 대한 논리 연산자와 이동(시프트) 연산자로 구분할 수 있습니다. 비트에 대한 논리 연산자는 논리 연산자에서와 마찬가지로 논리곱(AND), 논리합(OR), 배타적 논리합(XOR) 그리고 부정(NOT) 연산으로 구성되어 있습니다.

[비트에 대한 논리 연산자]

연산자	의미	동작
&	논리곱	두 피연산자의 비트에 대해 AND(논리곱) 연산 두 비트가 모두 1이면 1, 그 외는 0
|	논리합	두 피연산자의 비트에 대해 OR(논리합) 연산 두 비트가 모두 0이면 0, 그 외는 1
^	배타적 논리합	두 피연산자의 비트에 대해 XOR(배타적 논리합) 연산 두 비트가 서로 다르면 1, 같으면 0
~	부정 또는 보수	피연산자의 모든 비트를 반전시킴. 1은 0, 0은 1

예를 들어 x = 10, y = 20이라고 변수 x, y를 선언하면, 변수별로 2바이트씩 4바이트의 메모리 저장 공간이 사용된다고 가정해 보겠습니다. 실제로 측정해보면, 파이썬은 인터프리터 언어이다 보니 더 큰 메모리 공간을 사용하게 됩니다. 변수별로 자료를 저장하는 2바이트 메모리 공간은 컴퓨터 내부적으로 이진수 형태로 변환되어 표현됩니다. 여기서, 1바이트는 8비트로 표현할 수 있습니다. 따라서 두 개의 변수 x, y를 선언하여 각각이 2바이트의 메모리 공간을 할당하게 되므로 변숫값은 32개 비트의 이진수로 구성되게 됩니다. 아래 비트에 대한 논리 연산자 사용 예는 두 개의 변수에 x, y에 대해 x

= 10, y = 20로 선언된 후 논리 연산을 비트 단위로 적용할 때 메모리 내부 값의 변화를 나타내고 있습니다.

[비트에 대한 논리 연산자 사용 예]

연산자	사용 예	8비트 값만 표현한 예시								십진수
		128	64	32	16	8	4	2	1	
=	x = 10	0	0	0	0	1	0	1	0	10
=	y = 20	0	0	0	1	0	1	0	0	20
&	x & y	0	0	0	0	0	0	0	0	0
|	x | y	0	0	0	1	1	1	1	0	30
^	x ^ y	0	0	0	1	1	1	1	0	30
~	~x	1	1	1	1	0	1	0	1	−11

코드

```
x = 10; y = 20

print(x & y)
print(x | y)
print(x ^ y)
print(~x)
```

실행 결과

```
0
30
30
-11
```

```
print(x & y)
```

(x & y)는 10을 나타내는 이진수 00001010과 20을 나타내는 이진수 00010100을 각 자

릿수에 맞추어 논립곱 연산을 진행하여 두 곳 모두 참(1)인 경우만 참(1)값을 갖게 되므로 00000000로 표현되게 되며 십진수로는 0이 됩니다.

```
print(x | y)
```

(x | y)는 10을 나타내는 이진수 00001010과 20을 나타내는 이진수 00010100을 각 자릿수에 맞추어 논리합 연산을 진행하여 두 곳중 한 곳이라도 참(1)인 경우에 대해 참(1)값을 갖게 되므로 00011110로 표현되게 되며 십진수로는 30이 됩니다.

```
print(x ^ y)
```

(x ^ y)는 10을 나타내는 이진수 00001010과 20을 나타내는 이진수 00010100을 각 자릿수에 맞추어 배타적 논리합 연산을 진행하여 두 곳의 값이 서로 다른 경우만 참(1)값을 갖게 되므로 00011110로 표현되게 되며 십진수로는 30이 됩니다.

```
print(~x)
```

(~x)는 10을 나타내는 이진수 00001010에 대해 1은 0으로 0은 1로 보수를 취하게 되므로 11110101로 표현되게 됩니다. 제일 왼쪽의 비트는 부호 비트라고 부르며 1이면 음수(−)를 나타냅니다. 이진수에서 부호가 음수인 경우는 부호 비트를 제외한 값에서 1을 뺀 후 1의 보수를 취하면 해당 값이 됩니다. 즉 1을 뺀 값 11110100에 대해 1의 보수를 취하면 10001011이 되어 음수 11(−11)이 됩니다. 이 부분을 이해하기 위해서는 이진수의 보수 개념과 오버플로우, 언더플로우 그리고 부호 비트에 대한 이해가 필요합니다. 자세한 이해를 원하는 분들은 추가적으로 관련 정보를 찾아보기 바랍니다. (참고: https://youtu.be/TvpBEXOMitE)

비트에 대한 이동(시프트) 연산자는 각 비트를 왼쪽 또는 오른쪽으로 하나씩 자릿값을 옮기는 역할을 합니다. 이동 연산자의 의미적인 해석을 하자면, 왼쪽으로 이동 연산자

(<<)는 변수에 2를 곱하는 효과를 가지고 있고, 오른쪽 이동 연산자는(>>)는 변수를 2로 나누는 효과가 있습니다. 즉, 이동 연산자는 곱하기와 나누기를 기본 사칙 연산에서 곱셈(*)과 나눗셈(/) 연산보다 빠르게 사용하고자 할 때 가끔 사용됩니다.

[비트에 대한 이동 연산자]

연산자	의미	동작
<<	왼쪽 이동	오른쪽에 0을 채워 넣으며 왼쪽으로 이동
>>	오른쪽 이동	왼쪽에 부호비트를 채워 넣으며 오른쪽으로 이동

[비트에 대한 논리 연산자 사용 예]

연산자	사용 예	8비트 값만 표현한 예시								십진수
		128	64	32	16	8	4	2	1	
=	x = 10	0	0	0	0	1	0	1	0	10
<<	x << 2	0	0	1	0	1	0	0	0	40
>>	x >> 2	0	0	0	0	0	0	1	0	2

코드

```
x = 10

print(x << 2)
print(x >> 2)
```

실행 결과

```
40
2
```

```
print(x << 2)
```

(x << 2)는 10을 나타내는 이진수 00001010에 대해 왼쪽으로 2자리만큼 이동하는 연산입니다. 따라서 00101000 값처럼 이동한 빈자리는 0으로 채우게 됩니다. 십진수로는 40이 됩니다.

```
print(x >> 2)
```

(x >> 2)는 10을 나타내는 이진수 00001010에 대해 오른쪽으로 2자리만큼 이동하는 연산입니다. 따라서 00000010 값처럼 이동한 빈자리는 0으로 채우게 됩니다. 십진수로는 2가 됩니다.

7. 연산자 우선순위

이번에는 지금까지 배웠던 연산자들이 서로 함께 사용되는 경우 어떤 연산자가 먼저 계산되는지를 살펴보겠습니다. 컴퓨터 프로그램에서는 표현식의 계산 순서에 따라 다른 결과를 가져오기 때문에 연산자들의 우선 순위를 정확히 이해하는 것은 매우 중요합니다. 아래의 프로그램 코드는 연산 순서가 다름에 따라 서로 어떤 결과를 가져오는지를 보여주는 예입니다.

코드

```
print(10 + 5 * 3)
print((10 + 5) * 3)
```

실행 결과

```
25
45
```

연산자 우선순위는 아래 표에서도 볼 수 있지만, 일반적으로 괄호 연산자 > 단항 연산자 > 산술 연산자 > 비트 연산자 > 관계 연산자 > 논리 연산자 순이라고 이해를 하고 코드를 읽고 진행하면 큰 무리가 없습니다. 또한 동일한 연산자 우선 순위를 가지는 연산자가 3 * 5 * 7 / 2와 같이 나열되었을 때는 왼쪽의 연산자에서부터 시작하여 오른쪽으로 해석한다고 보면 됩니다. 즉 3 * 5를 계산하고 그 결과에 * 7을 계산하고 그 결과에 / 2를 계산하게 됩니다.

연산자 우선순위가 헷갈린다면 우선순위가 무엇보다도 우선하고 있는 괄호()를 사용하여 우선순위를 정하게 되면 코드가 아무리 복잡하여도 헷갈릴 일이 없을 것입니다. 파이썬에서는 괄호, 함수의 호출, 슬라이싱, 배열, 속성 참조, 지수, 비트의 부정, 양수와 음수 부호, 곱셈과 나눗셈과 나머지, 덧셈과 뺄셈, 비트 이동 연산, 비트 논리곱, 비트 배타적 논리합, 비트 논리합, 관계 연산자, 부정, 논리곱, 논리합 그리고 람다 순으로 우선 순위를 갖게 됩니다.

[연산자 우선순위]

우선순위	연산자	의미	비고
1	()	괄호	괄호 연산자
2	f(args...)	함수 호출	
3	x[index:index]	슬라이싱	
4	x[index]	배열	
5	x.attribute	속성 참조	
6	**	지수(제곱)	단항 연산자
7	~x	비트 연산의 부정(not), 보수(complement)	
8	+x, -x	양수, 음수 부호	
9	*, /, %	곱셈, 나눗셈, 나머지	산술 연산자
10	+, -	덧셈, 뺄셈	
11	<<, >>	비트 연산 이동	비트 연산자
12	&	비트 연산 논리곱	
13	^	비트 연산 배타적 논리합	
14			비트연산 논리합	

우선순위	연산자	의미	비고
15	in, not in, is, is not, 〈, 〈=, 〉, 〉=, !=, ==	관계 연산자	관계 연산자
16	not x	논리 연산 부정	논리 연산자
17	and	논리 연산 논리곱	
18	or	논리 연산 논리합	
19	lambda	람다 표현	

1. 사용자로부터 4자리의 정수를 받아서 자릿수의 합을 계산하는 프로그램을 작성하여 보자. 예를 들어서 사용자가 1234를 입력하였다면 1+2+3+4를 계산하면 된다. 나머지 연산자와 정수 나눗셈 연산자 //를 적극적으로 사용해보자.

코드

```
n = int(input("정수="))
s = 0
s += n % 10
n //= 10
s += n % 10
n //= 10
s += n % 10
n //= 10
s += n % 10
n //= 10
print(s)
```

실행 결과

```
정수=1234
10
```

2. 다음 코드를 보고 실행 결과를 말하시오.

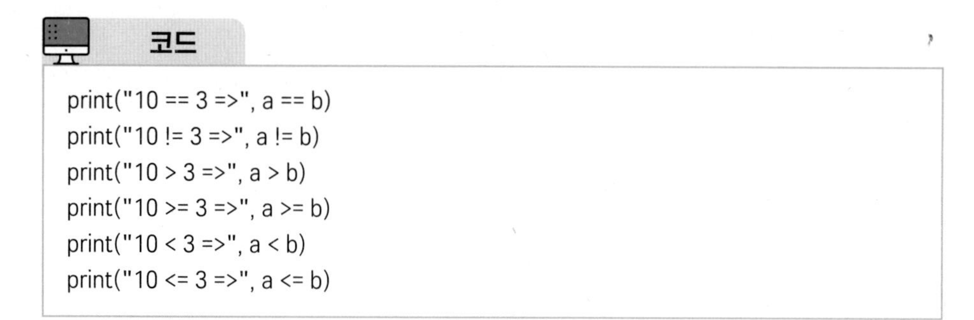

코드

```
print("10 == 3 =>", a == b)
print("10 != 3 =>", a != b)
print("10 > 3 =>", a > b)
print("10 >= 3 =>", a >= b)
print("10 < 3 =>", a < b)
print("10 <= 3 =>", a <= b)
```

실행 결과

```
10 == 3 => False
10 != 3 => True
10 > 3 => True
10 >= 3 => True
10 < 3 => False
10 <= 3 => False
```

3. 다음 코드를 보고 실행 결과를 말하시오.

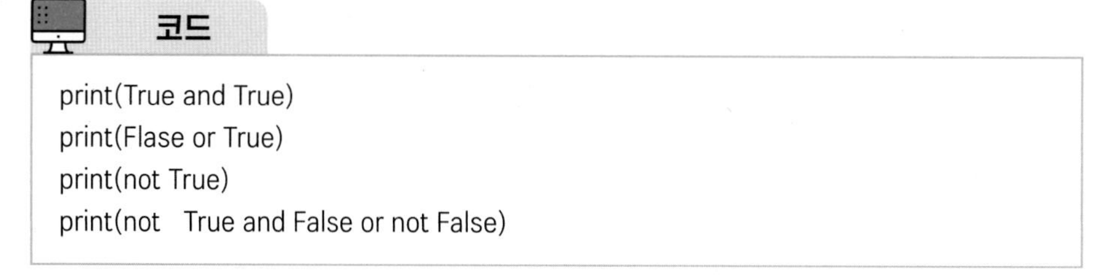

코드

```
print(True and True)
print(Flase or True)
print(not True)
print(not   True and False or not False)
```

실행 결과

```
True
True
False
True
```

4. 다음 코드를 보고 실행 결과를 말하시오.

코드

```
result = 3*5**3/(5+5)-20
print(result)
```

실행 결과

```
17.5
```

CHAPTER 4

제어문

1. 조건문: if, if~else, if~elif~else
2. 반복문: for, while

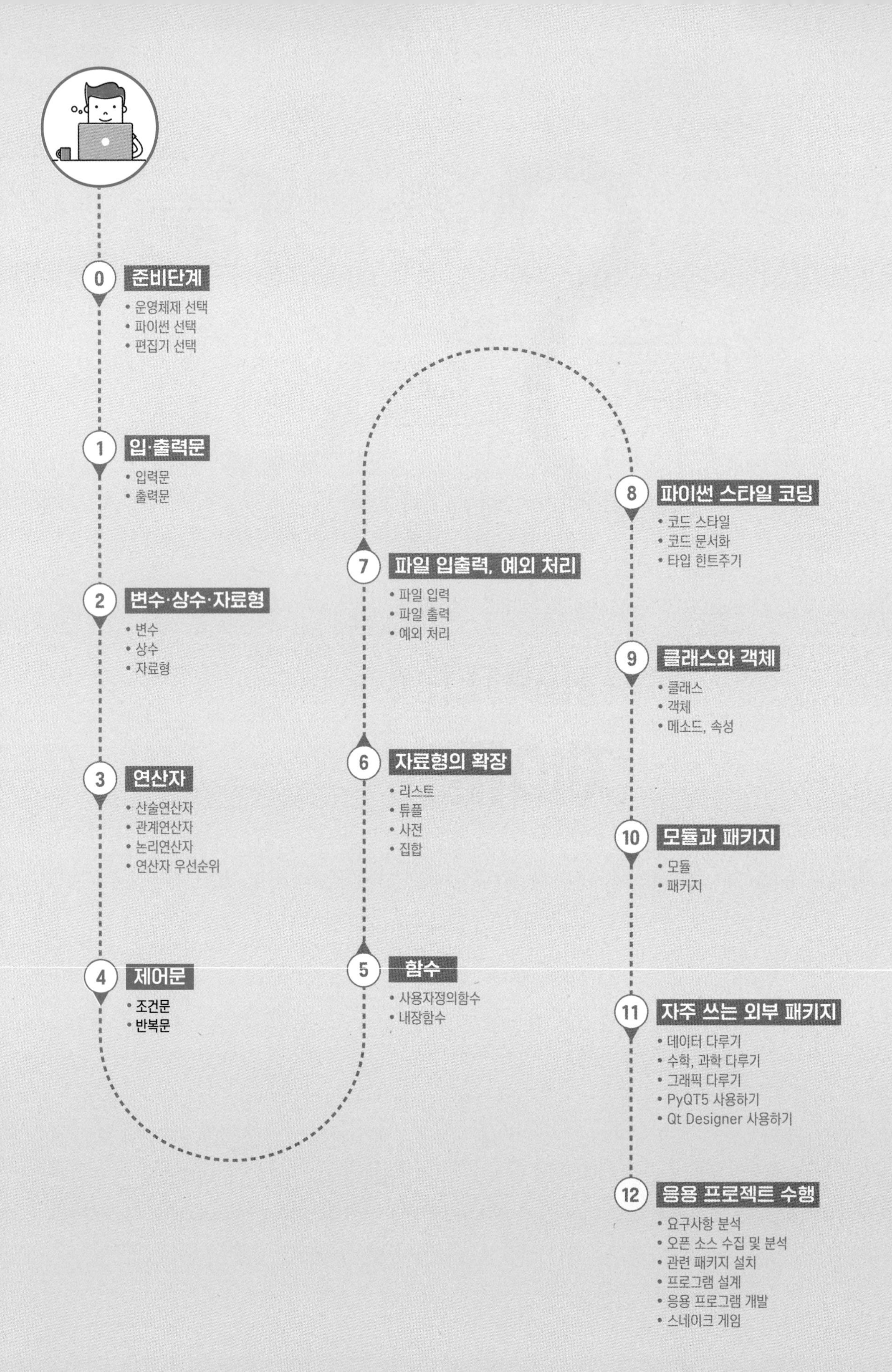
0 준비단계
• 운영체제 선택
• 파이썬 선택
• 편집기 선택
1 입·출력문
• 입력문
• 출력문
2 변수·상수·자료형
• 변수
• 상수
• 자료형
3 연산자
• 산술연산자
• 관계연산자
• 논리연산자
• 연산자 우선순위
4 제어문
• 조건문
• 반복문
5 함수
• 사용자정의함수
• 내장함수
6 자료형의 확장
• 리스트
• 튜플
• 사전
• 집합
7 파일 입출력, 예외 처리
• 파일 입력
• 파일 출력
• 예외 처리
8 파이썬 스타일 코딩
• 코드 스타일
• 코드 문서화
• 타입 힌트주기
9 클래스와 객체
• 클래스
• 객체
• 메소드, 속성
10 모듈과 패키지
• 모듈
• 패키지
11 자주 쓰는 외부 패키지
• 데이터 다루기
• 수학, 과학 다루기
• 그래픽 다루기
• PyQT5 사용하기
• Qt Designer 사용하기
12 응용 프로젝트 수행
• 요구사항 분석
• 오픈 소스 수집 및 분석
• 관련 패키지 설치
• 프로그램 설계
• 응용 프로그램 개발
• 스네이크 게임

컴퓨터 프로그래밍 작업 중 명령문들의 흐름을 제어하는 구조는 크게 순차적 구조, 선택적 구조, 반복적 구조로 나눌 수 있습니다. 이 중 순차적 구조는 명령어가 작성된 흐름대로 위에서 아래로 하나씩 순차적으로 실행하는 구조이고, 선택 구조는 조건에 따라 명령을 선택하여 실행합니다. 그리고 반복 구조는 조건에 따라 동일한 문장이나 부분을 여러 번 반복하여 회전하듯이 실행하는 구조입니다. 이때 명령문의 흐름대로 실행하는 순차 구조를 제외한 선택 구조와 반복 구조의 명령문과 같이 명령문의 흐름을 제어하는 명령을 제어문이라 합니다. 제어문은 특정 내용을 선택하게 하는 조건문과 반복하여 명령을 수행하게 하는 순환문이 대표적입니다.

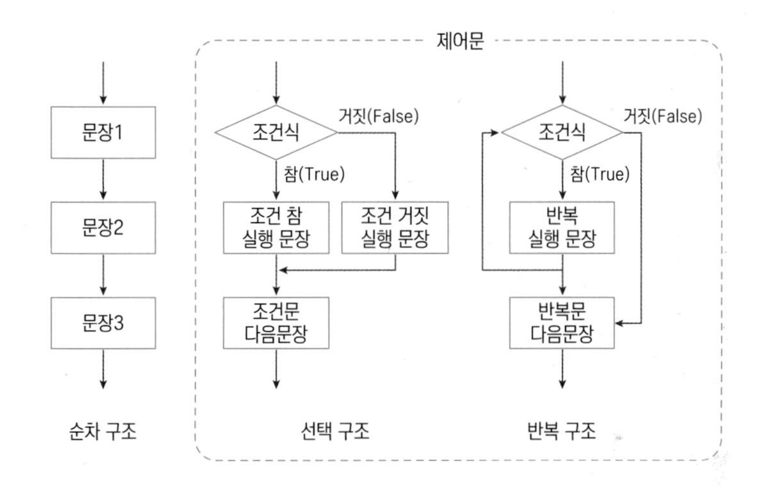

1. 조건문

여기서는 제어문 중 선택문이라고도 불리는 조건문을 공부해 보겠습니다. 우리는 일상생활에서 여러 상황 중 조건에 따라 하나를 선택하여야 하는 경우를 자주 접하게 됩니다. 이렇게 주어진 조건을 판단하여 조건에 만족하는 문장을 선택적으로 실행할지를 결정짓는 명령문이 조건문입니다. 조건문이 없는 명령문들은 주어진 조건을 판단하고 선택하는 기능 없어 명령들의 흐름을 제어할 수가 없습니다. 즉, 우리는 컴퓨터 프로그램을 화면 입력과 출력 기능만으로 작성해야 됩니다. 만일 ~하면 ~을 처리한다와 같은 선택 기능을 구현할 수 없게 됩니다. 이렇게 조건문은 컴퓨터 프로그램 작성에 있어 조건에 따라 명령의 흐름을 제어하고 선택하는 일상생활의 문제를 컴퓨터 프로그램으로 작성할 때 매우 중요한 문장입니다.

(1) if 문

if 문은 조건에 맞는 문장을 선택하여 실행하는 기본 명령문입니다. if 조건이 참이면, if 문에 해당하는 명령을 수행하게 되고 if 조건이 거짓이라면 if 문에 해당하는 명령문을 무시하게 됩니다. 여기서 조건에는 참과 거짓을 판별할 수 있는 내용이 와야 합니다. 우리가 배운 명령 중 참과 거짓을 판단할 수 있는 문장은 논리 연산자와 관계 연산자를 사용한 문장이었습니다. 따라서, 우리가 사용할 if 문은 논리 연산자와 관계 연산자를 사용하여 참과 거짓을 판단하게 됩니다.

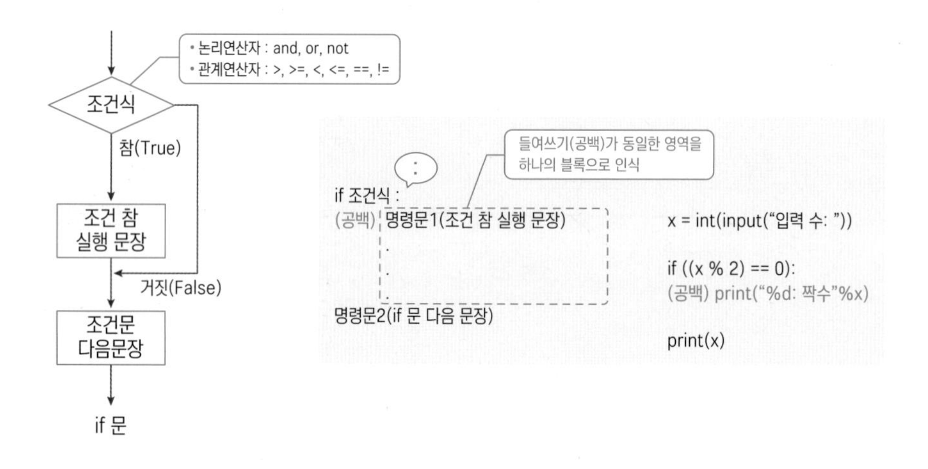

if 문의 사용 방법은 if 조건식 그리고 콜론(:)이 오게 됩니다. 조건식의 참에 해당하여 실행할 명령문을 들여쓰기(공백)와 함께 나열하게 됩니다. 그리고 조건식이 거짓일 때 실행할 문장을 나열하는 구조로 되어 있습니다.

if 문을 사용하면서 주의할 사항은

- 첫째, if 조건문 뒤에 콜론(:)이 온다는 사실입니다. 파이썬에서 콜론(:)은 해당한 명령이 아직 종료되지 않고 진행 중이라는 의미로 사용됩니다. if 문 뿐만 아니라 앞으

로 배울 for 문이나 while 문에서도 동일한 콜론(:)의 사용을 확인할 수 있습니다.

- 두 번째 주의할 사항은 if 조건문과 같이 선택적인 사항에서 들여쓰기(공백)가 같은 영역(우리는 이것을 블록이라고도 부릅니다.)은 동일한 등급을 가지고 함께 실행되게 됩니다.

파이썬은 함께 실행되는 범위를 나타내는 블록 표기법이 따로 존재하지 않습니다. 그래서 들여쓰기(공백)로 동일한 범위의 명령들이라는 표기를 합니다. 들여쓰기를 다르게 하게 되면 코드는 이상 없는 데 실행하면, 원하는 결과가 나오지 않거나 에러가 나오게 되니 주의 바랍니다.

블록(block), 스윗(suite)

프로그램 코드에서 블록(block)이란 코드에서 하나의 문단처럼 보이는 보통 1개 이상의 명령어를 가지고 표현되는 개념적인 코드 단위이다. 하나의 블록 안에 속한 여러 개의 문단들은 모두 같이 실행되게 된다. 파이썬에서는 4칸의 공백으로 들여쓰기를 하며, 들여쓰기 한 이 공백의 개수가 같은 열에 있는 명령어의 집합을 동일한 블록으로 인식한다. 블록내 공백의 개수가 서로 다르면 오류가 발생하게 된다. 주석으로 이루어진 블록이나, 아무 내용도 없는 빈 블록도 가능하다.

대부분 프로그래밍 언어에서는 블록이라는 용어를 사용하지만, 파이썬에서는 스윗(suite)이라 사용한다. 즉, 블록이라는 용어와 스윗은 동일한 뜻을 갖는 단어이다. 우리는 스윗이라는 용어 대신 기존에 자주 사용하던 블록이라는 용어를 사용하도록 하겠다.

임의 변수 x를 입력받아 해당한 변수 x가 2로 나누어 나머지가 0이면 변숫값과 함께 '짝수'라고 출력해주는 프로그램을 작성해보겠습니다. 입력값을 짝수인 4로도 홀수인 5로도 입력해서 짝수와 홀수에 따라 어떻게 출력의 차이가 나는지 살펴봅니다.

코드

```
x = int(input("입력 수: "))

if ((x % 2)==0):
  print("%d: 짝수"%x)

print(x)
```

실행 결과

```
입력 수: ▯
---
입력 수: 4
4: 짝수
4
```

실행 결과

```
입력 수: ▯
---
입력 수: 5
5
```

```
if ((x % 2)==0):
    print("%d: 짝수"%x)
```

변수 x를 2로 나눈 나머지 값을 구하는 (x%2)식이 괄호로 묶여 있어서 가장 먼저 실행됩니다. 그 후 연산되어진 나머지 값과 0을 관계 연산자 중 동일 여부를 알아보는 등치 연산자(==)를 사용하여 나머지 값과 0이 동일한지를 살펴보아 만일(if) 동일하게 되면 print("%d: 짝수"%x)문장을 실행합니다.

아이디와 패스워드를 비교하는 다음 코드를 실행해 보고, 정상적으로 통과되는 경우와 통과되지 않는 경우 프로그램이 어떻게 출력되는지 살펴보겠습니다. 코드는 홈페이지에 접속하였을 때, 아이디와 패스워드를 물어보고 아이디와 패스워드가 같으면 통과라는 문장을 출력하는 프로그램을 작성해 본 것입니다.

주의 깊게 볼 사항은 "아이디가 같은가"와 "패스워드가 같은가" 2개의 조건을 동시에 만족해야 하는 부분으로 이는 복합 조건식을 푸는 문제입니다. 또한 두 조건 모두 참을 만족해야 하는 논리곱(and) 연산을 사용해야 합니다. 만일 if 문장의 조건식에 따라 둘 중 하나만 같거나 둘 다 다른 경우는 조건에는 맞지 않아 통과라고 화면에 찍히지 않게 됩니다.

아이디와 패스워드에 대해, 다음 4가지의 경우로 입력 값을 실행해 봅니다. 미리 설정되어 있는 myId, myPasswd와 동일한 값인 아이디는 'ypencil', 패스워드는 'passwd1234'를 입력한 경우, 아이디는 'ypencil'로 동일한 데 패스워드가 다른 경우, 아이디는 다른 데 패스워드는 'passwd1234'로 동일한 경우, 아이디와 패스워드가 모두 다른 경우로 아래 진리표를 참고하여 각 경우의 수가 어떻게 유도되었는지를 생각해봅니다.

[논리곱 진리표]

X	Y	AND(논리곱)	myId	id	myPasswd	passwd
T	T	T	ypencil	ypencil	passwd1234	passwd1234
T	F	F	ypencil	ypencil	passwd1234	blackrose
F	T	F	ypencil	backpink	passwd1234	passwd1234
F	F	F	ypencil	backpink	passwd1234	roserose

코드

```
myId ="ypencil"
myPasswd = "passwd1234"

id = input("아이디: ")
passwd = input("패스워드: ")

if ( (myId == id) and (myPasswd == passwd) ) :
  print("통과")

print("다음 문장")
```

실행 결과

```
아이디: ▯
패스워드: ▯
---
아이디: ypencil
패스워드: passwd1234
통과
다음 문장
```

실행 결과

```
아이디: ▯
패스워드: ▯
---
아이디: ypencil
패스워드: blackrose
다음 문장
```

실행 결과

```
아이디: ▯
패스워드: ▯
---
아이디: blackpink
패스워드: passwd1234
다음 문장
```

실행 결과

```
아이디: ▯
패스워드: ▯
---
아이디: blackpink
패스워드: roserose
다음 문장
```

(2) if~else 문

앞에서 배운 if 문장을 수행하다 보면 아쉬운 느낌이 듭니다. 왜냐하면, 만일 ~하면 문장1을 수행하세요라고 조건식에 따라 문장1을 선택하여 실행하게 하였는데, 그렇지 않은 경우는 어떻게 하라는 문장이 없어서 그렇습니다. 이곳에서는 '만일 ~하면 문장1을 실행하고 그렇지 않으면 문장2를 실행하세요'와 같이 조건문 중에서 가장 많이 사용하는 문장인 if~else 문을 살펴보겠습니다.

if~else 문은 참일 때 수행하는 일과 거짓일 때 수행하는 일이 다를 때 서로 다른 문장을 수행하게 하는 명령문입니다.

if~else 문을 순서도로 표현하면 아래 그림의 왼쪽과 같이 조건식의 참에 해당하는 실행 문장과 조건식의 거짓에 해당하는 실행 문장을 서로 다르게 수행하게 합니다.

이를 파이썬으로 표현하면 그림의 오른쪽과 같이 판단의 부분을 'if 조건식'으로 표현하고 참일 때 바로 아래 줄에 들여쓰기를 한 후 수행되는 문장들을 작성하고, 거짓일 때 else : 문을 'if 조건식'의 들여쓰기와 같게 작성한 후, 다음 줄에 들여쓰기와 함께 조건식의 거짓에 수행할 문장들을 기술합니다.

참이나 거짓일 때 수행되는 문장들은 동일한 들여쓰기로 하나 이상 작성할 수 있습니다.

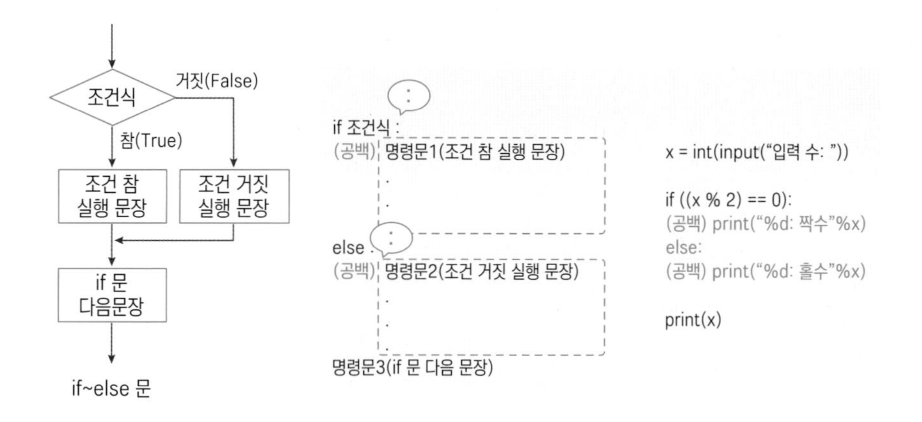

앞의 예제와 마찬가지로 임의 변수 x를 입력받아 해당한 변수 x가 2로 나누어 나머지가 0이면 변숫값과 함께 '짝수'라고 출력하고 그렇지 않으면 '홀수'라고 출력해주는

프로그램을 작성해보겠습니다. 입력값을 짝수인 4로도 홀수인 5로도 입력해서 짝수와 홀수에 따라 어떻게 출력의 차이가 나는지 살펴봅니다.

코드

```
x = int(input("입력 수: "))

if ((x % 2)==0):
  print("%d: 짝수"%x)
else:
  print("%d: 홀수"%x)

print(x)
```

실행 결과

```
입력 수: □
---
입력 수: 4
4: 짝수
4
```

실행 결과

```
입력 수: □
---
입력 수: 5
5: 홀수
5
```

```
else:
    print("%d: 홀수"%x)
```

else 문은 if 문과 같이 오며 if 문의 조건식이 거짓일 때를 나타내는 문장입니다. 위의 코드에서는 변수 x를 2로 나눈 나머지 값이 0으로 나누어 떨어지지 않은 경우이므로 해당하는 값은 홀수가 되겠습니다. else 문도 반드시 콜론(:)을 사용하여 문장이 계속

됨을 표기하고 들여쓰기가 같은 영역의 블록을 동일한 else 문장의 영향력이 미치는 문장으로 프로그램 명령문을 수행하게 됩니다.

앞의 예제와 마찬가지로 아이디 패스워드에 대한 복합 조건의 프로그램에서도 조건을 만족하면 '통과' 그렇지 않으면 '아이디 또는 패스워드를 확인하세요'라고 출력하는 코드를 실행해 봅니다.

코드

```
myId ="ypencil"
myPasswd = "passwd1234"

id = input("아이디: ")
passwd = input("패스워드: ")

if ( (myId == id) and (myPasswd == passwd) ) :
  result ="통과"
else:
  result="아이디 또는 패스워드를 확인하세요"

print(result)
```

실행 결과

```
아이디: □
패스워드: □
---
아이디: ypencil
패스워드: passwd1234
통과
```

실행 결과

```
아이디: □
패스워드: □
---
아이디: ypencil
패스워드: blackrose
아이디 또는 패스워드를 확인하세요
```

실행 결과

```
아이디: 
패스워드: 
---
아이디: blackpink
패스워드: passwd1234
아이디 또는 패스워드를 확인하세요
```

실행 결과

```
아이디: 
패스워드: 
---
아이디: blackpink
패스워드: roserose
아이디 또는 패스워드를 확인하세요
```

위 코드에서 눈여겨볼 내용에는 아이디와 패스워드 조건식이 참이거나 거짓이거나 관계없이 result를 출력하는 출력문이 항상 실행되는 부분입니다. 이 출력문은 명령문들의 흐름상 if 문이나 else 문과 동급의 들여쓰기를 하고 있습니다. 그래서 if 문과 else 문의 결괏값을 변수 result로 받아 출력하는 문장을 사용하였습니다. 우리는 else 문을 사용함으로써 프로그램 논리의 흐름이 훨씬 자연스러운 것을 알 수 있습니다.

(3) if~elif~else 문

이번에는 세 개 이상의 조건을 비교하는 문장으로, 기존 if 조건문과 else 구분 사이에 ~else ~if라는 의미의 elif를 입력하는 문장을 배워보겠습니다. 이 문장의 의미는 만일 ~하면 문장 1을 실행하고, 그렇지 않고 만일 ~하면 문장 2를 실행하고 그 외에는 문장 3을 실행하는 문장으로, 여러 개의 조건마다 각 조건에 맞는 문장을 실행하게 하는 명령문입니다.

if 문과 elif 그리고 else 문장의 뒤에는 콜론(:)을 반드시 기술해야 하며, 콜론(:) 다음 행의 들여쓰기 영역이 하나의 블록으로 해당 조건을 만족할 때 실행하는 문장이 됩니다.

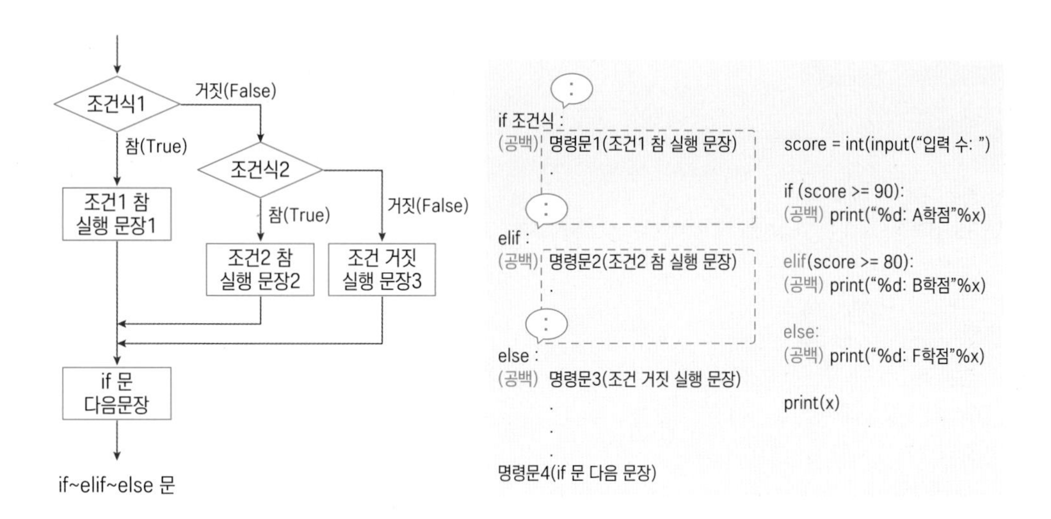

점수를 나타내는 score라는 변수를 입력받아, 입력한 점수가 90보다 크거나 같으면 'A학점', 그렇지 않고 점수가 80보다 크거나 같으면 'B학점' 그렇지 않으면 'F학점'이라 출력하는 프로그램을 작성해보겠습니다.

입력값을 'A학점'에 해당하는 95로도 'B학점'에 해당하는 88로도 그리고 기타에 해당하는 77점도 입력해서 조건별로 출력되는 문장이 어떤 차이가 나는지 살펴봅니다.

코드

```
score = int(input("점수: "))

if (score >= 90):
  grade = "A학점"
elif (score >= 80):
  grade = "B학점"
else:
  grade = "F학점"

print("%d: %s"%(score, grade))
```

실행 결과

```
점수: □
---
점수: 95
95: A학점
```

실행 결과

```
점수: ▯
---
점수: 88
88: B학점
```

실행 결과

```
점수: ▯
---
점수: 77
77: F학점
```

if 문과 elif 그리고 else 문 마다 해당하는 학점을 출력할 수도 있지만, 프로그램의 효율성을 위해, 해당한 조건에서는 조건에 해당하는 학점을 문자변수 grade에 입력만 하고 실질적으로 화면에 출력하는 것은 조건문에 대한 처리가 모두 끝난 후 별도의 출력문에서 출력하게 하였습니다.

(4) if 문의 중첩

일상의 문제를 코딩하다 보면 오른쪽 그림과 같이 코드 혹은 코드들의 블록 내에 다른 코드 혹은 코드들의 블록이 존재하는, 즉 중첩되는 문제를 많이 접하게 됩니다. 이렇게 중첨 되는 개념은 현재 배우고 있는 if 문장 뿐만 아니라 for 문, while 문 그리고 함수 등에서 일반적으로 많이 사용하는 개념입니다.

예를 들어, '1과 100 사이의 값만 입력받아 그중에서 2의 배수만 출력하는 프로그램을 작성하시오.'라는 문제가 있다면, 이 문제를 프로그램하기 위해서 여러 가지 접근 방법을 사용할 수 있겠지만, 문제를 1과 100 사이의 값만 입력받기와 입력받은 값 중 2의 배수를 출력하는 2단계로 나누어 프로그래밍하면 프로그램 코드를 유연하게 코딩하며 직관적으로 관리하기에 좋습니다.

1부터 100 사이의 값만 입력받기 위해서는 입력받은 변수를 x라 하였을 때, 조건식에 입력받은 변수 x에 대해 논리곱(and)과 관계연산(>=,<=)를 사용하여 (x >= 1) and (x <= 100)와 같이 표현하면 됩니다. 또, 해당 조건에 의해 걸러진 값에 대해 (x % 2) == 0과 같이 2의 배수인가를 판단하여 출력하면 프로그램을 잘 작성할 수 있겠습니다.

이렇게 복잡한 일상의 문제를 적절한 형태로 분해하여 문제를 정의하고 정의된 문제를 코딩하게 되면 손쉽게 코드를 작성할 수 있습니다.

변수 x에 300을 입력하여 1부터 100 사이 정해진 범위가 아닌 수에 대한 출력과 1부터 100 사이의 값 50 그리고 55를 입력하여 정해진 범위 내에서 2의 배수와 2의 배수가 아닌 경우의 조건별로 출력되는 문장이 어떤 차이가 나는지 살펴봅니다.

코드

```
x = int(input("입력 수: "))

if ( (x >= 1) and (x <= 100) ):
  if( (x % 2) == 0 ):
    print("%d은 2의 배수입니다."%x)
  else:
    print("%d는 2의 배수가 아닙니다."%x)
else:
  print("입력된 수가 지정된 범위가 아니니 확인바랍니다.")
```

실행 결과

```
입력 수: ▯
---
입력 수: 300
입력된 수가 지정된 범위가 아니니 확인바랍니다.
```

실행 결과

```
입력 수: ▯
---
입력 수: 50
50은 2의 배수입니다.
```

실행 결과

```
입력 수: □
---
입력 수: 55
55는 2의 배수가 아닙니다.
```

```
if ( (x >= 1) and (x <= 100) ):
    if( (x % 2) == 0 ):
      print("%d은 2의 배수입니다."%x)
    else:
      print("%d는 2의 배수가 아닙니다."%x)
    else:
      print("입력된 수가 지정된 범위가 아니니 확인바랍니다.")
```

위 코드는 왼쪽의 ((x >= 1) and (x <= 100):와 else: print("입력된 수가 지정된 범위가 아니니 확인바랍니다.") 로 표현된 if~else 문장이 하나의 블록이고, if 문장의 블록에 다시 if~else 문장이 중첩되게 존재하는 것을 보여주고 있습니다.

사실 중첩된 두 개의 조건식은 자세히 뜯어 보면 다음과 같은 하나의 조건식으로도 표현할 수도 있습니다.

1부터 100 사이의 2의 배수에 대해서 (x >=1) and (x <= 100) and (x % 2) 와 같이 중첩된 if 문을 최초 if 문의 조건식에 논리곱(and)으로 중첩된 if 문의 조건식을 논리곱(and)으로 조건식을 만들어 표현할 수 있습니다.

하지만 1부터 100 사이의 값이라는 개념과 2의 배수라는 개념을 하나의 조건식으로 표현하다 보면 두 조건 사이에서 나타날 수 있는 경우의 수만큼 조건식을 길게 서술하게 될 수 있습니다. 그래서 제약적으로 꼭 필요한 경우를 제외하고는 조건식 등은 가능하면 분해하여 원자화시킨 후 코드로 작성하는 것이 추후 작성한 프로그램 코드의 확장성에 좋습니다.

2. 반복문

여기서는 제어문 중 순환문이라고도 불리는 반복문을 공부해 보겠습니다. 우리가 일상 생활에서 컴퓨터를 사용하는 이유 중 하나는 자동화가 목적입니다. 자동화는 단순 반복되는 일을 사람의 개입 없이 자동으로 수행되도록 하는 것을 이야기합니다. 자동화를 프로그램에서 구현하기 위해서는 반복되는 일을 찾아내고, 반복의 시작과 끝을 찾아내어 그것을 반복문으로 표현해야 합니다.

반복 구조는 주어진 문제에 대해 반복되는 패턴을 파악하고 이렇게 파악된 패턴에 대해 프로그램으로 작성하는 과정을 거쳐야 합니다. 반복 구조를 이해하기 위해 다음의 문제를 고민해보면, 사람이 1부터 10까지 더하는 문제를 생각해보겠습니다. 이 문제를 풀기 위해서는 사람은 순서대로 1부터 차례대로 1+2를 먼저 계산합니다. 그리고 앞선 결과인 3에 다음 수인 3을 더하고, 그리고 3을 더한 결과인 6에 다음 수인 4를 더합니다. 이런 과정을 계속 반복하여 10까지 더해나가야 합니다. 이 과정은 단순하게 앞선 수에 다음 수를 더하는 반복되는 과정을 거치게 됩니다.

파이썬에서 반복을 지원하는 명령문은 정해진 횟수만큼 반복하는 횟수 제어 반복문과 특정한 조건이 성립되는 동안 반복하는 조건 제어 반복문이 있습니다. 횟수 제어 반복문에는 for 문이 사용되고 조건 제어 반복문에는 while 문이 사용됩니다.

(1) for 문

for 문은 정해진 횟수만큼 반복하는 횟수 제어 반복문입니다. 횟수를 제어할 때 파이썬에서는 순서형(Sequence) 객체를 사용합니다. 순서형에 포함된 값들을 하나씩 가져와서 반복하게 됩니다. 순서형 객체는 범위를 나타낼 때 사용하는 range()함수, 문자열, 향후 자료형의 확장에서 배울 리스트, 튜플 등이 사용됩니다.

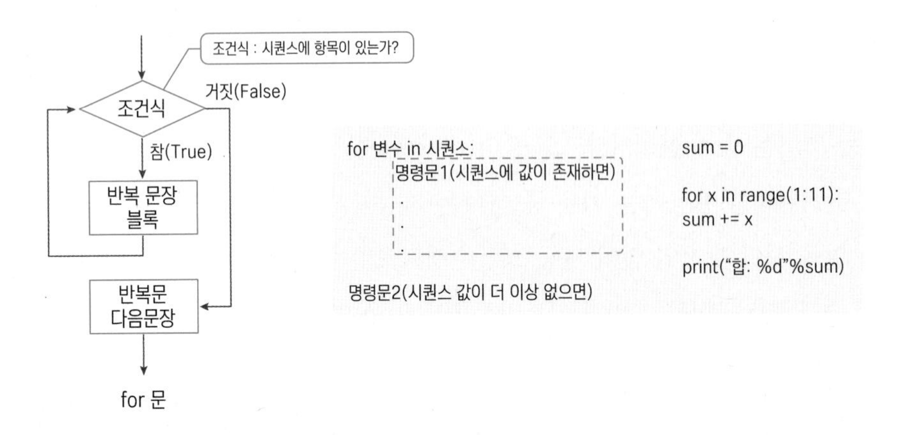

for 문을 이용하여 1부터 10까지 합을 계산하는 프로그램(1 + 2 + 3 + ... + 10)을 통해 for 반복문을 어떻게 사용하는지 살펴보겠습니다. 이곳에서는 순서형 객체 중 범위를 나타내는 range 함수를 사용하고, 합을 나타내는 변수 sum은 초깃값으로 0을 미리 할당합니다.

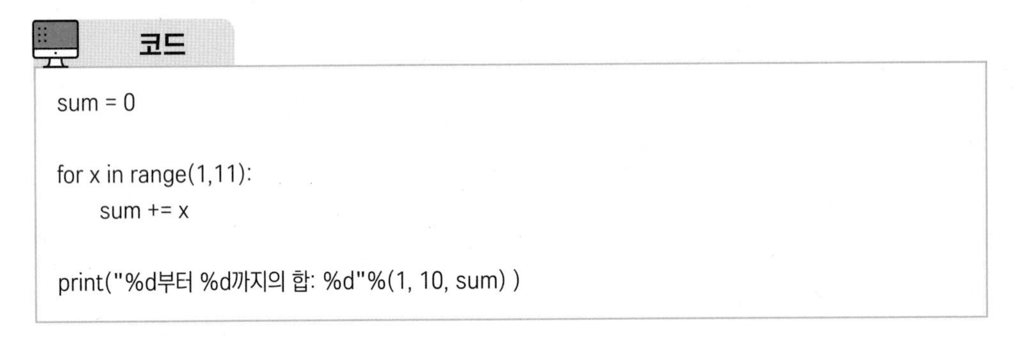

코드

```
sum = 0

for x in range(1,11):
    sum += x

print("%d부터 %d까지의 합: %d"%(1, 10, sum) )
```

실행 결과

```
1부터 10까지의 합: 55
```

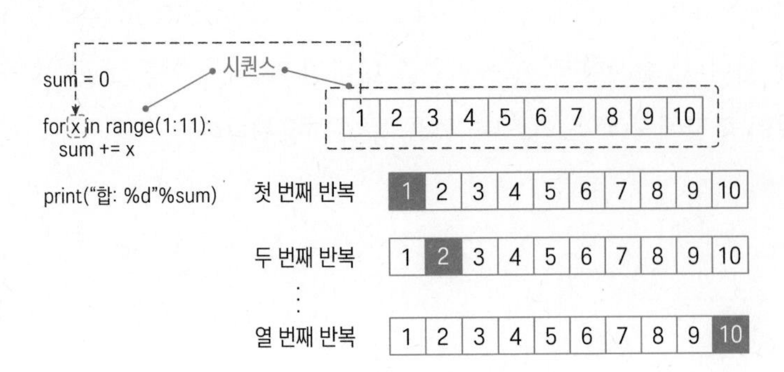

위 그림은 for 문과 range 함수를 사용하여 1부터 10까지 합을 계산할 때 순서형의 구성과 반복 진행 과정을 설명하고 있습니다. 위 그림에서 순서형 객체 즉 range 함수는 가지고 있는 값을 하나씩 가져와 in 앞에 있는 변수 x에 전달하게 됩니다. 이때 for 문의 동작 과정을 살펴보면, for 문은 반복이 시작되면 길이를 갖는 순서형 객체 range 함수에서 가장 첫 번째 값을 변수 x에 넣고, 변수 x는 반복할 문장들에서 사용합니다. 그리고 다음 반복 상태에서 순서형의 두 번째 값을 변수 x에 집어넣습니다. 이렇게 순서형 객체에 값이 있는 동안 반복하여 변수 x에 값을 가져와서 반복될 문장들에서 변수 x를 사용한 후 더이상 값이 없을 때 반복문을 종료하게 됩니다.

```
range(시작 값, 끝 값+1, [증감 값])
```

range 함수의 매개 값들은 콤마(,)로 구분합니다. 첫 번째 매개 값은 범위의 시작 값입니다. 두 번째 매개 값은 끝값에 1을 더한 값을 적습니다. 그리고 증감 값은 시작과 끝값의 사잇값으로 증감 수치를 나타냅니다. 생략하면 1의 값을 갖습니다. 즉, 1씩 증가하게 됩니다.

```
sum += x
```

sum += x는 sum = sum + x를 복합 연산자 +=를 사용하여 표현한 것입니다.

이번에는 range 함수에 들어갈, 시작 값 변수 start와 끝값 변수 end를 화면에서 입력받아 start부터 end까지 합계를 계산하는 프로그램을 작성해 보겠습니다. 그러기 위해, 아래 예제처럼 시작 값과 끝값을 변수로 입력받아 실행하게 되면 자유롭게 내가 원하는 범위의 숫자 총합을 구할 수 있게 됩니다.

코드

```
sum = 0

start = int( input("시작 값? ") )
end = int( input("끝값? ") )

for x in range(start, end+1):
    sum += x

print("%d부터 %d까지의 합: %d"%(start, end, sum) )
```

실행 결과

```
시작 값? □
끝값? □
---
시작 값? 1
끝값? 100

1부터 100까지의 합: 5050
```

순서형 변수 중 대표적인 것은 앞으로 자료의 확장에서 배우게 될 리스트형입니다. 다음 예제는 스퀀스 객체로 리스트 형의 자료가 어떻게 활용되는지 간단하게 살펴본 프로그램입니다. 이곳에서는 리스트형을 이렇게 사용하는구나 정도만 이해하고 리스트 자료구조에 대해서는 향후 자료의 확장에서 자세히 다루도록 하겠습니다.

이 프로그램은 '왕인', '도선', '정여립', '전봉준', '나철', '박중빈' 값이 저장된 리스트형 변수 whoswho의 값을 for 문에서 하나씩 가져와 변수 name 에 전달하고 전달된 값을 하나씩 출력하는 프로그램입니다.

코드

```
whoswho = ['왕인','도선','정여립','전봉준','나철','박중빈']

print(whoswho)

for name in whoswho:
    print("이름: %s "%name )
```

실행 결과

```
['왕인', '도선', '정여립', '전봉준', '나철', '박중빈']
이름: 왕인
이름: 도선
이름: 정여립
이름: 전봉준
이름: 나철
이름: 박중빈
```

(2) while 문

while 문은 주어진 조건식의 조건이 만족 되는 동안 반복하는 조건 제어 반복문입니다. 조건식으로 올 수 있는 문장은 참과 거짓을 결과로 갖는 표현식들로 주로 관계 연산자와 논리 연산자를 포함한 조건식이 사용됩니다.

for 문과 while 문과 같은 반복문의 반복 구조를 결정하는 것은 프로그래머가 요구사항들을 분석해서 목표로 하는 프로그램을 작성하고자 할 때입니다. 즉, 분석 설계할 때 작업 내의 반복 처리가 필요한 부분을 파악하게 됩니다. 만일 반복 처리가 필요한 부분이 발생한다면, 반복되는 부분의 패턴을 이용하여 반복 규칙을 확인하고 해당 반복 규칙에 따라 반복 처리되는 부분, 반복의 시작 그리고 반복의 끝을 파악합니다.

1. 변수의 초기화 : 변수의 초기화는 sum = 0이나 x = 1과 같이 변수를 선언하고 해당 변수에 초깃값을 대입하여 반복의 시작 상태를 명확하게 선언하는 것입니다. 주로 반복할 블록에서 사용될 변수에 대한 초깃값을 선언합니다.
2. 조건식 : 조건식은 반복을 언제 끝내게 될지를 결정하는 데 활용됩니다. x <= 10과 같이 반복의 끝을 조건식으로 표현하는데, 해당 변수에 대해서는 조건식 이전에 변수의 초기화 단계에서 초깃값을 반드시 주어야 프로그램이 논리적인 오류가 나지 않습니다.

3. 반복 문장 : while 문은 조건식이 참일 경우 반복할 문장을 나열합니다.

4. 조건식의 변화 : 반복 문장 즉 블록 내에 while 문장의 조건식에 사용된 변수에 대한 조건의 변화를 x += 1과 같이 만들어 프로그램의 종료 판단을 하게 됩니다. 만일 조건식이 변화하지 않게 되면 프로그램은 무한 루프가 되어 영원히 맴돌게 됩니다. 주로 변수에 대한 증감식을 사용하여 블록이 반복되면서 조건식의 종료 지점으로 가도록 만드는 역할을 수행합니다.

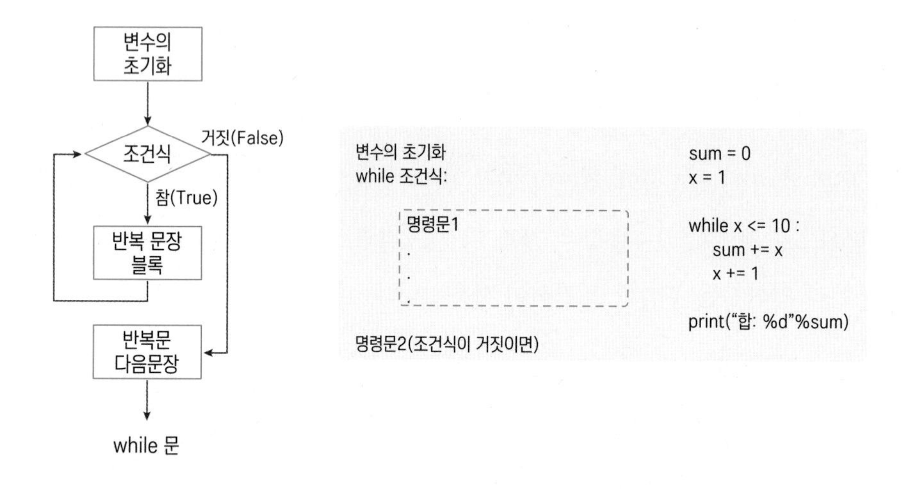

while 문을 이용하여 1부터 10까지 합을 계산하는 프로그램을 통해 조건 제어 반복문이 어떻게 동작하는지 살펴봅니다. 합을 나타내는 변수 sum은 초깃값으로 0을, 반복하며 증가하는 변수 x는 초깃값을 1로 초기화합니다.

코드

```
sum = 0
x = 1

while x <= 10 :
    sum += x
    x += 1

print("%d부터 %d까지의 합: %d"%(1, 10, sum) )
```

실행 결과

```
1부터 10까지의 합: 55
```

이번에는 시작 값 변수 start와 종료 조건에 해당하는 끝값 변수 end를 화면에서 입력받아 start부터 end까지 합계를 계산하는 프로그램을 작성해 보겠습니다.

코드

```
sum = 0

start = int( input("시작 값? ") )
x = start
end = int( input("끝값? ") )

while x <= end :
    sum += x
    x += 1

print("%d부터 %d까지의 합: %d"%(start, end, sum) )
```

실행 결과

```
시작 값? □
끝값? □
---
시작 값? 1
끝값? 100

1부터 100까지의 합: 5050
```

(3) (for / while)~else 문

파이썬에서는 if 문의 else 문과 유사하게 for 문과 while 문에도 else 문을 허용하고 있습니다.

앞 while 문의 코드를 보면 시작 값을 갖는 변수 start를 변수 x에 대입을 시켜서 while 반복 문장의 x += 1이라는 증가 조건의 변화와 관계없이 처음 시작한 값을 start 변수에 그대로 유지하였습니다. 하지만 변수 x의 값은 while 문의 반복을 거쳐 가면서 마지막에는 11의 값의 상태가 됩니다. 만일 for 문이나 while 문의 반복 블록이 수행된 후 조건 외의 동작이 필요할 때 else 문을 사용할 수 있습니다.

코드

```
sum = 0

start = int( input("시작 값? ") )
x = start
end = int( input("끝값? ") )

while x <= end :
    sum += x
    x += 1
else :
    x = start

print("%d(%d)부터 %d까지의 합: %d"%(x, start, end, sum) )
```

실행 결과

```
시작 값? ▯
끝값? ▯
---
시작 값? 1
끝값? 100

1(1)부터 100까지의 합: 5050
```

위의 예제는 while~else 문장을 사용하여 변수 x가 변수 end까지 1씩 증가하면서 모든 숫자를 합하고, 합계가 끝나고 나서 시작 값을 다시 변수 x에 대입하여 x를 시작 값으로 바꾼 것을 보여주고 있습니다.

코드

```
whoswho = ['왕인','도선','정여립','전봉준','나철','박중빈']

print(whoswho)

for name in whoswho:
   print("이름: %s "%name )
else:
   print(" * 모든 사람이 출력되었습니다. !")
```

실행 결과

```
['왕인', '도선', '정여립', '전봉준', '나철', '박중빈']
이름: 왕인
이름: 도선
이름: 정여립
이름: 전봉준
이름: 나철
이름: 박중빈
 * 모든 사람이 출력되었습니다. !
```

위의 예제는 whoswho의 모든 사람을 출력하고 whoswho에 출력할 사람이 더이상 없게 되면 "* 모든 사람이 출력되었습니다. !"라고 출력하는 프로그램을 for ~ else 문장을 이용하여 보여주고 있습니다.

(4) for, while, if 문의 중첩

파이썬에서는 문장 간의 중첩이 허용됩니다. for 문장의 반복되는 블록에 while 문을 사용할 수 도 있고, if 문을 사용할 수 있습니다. 물론 while 문장의 반복되는 블록에 while 문, for 문, if 문등을 중첩해서 사용할 수 있습니다.

for 문을 이용하여 2단부터 9단까지의 구구단을 출력하는 프로그램을 작성해 보겠습니다. 출력형식을 %3d와 같이 표기하여 항상 3자리의 공간에 출력하였습니다.

코드

```
for dan in range(2, 10):
    print("%3d x 1 = %3d "%(dan, dan*1 ))
    print("%3d x 2 = %3d "%(dan, dan*2 ))
    print("%3d x 3 = %3d "%(dan, dan*3 ))
    print("%3d x 4 = %3d "%(dan, dan*4 ))
    print("%3d x 5 = %3d "%(dan, dan*5 ))
    print("%3d x 6 = %3d "%(dan, dan*6 ))
    print("%3d x 7 = %3d "%(dan, dan*7 ))
    print("%3d x 8 = %3d "%(dan, dan*8 ))
    print("%3d x 9 = %3d "%(dan, dan*9 ))
```

실행 결과

```
  2 x 1 =   2
  2 x 2 =   4
  2 x 3 =   6
    ...
  9 x 7 =  63
  9 x 8 =  72
  9 x 9 =  81
```

for 문을 이용하여 2단부터 9단까지의 구구단을 출력하는 프로그램을 작성해 보니, 단을 나타내는 2단부터 9단도 반복이고, 각 단별로 1부터 9까지 반복되는 패턴을 알 수 있습니다. 그래서 for 문장 내부에 for 문장을 하나 더 중첩하여 다음과 같이 프로그램을 작성할 수 있습니다. 이렇게 작성하면 코드가 훨씬 간결하게 됩니다.

코드

```
for dan in range(2, 10):
    for no in range(1,10) :
        print("%3d x %3d = %3d "%(dan, no, dan*no ) )
```

실행 결과

```
2 x 1 =  2
2 x 2 =  4
2 x 3 =  6
 .
 .
9 x 7 = 63
9 x 8 = 72
9 x 9 = 81
```

그런데 출력하는 내용이 매번 구구단을 실행할 때마다 다음 행으로 옮겨가지 않고 않고 오른쪽에 출력하고 싶다면 출력문인 print 문의 출력 끝에 다음 예제와 같이 end=를 추가하여 사용할 수 있습니다. 우리는 "end=\t"를 추가하여 구구단 출력 때마다 탭 크기만큼 화면에 띄어서 출력합니다. 탭의 기본 크기는 8칸입니다.

코드

```
for dan in range(2, 10):
    for no in range(1,10) :
        print("%3d x %3d = %3d "%(dan, no, dan*no ), end="\t")
```

실행 결과

```
 2 x  1 =  2      2 x  2 =  4      2 x  3 =  6      2 x  4 =  8      2 x  5 = 10      2
x  6 = 12      2 x  7 =      ...
    9 x  6 = 54      9 x
 7 = 63      9 x  8 = 72      9 x  9 = 81
```

이렇게 출력하다 보니 화면이 어그러져 어지럽게 출력되는 것을 확인할 수 있습니다. 그래서 화면의 크기에 맞게 5개의 구구단을 출력하면 화면에 행을 바꾸게 하고 또 단이 끝나면 다시 행을 바꾸게 프로그램을 제어해서 깔끔하게 출력하는 프로그램을 작성해 보겠습니다. 그러기 위해서는 다음과 같이, 제어문 중 if 조건문을 반복문 내부에 작성해야 합니다.

코드

```
for dan in range(2, 10):
    print("%3d단"%dan)
    for no in range(1,10) :
        print("%3d x %3d = %3d "%(dan, no, dan*no ), end="\t")
        if (no % 3)==0 :
            print()
    else:
        print("\n \n")
```

실행 결과

```
2단
2 x  1 =  2     2 x  2 =  4     2 x  3 =  6
2 x  4 =  8     2 x  5 = 10     2 x  6 = 12
2 x  7 = 14     2 x  8 = 16     2 x  9 = 18

    ...

9단
9 x  1 =  9     9 x  2 = 18     9 x  3 = 27
9 x  4 = 36     9 x  5 = 45     9 x  6 = 54
9 x  7 = 63     9 x  8 = 72     9 x  9 = 81
```

진행하는 구구단의 매번 3의 배수마다 행을 바꾸게 print()문을 추가하고, 내부의 for 문장에 else 문을 추가하여 매 단이 끝날 때마다 행을 2번 바꾸게 "\n"을 print문에서 출력하여 깔끔하게 만들었습니다. 여기서 주의할 부분은 print()문만 한번 출력하면 출력문은 기본으로 행을 강제로 한번 바꾸게 됩니다. 그래서 print문에 "\n"을 넣게 되면 보시는 바와 같이 2번 행을 띄어서 출력되게 됩니다.

이번에는 while 문을 이용하여 무한 반복하면서 출력을 희망하는 단을 입력받아 해당하는 단만 출력하는 프로그램을 작성해 봅니다. 파이썬은 참과 거짓에 대해 참은 True로 거짓은 False로 미리 문자로 정의해 놓은 bool 형식의 객체가 있습니다. 항상 참임을 나타내는 True를 사용하여 프로그램해 보겠습니다. 코드를 작성할 때 대소문에 따라 서로 다른 의미를 나타내니 대소문자에 주의하여 작성합니다.

코드

```
while (True) :
    dan = int(input("출력을 희망하는 단? ") )

    for no in range(1,10) :
        print("%3d x %3d = %3d "%(dan, no, dan*no ), end="\t")
        if (no % 3)==0 :
            print()
    else:
        print("\n")
```

실행 결과

```
출력을 희망하는 단? □
---
출력을 희망하는 단? 19
 19 x  1 = 19      19 x  2 = 38      19 x  3 = 57
 19 x  4 = 76      19 x  5 = 95      19 x  6 = 114
 19 x  7 = 133      19 x  8 = 152      19 x  9 = 171
```

무한 반복하면서 시작 값과 끝값을 변수 start와 end에 입력받아 해당 구간의 합, 짝수의 합 그리고 홀수의 합을 출력하는 프로그램을 작성해 보겠습니다. 구간 합은 변수 sum, 짝수의 합은 변수 evenSum, 홀수의 합은 변수 oddSum를 사용하고 매번 구간 값을 입력받기 전에 해당 변수들은 0으로 초기화를 진행합니다.

코드

```
while (True) :
    sum = evenSum = oddSum = 0

    start = int(input("시작 값? ") )
    end = int(input("끝값? ") )

    for no in range(start,end+1) :
        sum += no
        if (no % 2)==0 :  #짝수
```

```
        evenSum += no
      else:           #홀수
        oddSum += no
    else:
      print("%d부터 %d까지의 합: %d"%(start, end, sum) )
      print("%d부터 %d까지의 짝수 합: %d"%(start, end, evenSum) )
      print("%d부터 %d까지의 홀수 합: %d \n"%(start, end, oddSum) )
```

실행 결과

```
시작 값? □
끝값? □
---
시작 값? 1
끝값? 10
1부터 10까지의 합: 55
1부터 10까지의 짝수 합: 30
1부터 10까지의 홀수 합: 25

시작 값? □
```

- print("%d부터 %d까지의 홀수 합: %d \n"%(start, end, oddSum))

홀수의 합을 출력하고 출력문 내에 "\n"을 넣어 출력 부분과 다음번 입력을 받는 부분을 행을 바꾸어 구분합니다. 출력문 중간에 "\n"을 넣어서 출력문 뒤에 end="\n"를 표기하는 것과 동일한 기능을 동작시키는 부분을 주의하여 볼 필요가 있습니다. 출력문 중간에 "\n"을 사용하게 되면 출력문을 출력을 희망하는 여러 곳에서 행을 자유롭게 바꿀 수 있습니다.

구구단을 출력할 때, 우리는 아래 실행 결과와 같이 해당 단을 오른쪽으로 진행하며 한 개의 단씩 출력하였습니다. 그런데 일상에서 우리가 만나는 구구단의 출력형태는 아래의 실행 결과처럼 단별로 아래로 진행하며 출력하는 것이 직관적으로 출력하는 것일 겁니다.

프로그램을 배우게 되면 처음에는 어떻게든 원리를 구현하여 코딩하면서 프로그래머 입장에서 코딩하기 편한 형태로 프로그램을 작성하게 됩니다. 하지만 전문적 프로그래머로 성장하기 위해서는 사용자가 원하는 형태로 자유롭게 프로그램을 만들어 가야만 합니다. 그러기 위해서는 작성하는 프로그램의 패턴을 잘 파악하고 해당 패턴을 어떻게 구현해야할지 항상 깊이 있는 분석을 해야만 합니다.

실행 결과

```
2단
2x 1= 2      2x 2= 4      2x 3= 6
2x 4= 8      2x 5= 10     2x 6= 12
2x 7= 14     2x 8= 16     2x 9= 18

   ...

9단
9x 1= 9      9x 2= 18     9x 3= 27
9x 4= 36     9x 5= 45     9x 6= 54
9x 7= 63     9x 8= 72     9x 9= 81
```

실행 결과

```
2 x 1= 2     3 x 1= 3          9 x 1= 9
2 x 2= 4     3 x 2= 6          9 x 2= 18
2 x 3= 6     3 x 3= 9   ....   9 x 3= 27
2 x 4= 8     3 x 4= 12  ....   9 x 4= 36
2 x 5= 10    3 x 5= 15  ....   9 x 5= 45
2 x 6= 12    3 x 6= 18  ....   9 x 6= 54
2 x 7= 14    3 x 7= 21         9 x 7= 63
2 x 8= 16    3 x 8= 24         9 x 8= 72
2 x 9= 18    3 x 9= 27         9 x 9= 81
```

원하는 형태로 프로그램을 짜기 위해서는 위 구구단 출력내용을 보면서 변화하는 패턴이 무엇인가를 먼저 파악하고, 패턴들의 출력 순서를 파악합니다. 그리고 해당 패턴 중 매 순간 변화하는 패턴과 블록단위로 변화하는 패턴을 구분하여 봅니다. 컴퓨터 모니터의 출력하는 순서는 모니터 화면의 왼쪽 위 끝에서 오른쪽으로 한칸씩 화소(픽셀) 단위로 모니터의 아래쪽으로 이동하면서 출력하게 됩니다. 따라서 2 x 1 = 2가 출력되고 다음에는 3 x 1 = 3이 출력되게 됩니다.

이때, 변화하는 값을 보면 구구단의 단의 변화와 단마다 1부터 9까지의 변화로 나누어 볼 수 있습니다. for / while 문 등의 중첩문의 실행 순서를 보면 내부 중첩문이 먼저 실행되고 그 후 외부 중첩문이 실행되게 됩니다. 따라서, 먼저 변화하는 값을 내부의 중첩문에 위치시키고 외부에 블록 형태로 변화하는 것은 외부의 중첩문에 위치시키면 됩니다. 위의 출력화면을 보면 단이 먼저 변화하기 때문에 단에 해당하는 부분이 코드 중 내부 중첩부분에 위치하게 됩니다.

코드

```
for no in range(1, 10):
   for dan in range(2,10) :
     print("%3d   x %3d = %3d "%(dan, no, dan*no ), end="\t")
   else:
     print("")
```

이렇게 구구단을 출력하면 여러분의 화면에는 2단부터 9단이 깔끔하게 정리되어 출력되는 것을 알 수 있습니다. 하지만, 때론 1단부터 2단까지만 화면에 먼저 출력하고 그 다음에 3단부터 4단처럼 2개 단씩 출력하는 프로그램을 작성해야 할 경우도 있습니다. 이렇게 작성하기 위해서는 2개 단씩 자료를 관리하는 for 문과 구간을 이동시키는 변수 bin을 이용하여 조건을 더 만들어야 합니다.

코드

```
bin = 2

for fDan in range(2, 10, bin):
     for no in range(1, 10):
          for dan in range(fDan,fDan+bin) :
               print("%3d   x %3d = %3d "%(dan, no, dan*no ), end="\t")
          else:
               print("")
     else:
          print("")
```

실행 결과

```
2 x 1= 2     3 x 1= 3
2 x 2= 4     3 x 2= 6
 ...
2 x 8= 16    3 x 8= 24
2 x 9= 18    3 x 9= 27

4 x 1= 4     5 x 1= 5
4 x 2= 8     5 x 2= 10
4 x 3= 12    5 x 3= 15
```

그런데 우리는 이런 코드를 작성할 때 프로그래머로서 선택의 문제에 직면합니다. 조건을 많이 주어 코드를 복잡하게 만들어서라도 하나의 블록으로 작성할 것인지, 반복되는 부분의 일부를 중복되게 코드를 작성할 것인지 선택해야 합니다.

코드

```
sDan = 2; eDan = 4
for no in range(1, 10):
    for dan in range(sDan,eDan+1) :
        print("%3d  x %3d = %3d "%(dan, no, dan*no ), end="\t")
    else:
        print("")
else:
    print("")


sDan = 5; eDan = 7
for no in range(1, 10):
    for dan in range(sDan,eDan+1) :
        print("%3d  x %3d = %3d "%(dan, no, dan*no ), end="\t")
    else:
        print("")
else:
    print("")
```

```
sDan = 8; eDan = 9
for no in range(1, 10):
    for dan in range(sDan,eDan+1) :
        print("%3d  x %3d = %3d "%(dan, no, dan*no ), end="\t")
    else:
        print("")
else:
    print("")
```

코드는 많이 길어졌는데, 프로그래머는 이곳에서 다음과 같은 고민이 해결됩니다. 이전 구간을 나타내는 변수 bin을 사용하는 경우, 3개 단씩 출력하고자 한다면 프로그램 구조상 원치 않게 10단이 화면에 출력되는 것을 알 수 있습니다. 이런 경우 복잡하게 3중 중첩을 선택하는 것보다 단이 시작하는 변수 sDan과 끝나는 변수 eDan을 사용하여 코드를 3번 반복하면 마지막 출력할 때 8단과 9단 2개 단만을 자연스럽게 출력할 수 있습니다.

실행 결과

```
2 x 1 =  2      3 x 1 =  3      4 x 1 =  4
2 x 2 =  4      3 x 2 =  6      4 x 2 =  8
 ...
2 x 8 = 16      3 x 8 = 24      4 x 8 = 32
2 x 9 = 18      3 x 9 = 27      4 x 9 = 36

5 x 1 =  5      6 x 1 =  6      7 x 1 =  7
5 x 2 = 10      6 x 2 = 12      7 x 2 = 14
 ...
5 x 8 = 40      6 x 8 = 48      7 x 8 = 56
5 x 9 = 45      6 x 9 = 54      7 x 9 = 63

8 x 1 =  8      9 x 1 =  9
8 x 2 = 16      9 x 2 = 18
 ...
8 x 8 = 64      9 x 8 = 72
8 x 9 = 72      9 x 9 = 81
```

(5) continue, break 문

지금까지는 반복문 내에서 순차적으로 명령문이 수행됨을 보았습니다. 그런데 우리는 반복문을 실행하는 중간에 수행하고 있는 문장을 뛰어넘어 반복문 끝 위치로 이동하거나, 반복문을 벗어날 필요가 있습니다. 이때 사용하는 키워드가 break, continue, return이 있습니다. 이곳에서는 break와 continue를 다루고 return은 뒤의 함수 편에서 다루겠습니다.

for 문과 while 문 같은 반복문 내에서 continue 키워드를 만나면 프로그램 제어는 이후 문장을 수행하지 않고 반복문 끝 위치로 이동시킵니다.

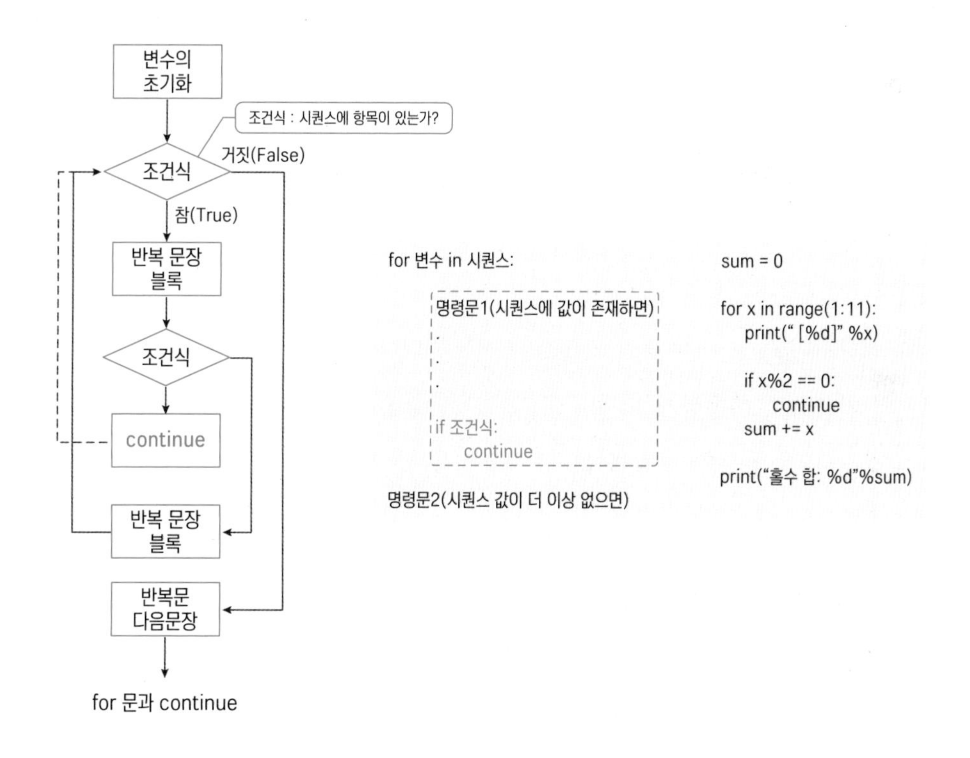

for 문과 continue

코드

```
sum = 0

for x in range(1,11):
    print("[%d]"%x )
    if x % 2 == 0:
      continue
    sum += x

print("%d부터 %d까지의 홀수의 합: %d"%(1, 10, sum) )
```

실행 결과

```
[1]
[2]
...
[10]
1부터 10까지의 홀수의 합: 25
```

위 코드를 살펴보면 1부터 10사이의 값들 중 짝수의 경우 continue를 사용하여 다음 문장을 계산하지 않고 반복문의 처음으로 이동합니다. 이곳에서 주의 깊게 볼 부분은 반복문의 처음으로 이동하게 되면서 증감연산을 수행하고 이동한다는 점입니다. 프로그램 작업 중 매우 유용한 명령어이므로 사용법을 잘 익히기를 바랍니다.

for 문이나 while 문과 같은 반복문 내에서 break 키워드를 만나면 프로그램 제어는 반복문을 벗어나게 이동시킵니다. 무한 반복문을 수행하는 경우는 조건식과 break문을 주어 해당 반복문을 빠져나갈 수 있습니다. 게임과 같이 반복하며 계속 프로그램이 실행되어야 할 경우, 목숨 등의 개수를 조건으로 주어 목숨의 개수가 0이 되면 프로그램을 종료합니다와 같이 사용할 수 있습니다. break문을 프로그램에서 사용할 때는 게임과 같이 특정 조건에서 반복을 벗어나고자 할 때 사용하면 됩니다.

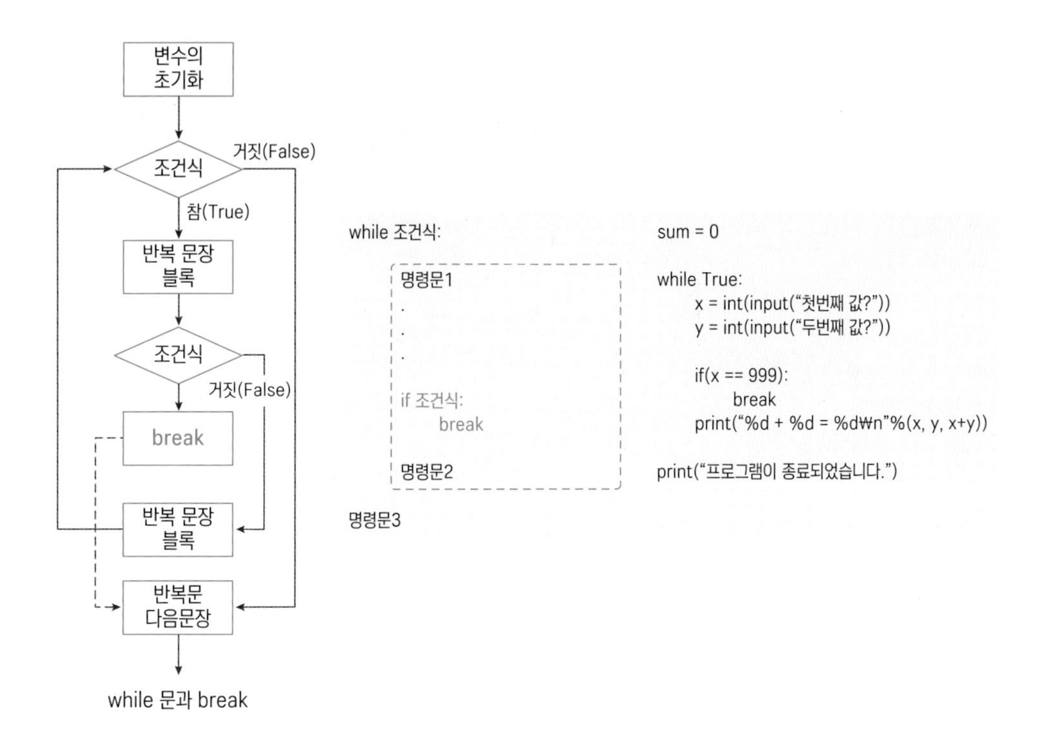

while 문과 break

두 개의 값을 변수 x와 y에 받아 합을 출력하는 프로그램에서 만일 변수 x에 999가 들어오면 프로그램을 종료하게 작성하면 다음과 같습니다.

코드

```
sum = 0

while True :
    x = int( input("첫 번째 값? ") )
    y = int( input("두 번째 값? ") )

    if ( x == 999):
        break
    print("%d + %d = %d\n"%(x, y, x+y) )

print("프로그램이 종료되었습니다.")
```

실행 결과

```
첫 번째 값 ? □
두 번째 값? □
---
첫 번째 값? 5
두 번째 값? 11
5 + 11 = 16

첫 번째 값? 999
두 번째 값? 111
프로그램이 종료되었습니다.
```

연습문제

1. 사용자로부터 정수를 입력받아서 "양수", "0", "음수"로 출력하는 프로그램을 작성하라.

코드

```
n = int(input("정수를 입력하시오: "))
if n > 0:
    print("양수")
elif n == 0:
    print("0")
else :
    print("음수")
```

실행 결과

```
정수를 입력하시오: 100
양수
정수를 입력하시오: 0
0
정수를 입력하시오: -100
음수
```

2. 연도를 입력받아 윤년인지 평년인지를 구분하여 출력해보자.

코드

```
year = int(input("연도 : "))
if ((year % 400 == 0) or ((year % 4 == 0) and (year % 100 != 0)))
    print("윤년")
else :
    print("평년")
```

실행 결과

```
연도 : 2000
윤년
연도 : 2018
평년
```

3. 사용자의 성적으로부터 학점을 계산하는 코드가 다음과 같이 작성되었다. 잘못된 것은 없는지 확인하라.

코드

```
grade = "F"
if score >= 90:
    grade = "A"
if score >= 80:
    grade = "B"
if score >= 70:
    grade = "C"
if score >= 60:
    grade = "D"
```

실행 결과

```
grade = "F"
if score >= 90:
    grade = "A"
elif score >= 80:
    grade = "B"
elif score >= 70:
    grade = "C"
elif score >= 60:
    grade = "D"
```

4. 입력받은 나이에 따라 놀이동산 입장료를 출력한다. (입장료 정가: 2만원, 1세~6세 미만: 무료, 6세~60세 미만: 정가, 60세 이상: 정가의 50%)

```
age = int(input('나이 입력: '))
price = 20000
if 1 <= age < 6 :
    print('입장료는 무료')
elif 6 <= age < 60 :
    print('입장료는', price, '원')
lief age >= 60 :
    print('입장료는', price*0.5, '원')
```

실행 결과

```
나이 입력: 38
입장료는 20000원
나이 입력: 67
입장료는 10000.0원
나이 입력: 5
입장료는 무료
```

5. 월을 입력받아 계절을 출력한다. (3~5월은 봄, 6~8월은 여름, 9~11월은 가을, 12월~2월은 겨울)

코드

```
month = int(input('월 입력: '))
if( month < 1 or month >12 ):
    print('존재하지 않는 월!!')
elif 3 <= month <= 5 :
    print(month,'월은 봄')
elif 6 <= month <= 8 :
    print(month, '월은 여름')
elif 9 <= month <= 11 :
    print(month, '월은 가을')
else :
    print(month, '월은 겨울')
```

실행 결과

```
월 입력: 10
10 월은 가을
월 입력: 3
3 월은 봄
```

6. 키와 몸무게를 입력받아 BMI 지수를 계산한 후 비만 상태 출력한다. (BMI 지수 18미만: 저체중, 18~23미만: 정상, 23~25미만: 과체중, 25이상: 비만)

```
h = int(input('키 입력: '))
w = int(input('몸무게 입력 '))
bmi = w / (h/100) * (h/100))
if bmi < 18 :
   result = '저체중'
elif 18 <= bmi < 23:
   result = '정상'
elif 23 <= bmi < 25:
   result = '과체중'
else:
   result = '비만'
print('BMI: %.2f, %s'% (bmi,result))
```

실행 결과

```
키 입력: 186
몸무게 입력: 72
BMI: 20.81, 정상
키 입력: 162
몸무게 입력: 79
BMI: 30.10, 비만
```

7. 점수를 입력받아 학점을 출력한다. (90이상: A, 80이상~90미만: B, 70이상~ 80미만: C, 60이상 ~ 70미만: D, 60미만:F)

코드

```
score = int(input('점수 입력: '))
if(score>= 90):
    print(score,'점은 A학점')
elif 80 <= score < 90 :
    print(score,'점은 B학점')
elif 70 <= score < 80 :
    print(score,'점은 C학점')
elif 60 <= score < 70 :
    print(score,'점은 D학점')
else :
    print(score,'점은 F학점')
```

실행 결과

```
점수 입력: 93
93점은 A학점
점수 입력: 77
77점은 B학점
점수 입력: 57
57점은 F학점
```

8. 1~100까지 짝수를 더하는 코드

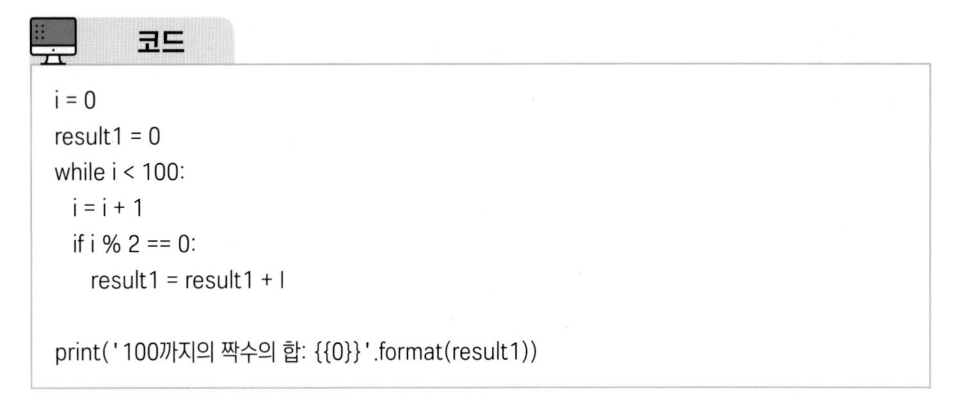

코드

```
i = 0
result1 = 0
while i < 100:
  i = i + 1
  if i % 2 == 0:
    result1 = result1 + I

print('100까지의 짝수의 합: {{0}}'.format(result1))
```

실행 결과

```
100까지의 짝수의 합 : 2550
```

9. 다음 수열의 합을 계산하는 프로그램을 작성하시오. (1/3 + 3/5 + 5/7 + ... 99/1010)

코드

```
sum = 0
for i in range(1, 100, 2):
   sum = sum + i/(i+2)
print(sum)
```

실행 결과

```
46.10464832285218
```

10. *길이를 입력받아 다이아몬드 그리기

코드

```
rg = eval(input("input triangle length: "))

for i in range(rg, 0, -1):
  print(" " * i, end='')
  print("*" * (rg - i + 1), end='')
  print("*" * (rg - i), end='\n')
print("", end="")

for i in range(1, rg):
  print(" " * (i + 1), end='')
  print("*" * (rg - i), end='')
  print("*" * (rg - i - 1))
```

실행 결과

```
input triangle length: 5
     *
    ***
   *****
  *******
 *********
  *******
   *****
    ***
     *
```

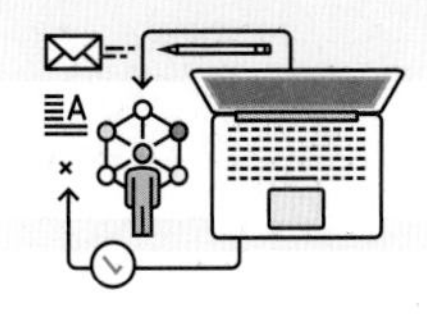

자가진단문제

1. 화면에서 자신의 이름을 입력받아 출력하는 프로그램을 작성하시오.

2. 나이를 입력받아 나이가 100살이 되는 해를 출력하는 프로그램을 작성하시오.

3. 두 점(x1,y1), (x2,y2)의 값을 입력받아, 두 점의 거리(dist)를 계산하여 거릿값을 출력하는 프로그램을 작성하시오. 두 점의 거리를 계산하는 공식은 "거리= ((x2-x1)2 + (y2-y1)2)0.5"를 사용한다.

4. 임의의 수 num1, num2를 입력받아, num1이 크면 두수의 합을 num2의 값이 더 크면 두수의 곱을 출력하는 프로그램을 작성하시오.

5. 다음 코드의 4행과 5행을 input과 str사용해서 한 줄로 작성하시오.

```
1: import random
2: num1 = random.randint(1,9)
3: num2 = random.randint(1,9)

4: print('What is', num1, '+', num2, '?')
5: answer = int(input())
```

6. 성적(score)을 입력받아 90점 이상이면 A학점, 80 이상이면 B 학점 그 외는 F 학점을 출력하는 프로그램을 작성하시오.

7. for 문과 range()를 이용하여 1부터 100 사이에 짝수만 출력하는 프로그램을 작성하시오.

자가진단문제

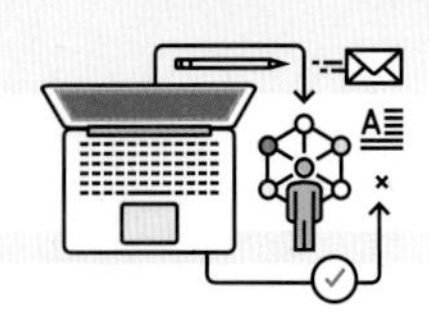

8. 두 수를 입력받아 합을 구하는 add()함수를 정의하고, 두수 num1과 num2를 입력받아 add()함수에 인수로 전달하고 그 결과를 result변수에 돌려받아 출력하는 프로그램을 작성하시오.

9. 초 단위로 숫자를 입력 받아서 일, 시간, 분, 초로 변환하여 출력하는 프로그램을 작성하시오.

   예) 입력예시: 100,000 초
   출력예시: 1일 3시간 46분 40초
   1일: 86,400초
   1시간: 3,600초
   1분: 60초

10. 세 개의 숫자 x, y, z를 입력받아 평균과 합계를 출력하는 프로그램을 작성하시오.

1.
```
name = input()
print(name)
```

2.
```
age = int(input("나이를 입력하시오: "))
year = 2021-age+100
print(str(year) + "년에 100살이시네요!")
```

3.
```
x1 = int(input("x1: "))
y1 = int(input("y1: "))
x2 = int(input("x2: "))
y2 = int(input("y2: "))
dist = ( (x2 - x1)**2 + (y2 - y1)**2 )**0.5
print("두점 사이의 거리=", dist)
```

4.
```
num1 = int(input("num1를 입력하시오: "))
num2 = int(input("num2를 입력하시오: "))
if num1 > num2:
  print(num1+num2)
else:
  print(num1*num2)
```

5.
```
answer = int(input('What is '+str(num1)+ ' + ' + str(num2) + ' ?'))
```

6.
```
score = int(input("성적을 입력하시오: "))

if score >= 90:
   print("A 학점입니다.")
elif score >= 80:
   print("B 학점입니다.")
else :
   print("F 학점입니다.")
```

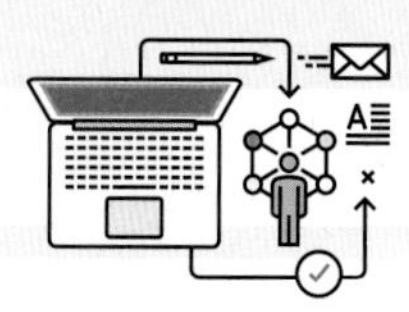

7.

```
for i in range(1, 101):
    if i%2==0 :
        print(i,end = " ")
----------------------------------------------------------------------------------------------------
for i in range(1,51,1):
    print(i*2)
```

8.

```
def add(a, b):
    print( "(%d + %d)" % (a, b), end=" ")
    return a + b

num1 = int(input("num1를 입력하시오: "))
num2 = int(input("num2를 입력하시오: "))

result = add(num1, num2)
print(result)
```

9.

```
x = int(input("초를 입력하시오: "))

d = x//86400
h = (x%86400)//3600
m = (x%3600)//60
s = (x%60)

print(d, "일", h, "시간", m, "분", s, "초")
```

10.

```
x = int(input("첫 번째 수를 입력하시오: "))
y = int(input("두 번째 수를 입력하시오: "))
z = int(input("세 번째 수를 입력하시오: "))

avg = (x + y + z) / 3
pls = x + y + z

print("평균은", avg, "합계는", pls)
```

CHAPTER 5
함수

1. 사용자 정의 함수: def, 인자(디폴트, 가변, 키워드 가변), 매개변수, 지역변수, 전역변수
2. 함수의 인자
3. 람다(Lambda) 함수와 pass, help 함수
4. 내장 함수: print(), input(), len(), max(), min(), pow()

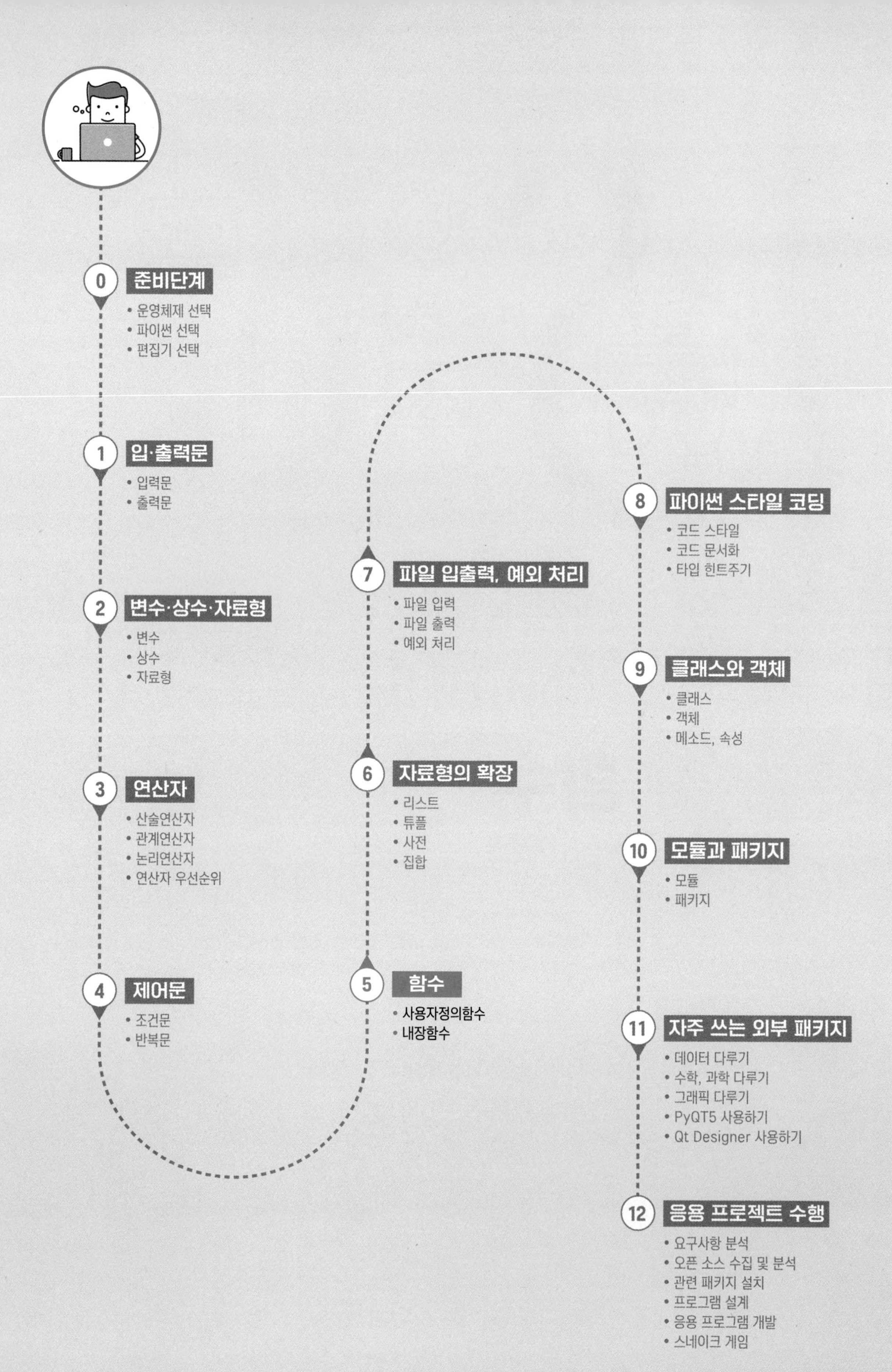
0 준비단계
• 운영체제 선택
• 파이썬 선택
• 편집기 선택
1 입·출력문
• 입력문
• 출력문
2 변수·상수·자료형
• 변수
• 상수
• 자료형
3 연산자
• 산술연산자
• 관계연산자
• 논리연산자
• 연산자 우선순위
4 제어문
• 조건문
• 반복문
5 함수
• 사용자정의함수
• 내장함수
6 자료형의 확장
• 리스트
• 튜플
• 사전
• 집합
7 파일 입출력, 예외 처리
• 파일 입력
• 파일 출력
• 예외 처리
8 파이썬 스타일 코딩
• 코드 스타일
• 코드 문서화
• 타입 힌트주기
9 클래스와 객체
• 클래스
• 객체
• 메소드, 속성
10 모듈과 패키지
• 모듈
• 패키지
11 자주 쓰는 외부 패키지
• 데이터 다루기
• 수학, 과학 다루기
• 그래픽 다루기
• PyQT5 사용하기
• Qt Designer 사용하기
12 응용 프로젝트 수행
• 요구사항 분석
• 오픈 소스 수집 및 분석
• 관련 패키지 설치
• 프로그램 설계
• 응용 프로그램 개발
• 스네이크 게임

함수는 입력 값에 따라 출력 값을 만들어내는 코드 블록으로 단위 문제를 해결하기 위해 사용합니다. 즉, 수학 시간에 배웠던 함수의 개념처럼 한쪽 값 이곳에서는 입력값 x를 대입하면 다른 쪽 값 즉 출력 값 F(x)가 결정지어지는 대응 관계 프로그램 코드입니다. 아래 그림처럼 입력 값 x를 출력 값 F(x)로 변화시키기 위한 수식 함수 F가 존재하게 됩니다. 함수 F는 입력받은 값을 출력 값으로 바꿔주는 역할을 수행합니다.

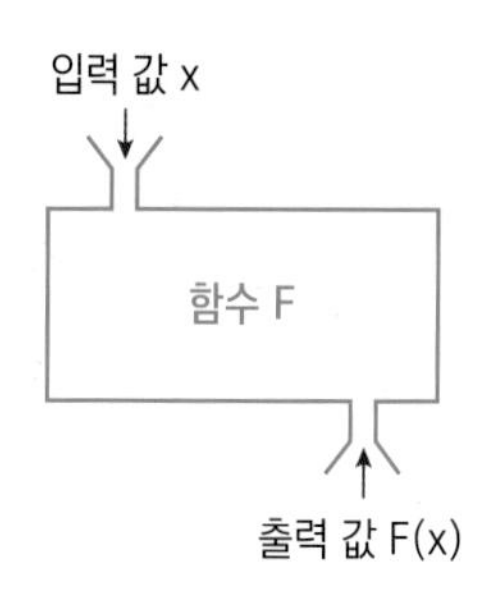

■ 함수를 만드는 이유

함수는 재사용성(Reusability), 가독성(Readability), 모듈성(Modularity)를 높이기 위해 만듭니다.

- 재사용성 : 재사용성은 프로그램에서 똑같은 일을 반복적으로 처리할 때, 우리는 반복문을 사용하여 문제를 해결하는 방법을 이전에 배웠습니다. 그런데, 반복되는 프로그램 코드를 함수라는 형태로 만들어서 함수 내에 정의하고, 사용할 때는 만들어진 함수 이름만 호출하게 되며 간단하게 코드를 반복하여 재사용 할 수 있게 됩니다.
- 가독성 : 이렇게 함수로 호출하게 되면 코드가 간단하면서 프로그램이 무슨 일을 하는지 쉽게 구조를 파악할 수 있게 됩니다. 즉, 함수를 만듦으로써 가독성이 높아져 프로그램이 무슨 일을 하는지 구조를 쉽게 읽을 수 있게 됩니다.
- 모듈성 : 모듈이란 예를 들어, 스마트폰의 경우 카메라, 마이크, 액정화면, 버튼, 충전젝과 같이 스마트폰이 동작하는 것을 완성하기 위해 독자적으로 동작하는 독립된 장치들이 모여 있는데 이렇게 독자적으로 독립된 장치들을 모듈이라 합니다. 파이썬에서는 프로그램 코드 중에 각자의 독립된 역할을 하는 코드의 묶음이라 볼 수 있습니다. 그래서 함수와 같이 독립된 단위 기능을 하는 코드를 모듈성이 있다고 합니다.

따라서 프로그램 코드를 함수화하여 모듈성이 높다는 의미는 가독성과 재사용성 역시 높거나 높아질 수 있다는 의미입니다.

1. 사용자 정의 함수

함수중 특정한 독립된 단위 작업을 수행하는 명령어들을 모아서 하나의 이름을 붙이게 됩니다. 프로그래머가 원하는 형태로 직접 만드는 함수를 사용자 정의 함수라 부릅니다.

(1) 사용자 정의 함수의 구조

사용법은 다음과 같이 함수를 사용자가 정의(define)한다고 선언하는 의미로 def를 먼저 작성하고 내가 사용할 함수 이름을 프로그래머가 정의한 후 괄호()와 콜론(:)을 적어주고 다음 행에 들여쓰기 된 문장의 블록을 작성하는 형태로 사용합니다.

```
def 함수 이름() :
    문장 블록
```

내 이름을 출력하는 callMyName이라는 함수를 만들어 보겠습니다. 본문에서 callMyName함수를 3번 불러서 화면에 해당 함수가 3번 실행되는가를 확인해 봅니다.

```
def callMyName():
  print("나인섭")

callMyName()
callMyName()
callMyName()
```

실행 결과

```
나인섭
나인섭
나인섭
```

callMyName이라는 함수를 만들어 놓으면, 원하는 횟수만큼 원하는 위치에 재사용하여 함수를 호출하게 됩니다. 이렇게 원하는 위치에서 함수를 사용하는 것을 우리는

"함수의 호출"이라 부릅니다.

함수의 이름은 변수를 만들 때처럼 이름을 보고 무슨 일을 하는지 알 수 있도록 작성해야 합니다.

```
def 함수 이름(매개 변수, 매개 변수, ....) :
    문장 블록
```

이번에는 함수를 호출할 때 함수에 이름을 넣어서 함수를 호출한 후, 이렇게 넣어진 이름을 출력하는 callMyName이라는 함수를 만들어 보겠습니다. 이때 함수에 넣는 것은 값, 변수, 함수 등 값을 넘겨줄 수 있는 모든 형태가 가능합니다.

코드

```
def callMyName(name):
    print(name,"선생님!" )

for x in range(10):
    callMyName("고경명")
```

실행 결과

```
고경명 선생님!
고경명 선생님!
  ...
고경명 선생님!
고경명 선생님!
```

함수를 호출할 때 매개 변수 name의 값으로 임진왜란 때 의병장이었던 "고경명" 장군을 넣어서 실행해 봅니다. 이렇게 함수를 만들어 놓으면 for 문이나 while 문 혹은 if 문 등에서 함수 호출을 할 수 있게 되어 보다 깔끔하게 프로그램을 코딩할 수가 있습니다. 또, print문에서 여러 개의 변수나 값을 출력할 때 name, "선생님!"과 같이 콤마(,)로 구분하여 출력할 수 있습니다. 콤마(,)로 구분하면 한 칸만큼 두 개의 값들 간의 공간이 만들어집니다.

이번에는 callMyName함수의 매개 변수로 이름 외에 호칭을 같이 넣어 매개 변수로 사용해서 함수를 호출해 봅니다. 임진왜란에 의병장이었던 고경명 장군을 10회 반복해 봅니다.

코드

```
def callMyName(name, title):
    print(name, title )

for x in range(10):
    callMyName("고경명","장군!")
```

실행 결과

```
고경명 장군!
  ...
고경명 장군!
고경명 장군!
```

이번에는 callMyName함수의 매개 변수로 이름, 호칭 그리고 반복 횟수를 넣어 실행해 봅니다. 매개 변수로 값을 넘겨줄 때, 화면에서 이름과 호칭 그리고 반복 횟수를 입력받아 실행해 봅니다.

코드

```
def callMyName(name, title, epoch):
    for x in range(epoch):
        print(name, title )

name1 = input("이름을 입력하세요! ")
title1 = input("호칭을 입력하세요! ")
no = int(input("반복해서 부를 횟수를 입력하세요! ") )
callMyName(name1, title1, no)
```

실행 결과

```
이름을 입력하세요! □
호칭을 입력하세요! □
반복해서 부를 횟수를 입력하세요! □
---
이름을 입력하세요!김덕령
호칭을 입력하세요!충장공
반복해서 부를 횟수를 입력하세요!3
김덕령 충장공
김덕령 충장공
김덕령 충장공
```

input함수를 이용하여 변수에 값을 입력받을 때는 input 함수로부터 돌려받는 값의 자료형이 문자열임을 다시 한번 기억해야 합니다. 따라서 반복 횟수를 넘겨받을 때는 int 함수를 사용하여 문자열을 정수로 변환해줍니다. 임진왜란 때 의병장이었던 충장공 김덕령 장군을 3회 반복해서 출력하게 해봅니다.

(2) 전역변수와 지역변수

위 코드에서 우리는 name1과 name이라는 변수를 사용하였습니다. name1은 본문에서 사용하는 변수이고 name은 함수 내에서 사용하는 변수입니다. 이렇게 본문에서 사용하는 변수를 우리는 "전역변수"라 부르고, 함수 내에서 사용하는 변수를 "지역변수"라 부릅니다. 지역변수는 해당한 함수 내부에서만 존재하는 임시적으로 사용하는 변수입니다.

따라서 본문에서 callMyName의 변수 name, title, epoch, x를 사용하게 되면 지역변수를 본문에서 호출하였기 때문에 해당 변수가 정의되어 있지 않다는 에러가 나오게 됩니다.

사용자 정의 함수에서 name, title, epoch, x와 같이 전달받아지는 변수를 우리는 매개변수라 부릅니다. 또 본문에서 callMyName(name1, title1, no)와 같이 함수를 호출할 때 사용하는 전역변수 name1, title1, no나 값을 전달해 준다는 의미로 인자 혹은 인수라 부릅니다. 인자에는 변수나 값 또는 함수 등이 올 수 있습니다.

다음 예제에서는 전역변수 즉, 본문 내의 변수 name1이 callMyName 함수 내부에서 호출되어 사용되는가와 지역변수 즉, callMyName함수 내의 변수 name이 본문에서 호출되어 사용되는가를 살펴보겠습니다.

코드

```
def callMyName(name, title, epoch):
   for x in range(epoch):
       print(name, title )

name1 = input("이름을 입력하세요! ")
title1 = input("호칭을 입력하세요! ")
no = int(input("반복해서 부를 횟수를 입력하세요! ") )

callMyName(name1, title1, no)
print(name)
```

callMyName을 호출하여 조선시대 문인인 송강 정철을 2회 반복하여 출력하게 실행해 봅니다. 이때 함수 내에서도 전역변수 name1은 정상적으로 출력됨을 확인할 수 있습니다. 반면에 본문에서 print(name)과 같이 지역변수를 호출하게 되면 위 실행 결과와 같이 지역변수 name은 정의 되지 않았다고 에러 메시지를 출력하게 됩니다.

실행 결과

```
이름을 입력하세요! ▯
호칭을 입력하세요! ▯
반복해서 부를 횟수를 입력하세요! ▯
---
이름을 입력하세요!정철
호칭을 입력하세요!송강
반복해서 부를 횟수를 입력하세요!2
정철 송강
정철 송강
본문 내의 변수 정철
Traceback (most recent call last):
  File "c:\python\test.py", line 10, in <module>
    print(name)
NameError: name 'name' is not defined
```

함수에 값을 전달해 주고 전달 받는 전역변수와 지역변수는 이름이 같으면 어떤 상황이 발생할까요? 다음 예제는 전달하는 전역변수의 이름과 전달 받는 지역변수의 이름을 같게 하여 그 값의 변화를 살펴보겠습니다.

코드

```
def callMyName(name, title):
    print("함수 내 값 변경 전: ",name, title)        #함수 내 변수 출력
    name = "송순";  title = "면앙"                   #함수 내 변수 값 변경
    print("함수 내 값 변경 후: ",name, title)        #함수 내 변수 값 변경 후 출력

name = input("이름을 입력하세요!")
title = input("호칭을 입력하세요!")

print("함수 호출 전: ",name, title)                  #함수 호출 전
callMyName(name, title)
print("함수 호출 후: ",name, title)                  #함수 호출 후
```

실행 결과

```
이름을 입력하세요! □
호칭을 입력하세요! □
---
이름을 입력하세요!기대승
호칭을 입력하세요!선생님
함수 호출 전:  기대승 선생님
함수 내 값 변경 전:  기대승 선생님
함수 내 값 변경 후:  송순 면앙
함수 호출 후:  기대승 선생님
```

앞의 코드는 전역변수 값의 범위와 지역변수 값의 범위를 비교하는 예제입니다. 입력값으로 퇴계 이황과 8년간에 걸쳐 사칠이기 논쟁을 하였던 조선시대의 뛰어난 학자인 기대승 선생님을 함수의 인자 값으로 전달하고 함수 호출 전, 함수 호출 후, 그리고 함수 내 값 변경 전, 함수 내 값 변경 후에 대해 값의 변화를 통해 전역변수와 지역변수의 사용 범위를 살펴 보았습니다.

첫 번째, 전역변수와 지역변수가 동일한 변수 이름을 갖게 하였을 때 정상적으로 동작하는가를 살펴보았습니다. 우리는 지역변수의 이름을 전역변수와 동일하게 작성하여도 정상적으로 동작함을 확인할 수 있었습니다.

두 번째, 함수 내 값의 변경 전후와 함수 호출 전후의 값의 변화를 통해 함수 내 값의 전후에 사용된 지역변수와 함수 호출 전후 사용된 전역변수는 별도로 관리되고 있음을 확인할 수 있습니다. 따라서 함수 내의 변수는 전역변수와 별도로 운영되며 해당 함수 호출이 종료되면 지역변수는 사라지는 것을 확인 할 수 있습니다. 이상에서 동일한 이름의 전역변수와 지역변수가 있을 때는 수식의 가까운 데에 존재하는 변수, 예를 들어 함수 내라면 지역변수가 우선되게 사용됨을 알 수 있습니다.

이번에는 사용자로부터 계산할 단을 입력받아 해당 구구단의 단을 계산하는 함수 calGUGU를 만들어 보겠습니다.

코드

```
def calGUGU(dan):
    for no in range(1,10) :
        print("%3d x %3d = %3d "%(dan, no, dan*no ) )

dan = int( input("계산하고자 하는 단: ") )
calGUGU(dan)
```

실행 결과

```
계산하고자 하는 단: ▯
---
계산하고자 하는 단: 2
  2 x 1 =  2
   ...
  9 x 8 =  72
  9 x 9 =  81
```

(3) 함수의 값 되돌려주기 return 문

이렇게 지역변수는 함수 내에서만 존재하다보니 함수 내에서 계산된 결괏값을 본문으로 전달할 방법이 필요하게 되었습니다. 이렇게 함수 내의 값을 본문으로 전달해 주는 것을 함수의 값 되돌려주기 또는 리턴(return)한다 라고 합니다. 함수를 정의하는 문장 안에 return이라 기술하고 return 뒤에 되돌려줄 값을 적으면 본문에서 함수 호출의 결과를 전달받게 됩니다.

```
def 함수 이름(매개변수) :
    문장 블록
    return 되돌려줄 값
```

두 개의 수를 a와 b를 전달받아 덧셈한 결과를 되돌려주는 함수 Add를 작성해 보겠습니다. Add함수의 되돌림 값은 rVal에 전달받아 정상적으로 값들이 전달되었는지 출력해 봅니다.

코드

```
def Add(a, b):
   c = a + b
   return c

a = 10;  b = 20

rVal = Add(a, b)

print("%d + %d = %d "%(a, b, rVal) )
```

실행 결과

```
10 + 20 = 30
```

rVal이라는 변수에 되돌림 값을 전달하지 않고 바로 출력문의 rVal 위치에 (a, b, Add(a,b))와 같이 작성하여도 동일하게 되돌림 값이 전달됩니다. print도 함수이고 Add도 함수인데, print(Add(a,b))와 같이 함수 안에 함수를 인자로 사용하여 해당 함수의 되돌림 값을 받는 함수의 중첩도 조건문이나 반복문의 중첩처럼 사용 가능함을 알 수 있습니다.

```
def 함수 이름(매개변수) :
    문장 블록
    return 되돌려줄 값1, 값2, 값3, 값4
```

두 개의 수를 a와 b를 전달받아 덧셈, 뺄셈, 나눗셈한 결과를 되돌려주는 함수 Calculator를 작성해 보겠습니다. Calculator 함수의 되돌림 값은 덧셈에 대한 값, 뺄셈에 대한 값, 곱셈에 대한 값 그리고 나눗셈에 대한 값을 넘겨주게 되므로 4개의 변수 aVal, sVal, mVal, dVal에 각각 전달받아 정상적으로 값들이 전달되었는지 출력해 봅니다. 이때 주의해서 볼 사항은 함수에서 넘겨주는 값의 개수와 넘겨받아 전달되는 변수의 개수가 동일해야 한다는 부분입니다.

코드

```
def Calculator(a, b):
    add = a + b
    sub = a - b
    mul = a * b
    div = a / b
    return add, sub, mul, div

a = 10;  b = 20

aVal, bVal, mVal, dVal = Calculator(a, b)

print("%d + %d = %d "%(a, b, aVal) )
print("%d - %d = %d "%(a, b, bVal) )
print("%d * %d = %d "%(a, b, mVal) )
print("%d / %d = %3.2f "%(a, b, dVal) )
```

실행 결과

```
10 + 20 = 30
10 - 20 = -10
10 * 20 = 200
10 / 20 = 0.50
```

```
aVal, bVal, mVal, dVal = Calculator(a, b)
```

되돌림 값의 수에 맞게 변수가 존재해야 하기에 위 코드와 같이 4개의 변수가 사용되었습니다. 그런데, 되돌려 받을 변수를 덧셈과 빼셈 2개만 넘겨 받고 싶은 경우는 어떻게 해야 할까? 사용하지 않을 변수가 존재하는 곳에 aVal, bVal, _, _ = Calculator(a, b)와 같이 언더바(_)를 변수 대신 넣어주면 됩니다.

[매개 변수와 되돌림 값 존재 여부에 따른 함수의 형태]

매개 변수 / 되돌림 값	없음	있음
없음	함수 안 명령문만 수행	매개 변수를 사용하여 명령문만 수행
있음	매개 변수 없이 명령문을 수행한 후, 결괏값 되돌림	매개 변수를 사용하여 명령문을 수행한 후 결괏값 되돌림

2. 함수의 인자

함수에 호출 때 함수에서 값을 전달하는 것을 인자(argument)라 하였습니다. 파이썬에서 함수의 인자의 전달하는 방식은 다음 4가지 형태로 구분할 수 있습니다.

인자의 종류	설명
키워드	함수 호출하여 인자를 정의할 때, 전달받는 함수의 매개 변수 이름을 키워드로 사용하여 값을 매개 변수별로 지정하여 전달
디폴트	별도의 인자값이 입력되지 않을 때, 함수의 매개 변수와 함께 지정된 초깃값을 사용
가변	함수 정의에 선언된 매개 변수 외에 추가로 매개 변수의 개수를 지정하지 않고 전달하는 인자의 수를 자유롭게 전달
키워드 가변	키워드와 가변 인자, 두 방식 모두 활용하여 전달하는 방식으로 매개 변수의 이름을 따로 정하지 않고 가변적으로 받으면서 함수의 호출에서 키워드를 지정하여 인자의 수를 자유롭게 전달

(1) 키워드 인자

함수 호출에서 사용하는 인자 순서와 함수의 매개변수 사이에는 전달 순서가 같아야 하지만, 키워드 인자는 함수의 호출할 때 함수의 매개변수를 이용하여 함수의 호출하는 쪽에서 인자의 순서를 변경하여 값을 매개 변수에 전달 할 수 있습니다.

참고

인자(argument), 매개변수(parameter)

영문 문서에서 Parameter와 Argument를 혼동하여 번역하거나 읽는 경우가 많다. 두 단어는 매개변수(변수명)과 인자(전달값)라는 의미가 다른 용어이기에 구분하여 사용해야 한다. Parameter는 함수 혹은 메서드 정의에서 나열되는 변수 명이다. 반면 Argument는 함수 혹은 메서드를 호출할 때, 전달 혹은 입력되는 실제 값이다. Parameter의 실체는 변수이고 Argument의 실체는 값이다.

단어	번역	의미
Parameter	매개변수	함수와 메서드 입력 변수(Variable) 명
Argument	전달인자, 인자	함수와 메서드의 입력 값(Value)

코드

```
def callMyName(name, title, epoch):
   for x in range(epoch):
       print(name, title )

name1 = input("이름을 입력하세요! ")
title1 = input("호칭을 입력하세요! ")
no = int(input("반복해서 부를 횟수를 입력하세요! ") )
callMyName(name1, title1, no)
print("---")
callMyName(epoch = no, name = name1, title = title1)
```

실행 결과

```
이름을 입력하세요! □
호칭을 입력하세요! □
반복해서 부를 횟수를 입력하세요! □
---
이름을 입력하세요!정철
호칭을 입력하세요!송강
반복해서 부를 횟수를 입력하세요!3
정철 송강
정철 송강
정철 송강
---
정철 송강
정철 송강
정철 송강
```

```
callMyName(epoch = no, name = name1, title = title1)
```

코드에서 보이는 것처럼 매개 변수 epoch, name, title을 함수 호출할 때 인자에 함께 기술하여 매개 변수에 순서와 관계없이 값을 전달하게 됩니다. 이렇게 전달하는 인자를 우리는 매개 변수의 이름을 사용하여 인자를 전달한다고 하여 키워드 인자라 부릅니다.

(2) 디폴트 인자

매개 변수에 기본값을 지정하여 사용하고, 인자를 설정하지 않고 아무런 값도 넘기지 않으면 해당 매개 변수 값은 미리 지정된 기본값을 사용합니다.

코드

```
def callMyName(name, title="님", epoch=3):
    for x in range(epoch):
        print(name, title )

name1 = input("이름을 입력하세요! ")
title1 = input("호칭을 입력하세요! ")
no = int(input("반복해서 부를 횟수를 입력하세요! ") )
callMyName(name1, title1, no)
print("---")
callMyName(name1)
```

실행 결과

```
이름을 입력하세요! 
호칭을 입력하세요! 
반복해서 부를 횟수를 입력하세요! 
---
이름을 입력하세요!장보고
호칭을 입력하세요!해상 왕
반복해서 부를 횟수를 입력하세요!2
장보고 해상 왕
장보고 해상 왕
---
장보고 님
장보고 님
장보고 님
```

코드에서 보이는 것처럼 함수의 호출 때, 인자 값을 매개 변수의 수만큼 입력하지 않고 name1만 전달하였습니다. 매개 변수 title과 epoch는 인자로부터 전달된 값이 없으므로 기본값인 "님"과 3으로 설정되어 동작하게 됩니다.

(3) 가변 인자

함수의 매개 변수 개수가 정해지지 않고 함수를 프로그래밍하는 경우가 있습니다. 매개 변수의 개수가 정해지지 않게 되면, 함수를 호출할 때 함수에 넘겨주는 인자의 개수를 가변적으로 함수에 전달하게 됩니다.

함수에서 넘어 온 인자값을 전달받는 매개 변수에서는 가변적으로 전달되는 경우 아스트리스크(*)를 이용하여 가변 인자로부터 값이 가변적으로 전달됨을 표시합니다. 이때 가변적으로 전달되는 인자의 값은 자료형의 확장에서 배울 튜플 형태로 전달됩니다.

주의할 부분은 이렇게 가변적으로 인자가 전달되게 되면 함수 처리부에서는 반드시 가변 인자를 처리하는 부분이 존재해야 합니다.

입력된 값을 모두 더하는 함수 Add에 대해 인자의 수를 다르게 하여 전달해 봅니다. 함수 Add에 3과 5를 인자로 넣어 보고 3, 5, 7, 9를 인자로도 넣어 봅니다.

코드

```
def Add(*numbers):
    sum = 0
    for no in numbers:
        sum += no
    return sum

print( Add(3, 5) )
print( Add(3, 5, 7, 9) )
print( Add(3, 5, 7, 9, 11, 13, 15) )
```

실행 결과

```
8
24
63
```

```
def Add(*numbers):
```

매개 변수에 *numbers는 아스트리스크(*)를 사용함으로서 인자가 몇 개가 전달되는지를 가변적으로 선언하였습니다. for no in numbers에서 numbers의 값이 있는 동안 하나씩 변수 no에 값을 가져와 연산을 진행합니다.

입력된 값을 모두 더하는 함수 Add에 대해 매개 변수를 a, b, *number로 하여 처음 2개의 매개 변수는 고정 시켜놓고 그 뒤에 가변인자를 받게 매개 변수를 아스트리스크와 함께 *number로 선언합니다. 이때 주의할 점은 매개 변수 a와 b는 반드시 함수의 호출에서 인자를 넣어주어야 한다는 점입니다. 뒤의 가변적 매개 변수인 *number는 생략해도 프로그램에서 오류를 내지 않지만, 매개 변수 a와 b값을 입력하지 않으면 에러가 발생합니다. 마찬가지로 함수 Add에 3과 5를 인자로 넣어 보고 3, 5, 7, 9를 인자로도 넣어 봅니다.

코드

```
def Add(a, b, *numbers):
    c = a + b
    sum = 0
    for no in numbers:
        sum += no
    return c, sum

print( Add(3, 5) )
print( Add(3, 5, 7, 9) )
print( Add(3, 5, 7, 9, 11, 13, 15) )
```

실행 결과

```
(8, 0)
(8, 16)
(8, 55)
```

(4) 키워드 가변 인자

키워드 가변 인자는 매개 변수의 이름을 따로 지정하지 않고 입력하는 방법으로 이전 가변 인자와 달리 아스트리스크(*)를 2개 사용하여 함수의 매개 변수를 표시합니다. 논리적으로도 키워드 값과 키워드와 쌍으로 연결되는 인자값 2가지를 가변적으로 사용해야 하므로 아스트리스크(*) 한 개는 키워드를 위해 다른 하나는 인자값을 나타낸다고 생각하면 되겠습니다. 자료형의 확장에서의 사전 형태라 생각하면 되겠습니다. 딕셔너리형은 {키워드: 값}의 구조를 갖고 있습니다.

코드

```
def nDic(**dics):
    print(dics)
    for dic in dics:
        print(dic)
    print(dics.items())
    print(dics.keys())
    print(dics.values())

nDic(no1=3, no2=5, name1="서재필", name2="윤두서")
```

실행 결과

```
{'no1': 3, 'no2': 5, 'name1': '서재필', 'name2': '윤두서'}
no1
no2
name1
name2
dict_items([('no1', 3), ('no2', 5), ('name1', '서재필'), ('name2', '윤두서')])
dict_keys(['no1', 'no2', 'name1', 'name2'])
dict_values([3, 5, '서재필', '윤두서'])
```

3. 람다(Lambda) 함수와 pass, help 함수

이번에는 한 줄로 나타내는 사용자 정의 함수인 람다(Lambda) 함수와 pass, help함수에 대해 알아보겠습니다. lambda 연산자를 사용하여 함수를 한줄로 나타내기 때문에 람다 함수 혹은 익명 함수라고 부릅니다. 람다 형식은 인공지능 언어인 Lisp이라는 언어에서 물려받았다고 합니다. 함수를 딱 한 줄만 사용하여 아래와 같이 lambda 연산자 뒤에 인자를 쓰고 콜론(:) 뒤에 표현식을 작성하는 방식입니다.

■ lambda 인자 : 표현식

람다 함수는 람다 연산자를 사용하며, 람다 함수는 return문이 없고, 한 줄짜리 짧은 공간에서 간단한 함수를 만들 때 사용합니다. 다음 함수 Add는 두 수를 받아들여 합을 되돌려줍니다.

코드

```
def Add(a, b):
    return a+b

print( Add(10, 20) )
```

실행 결과

```
30
```

Add함수를 람다 형태로 표현하면 다음과 같습니다.

코드

```
print((lambda a, b: a + b)(10, 20) )
```

실행 결과

```
30
```

이렇게 람다 함수를 사용하게 되면 코드가 간결해지는 것을 알 수 있습니다. 다만, 해당 함수의 수행할 문장이 많다면 일반 사용자 정의 함수를 사용하길 권합니다. 람다 함수는 함수이름을 주지 않고 익명으로 한줄 내에서 빠르고 간단하게 작성하고자 할 때 사용됩니다.

■ pass

pass 함수는 실행할 문장이 없는 경우에 pass를 사용하여 문장의 구조를 유지 시키는 역할을 합니다.

형식

```
if 조건식:
    pass        # 아무일도 수행하지 않음
else:
    문장들
```

■ help함수

help함수는 사용자 정의 함수를 만들어 놓고 해당 함수에 대한 자세한 도움말을 보고 싶을 때 사용합니다. help 함수를 사용자 정의 함수에서 사용하기 위해서는 함수 내에 반드시 여러 줄 주석 즉, 작은따옴표(')로 해당 문서에 대한 설명을 작성해 놓아야만 도움말을 볼 수 있습니다. 도움말이 출력될 때는 Help on function 함수명 in module __main__:이라고 화면에 표시된 후, 함수의 원형을 표시하고 작은따옴표(') 주석에 표기한 내용이 화면에 출력됩니다.

코드

```
def Add(a, b):
    '''
    Add(정수, 정수)
    두 수를 더한 결과를 되돌려 줍니다.
    '''
   return a+b

help(Add)
```

실행 결과

```
Help on function Add in module __main__:

Add(a, b)
    Add(정수, 정수)
    두 수를 더한 결과를 되돌려 줍니다.
```

4. 내장 함수

파이썬에서 외부의 어떤 모듈을 가져오지 않고 바로 실행 가능한 함수를 내장 함수 또는 빌트인(builtin) 함수라 부릅니다. 파이썬에서 지원하는 빌트인 함수를 확인하기 위해서는 다음과 같이 dir(__builtins__) 명령을 사용하면 현재 지원하는 모든 내장 함수가 출력됩니다. 우리가 자주 사용했던 print나 input도 내장 함수 목록에서 확인할 수 있습니다.

코드

```
print( dir(__builtin_) )
```

실행 결과

```
['ArithmeticError', 'AssertionError', 'AttributeError', 'BaseException', 'BlockingIOEr-
ror', 'BrokenPipeError', 'BufferError', 'BytesWarning', 'ChildProcessError', 'Connec-
tionAbortedError', 'ConnectionError', 'ConnectionRefusedError', 'ConnectionResetEr-
ror', 'DeprecationWarning', 'EOFError', 'Ellipsis', 'EnvironmentError', 'Exception'
, 'False', 'FileExistsError', 'FileNotFoundError', 'FloatingPointError', 'FutureWarning',
'GeneratorExit', 'IOError', 'ImportError', 'ImportWarning', 'IndentationError', 'IndexEr-
ror', 'InterruptedError', 'IsADirectoryError', 'KeyError', 'KeyboardInterrupt', 'LookupEr-
ror', 'MemoryError', 'ModuleNotFoundError', 'NameError', 'None', 'NotADirectoryError'
, 'NotImplemented', 'NotImplementedError', 'OSError', 'OverflowError', 'PendingDepre-
cationWarning', 'PermissionError', 'ProcessLookupError',
'RecursionError', 'ReferenceError', 'ResourceWarning', 'RuntimeError', 'RuntimeWarn-
ing', 'StopAsyncIteration', 'StopIteration', 'SyntaxError', 'SyntaxWarning', 'SystemEr-
ror', 'SystemExit', 'TabError', 'TimeoutError', 'True', 'TypeError', 'UnboundLocalEr-
ror', 'UnicodeDecodeError', 'UnicodeEncodeError', 'UnicodeError', 'UnicodeTransla-
teError', 'UnicodeWarning', 'UserWarning', 'ValueError', 'Warning', 'WindowsError'
, 'ZeroDivisionError', '__build_class__', '__debug__', '__doc__', '__import__', '__
loader__', '__name__', '__package__', '__spec__', 'abs', 'all', 'any', 'ascii', 'bin',
'bool', 'breakpoint', 'bytearray', 'bytes', 'callable', 'chr', 'classmethod', 'compile',
'complex', 'copyright', 'credits', 'delattr', 'dict', 'dir', 'divmod', 'enumerate', 'eval'
, 'exec', 'exit', 'filter', 'float', 'format', 'frozenset', 'getattr', 'globals', 'hasattr'
, 'hash', 'help', 'hex', 'id', 'input', 'int', 'isinstance', 'issubclass', 'iter', 'len',
'license', 'list', 'locals', 'map', 'max', 'memoryview', 'min', 'next', 'object', 'oct'
, 'open', 'ord', 'pow', 'print', 'property', 'quit', 'range', 'repr', 'reversed', 'round'
, 'set', 'setattr', 'slice', 'sorted', 'staticmethod', 'str', 'sum', 'super', 'tuple',
'type', 'vars', 'zip']
```

많이 사용되는 대표적 내장 함수들에 대해 기능들을 간단하게 살펴보겠습니다. 다음에서 표로 제시된 파이썬 내장 함수의 일부는 아직 배우지 않은 내용을 설명하기도 합니다. 이 곳에서는 해당한 내장 함수 모두를 이해하기 보다는 이런 함수들도 있구나 정도로 알고 넘어가고 추후 관련된 내용이 나오면 하나 하나의 용법을 살펴가며 사용하기 바랍니다. 가능한 유사하게 사용되는 함수들을 가깝게 묶어 놓았습니다.

함수명	기능
print(x)	객체를 문자열로 표시
input([prompt])	사용자 입력을 문자열로 반환
help([x])	x에 대한 도움말 출력
globals()	전역변수의 리스트를 반환
locals() 혹은 vars() vars(obj)	지역변수의 리스트를 반환, __dict__ 속성을 반환
del(x) 혹은 del x	객체를 변수 공간에서 삭제
eval(expr)	값을 구함
exec(obj)	파이썬 명령을 실행
open(filename[,mode]))	파일을 엶
object()	새로운 object를 생성
bool(obj)	객체의 진리값을 반환
int(obj)	문자열 형태의 숫자나 실수를 정수로 변환
float(obj)	문자열 형태의 숫자나 정수를 실수로 변환
complex(re [, img])	문자열이나 주어진 숫자로 복소수를 생성
type(obj)	객체의 형을 반환
dir(obj)	객체가 가진 함수와 변수들을 리스트 형태로 반환
repr(obj)	evla()함수로 다시 객체를 복원할 수 있는 문자열 생성
ascii(obj)	repr()과 유사하나 non-ascii 문자는 ESC 표기
id(obj)	객체의 고유번호(int형)을 반환
hash(obj)	객체의 해시값(int형)을 반환.
chr(num)	ASCII 값을 문자로 반환
ord(str)	한 문자의 ASCII 값을 반환
isinstance(obj, className)	객체가 클래스의 인스턴스인지를 판단
issubclass(class, classinfo)	class가 classinfo의 서브클래스일 때 참값 반환
len(seq)	순서형을 받아서 그 길이를 반환

함수명	기능
iter(obj [,sentinel])	객체의 이터레이터를 반환
next(iterator)	이터레이터의 현재 요소를 반환하고 포인터를 하나 넘김
enumerate(iterable, start=0)	이터러블에서 enumerate 형을 반환 입력 값으로 순서 자료형(리스트, 튜플, 문자열)을 입력을 받음
sorted(iterable[,key][,reverse])	정렬된 리스트를 반환
reversed(seq)	역순으로 된 이터레이터를 반환
filter(func, iterable)	이터러블의 각 요소 중 func()의 반환값이 참인 것 만을 묶어서 이터레이터로 반환.
map(func, iterable)	이터러블의 각 요소를 func()의 되돌림 값으로 매핑해서 이터레이터로 반환.
hex(n)	정수 n의 16진수 값을 구해서 '문자열'로 반환
oct(n)	정수 n의 8진수 값을 구해서 '문자열'로 반환
bin(n)	정수 n의 2진수 값을 구해서 '문자열'로 반환
abs(n)	절대 값을 구함, 복소수의 경우 크기를 구함
pow(x,y[,z])	거듭 제곱을 구함, pow(x,y)은 x**y 와 같음
divmod(a, b)	a를 b로 나눈 (몫, 나머지)를 구함, 튜플 반환
all(iterable)	이터러블의 모든 요소가 참 일 경우 참 반환
any(iterable)	이터러블 중 하나 이상의 요소가 참일 경우 참 반환
max(iterable)	최댓값을 구함
max(arg1, arg2, …)	최댓값을 구함
min(iterable)	최솟값을 구함
min(arg1, arg2, …)	최솟값을 구함
round()	반올림을 함

참고

이터러블(iterables) 객체, 이터레이터

이터러블(iterables) 객체는 반복문인 for에서 값들의 순환 대상으로 사용될 수 있는 객체이다. 향후 배울 문자열이나 자료형의 확장에서 배우게 될 리스트, 튜플, 사전, 집합을 포함해서, 열려 있는 파일 객체 등도 이터러블 자료형이다.

이터러블 객체의 특징은 __iter__() 메서드를 지원하는가에 따라 결정된다. 예를 들어 아래와 같이 리스트를 이용하여 for 문을 실행하면 리스트형 데이터 [1, 2, 3, 4, 5]의 __iter__() 메서드가 호출된다.

```
for no in [1, 2, 3, 4, 5]:
    print(no)
```

파이썬에서 이터레이터는 위 for 문을 실행하면, 리스트의 __iter__() 메서드는 해당 리스트의 항목을 하나씩 no 변수에 전달하는 기능을 가진 이터레이터(iterator) 객체를 반환한다. 이 과정을 __next__() 메서드가 처리된다. 즉, 이터레이터는 __next__() 메서드를 갖는 객체를 의미한다.

■ 문자열

문자열은 연속된 문자를 의미합니다. C언어 등에서는 문자와 문자열을 구분하고 문자에 대해서는 작은따옴표('')를 문자열에 대해서는 큰따옴표("")를 묶음에 사용하지만 파이썬은 문자와 문자열을 동일하게 취급합니다. 따라서, 문자열을 표현할 때는 작은따옴표('')나 큰따옴표("")의 어떤 따옴표라도 쌍으로 둘러싸 표시해야 합니다. 지금까지 우리는 문자열에 대해 처음 언어를 배우는 사람들의 혼란을 방지하기 위해 큰따옴표(")를 일관되게 사용하였습니다. 하지만, 앞으로는 필요에 따라 큰따옴표(")와 작은따옴표(')를 섞어 가며 사용하겠습니다.

다음은 큰따옴표를 사용한 문자열, 작은따옴표를 사용한 문자열 그리고 큰따옴표와 작은따옴표를 함께 사용한 문자열을 출력하고 있습니다. 모든 따옴표는 쌍을 맞추어 사용해야 하며, 큰따옴표와 작은따옴표를 함께 표기하는 경우는 가장 안쪽의 쌍부터 검사하여 따옴표를 완성하며 가장 바깥의 따옴표를 제외한 따옴표는 화면에 따옴표 자체가 출력됩니다.

코드

```
print("큰따옴표를 사용한 문자열")
print('작은따옴표를 사용한 문자열')
print("'큰따옴표와 작은따옴표'를 함께 사용한 문자열")
print('"큰따옴표와 작은따옴표"를 함께 사용한 문자열')
```

실행 결과

```
큰따옴표를 사용한 문자열
작은따옴표를 사용한 문자열
'큰따옴표와 작은따옴표'를 함께 사용한 문자열
"큰따옴표와 작은따옴표작은따옴표"를 함께 사용한 문자열
```

■ 자주 사용하는 문자열 함수

문자열을 자유롭게 다루기 위해서는 파이썬에서 제공하는 내장 함수를 잘 이해해야 합니다. 여기에서는 문자열 처리에 사용하는 함수 중 빈번히 사용되는 함수 몇 가지를 살펴보겠습니다.

s = 'abc' 라고 문자열을 정의하였을 때, 문자열 encoding의 유형으로는 'utf-8'로 가정하였으며 다음과 같은 함수들이 자주 사용됩니다.

우리가 주의할 필요가 있는 부분은 파이썬 자체가 객체를 기반으로 만들어진 언어이다 보니 모든 변수나 함수가 선언이 되면 해당 변수나 함수들은 파이썬 내부적으로는 하나의 객체로 정의되고 많은 기능들이 상속되게 됩니다.

정의된 문자열 변수 s 역시 변수를 선언하는 순간 문자열 객체가 됩니다. 이를 확인하기 위해 자료형을 확인할 때 사용하는 type함수를 사용하여 print(type(s))와 같이 정의한 s의 자료형을 확인해 봅니다. 우리는 <class 'str'>이라는 자료형이 출력됨을 확인할 수 있습니다.

코드

```
s = 'abc'

print( type(s) )
```

실행 결과

```
<class 'str'>
```

클래스는 선언된 객체의 원형을 부르는 용어입니다. 즉, 객체는 클래스를 선언하여 사용할 이름을 주는 행위로 해당하는 클래스 원형으로부터 발현됩니다. 파이썬에서는 객체로 선언된 변수 등의 정수, 실수, 문자열과 같은 자료형을 해당 변수의 원형인 클래스라 부릅니다. 이렇게 객체가 선언되면 객체의 원형으로부터 이미 만들어진 함수와 변수들을 해당 객체는 상속받게 됩니다.

객체가 선언되면, s.format()과 같이 마침점(.)을 해당 객체의 소속을 나타내는 연산자로 사용하여 상속받은 다양한 함수와 변수들을 호출하여 사용할 수 있습니다. s.format()함수는 문자열의 포맷을 지정하는데 사용됩니다. 인자({item})로서 위치와 키워드의 조합을 받아 사용합니다. 위치인자는 {0}이나 {1}로 표기하고, 키워드 인자는 {keyword}같은 이름을 갖는 자리 표시자로 참조합니다.

코드

```
name = '송만갑'
title = '명창'

print( '{{0}} {{1}}'.format(name, title) )
print( '{{1}} {{0}}'.format(name, title) )
print('...')
print( '{{name1}} {{title1}}'.format(name1 = name, title1 = title) )
print( '{{title1}} {{title1}}'.format(name1 = name, title1 = title) )

s = 'name = {{0}} title = {{title1}}'
s.format('송만갑', title1 = '천하 명창')
print(s)
print( s.format('송만갑', title1 = '천하 명창') )
```

실행 결과

```
송만갑 명창
명창 송만갑
...
송만갑 명창
명창 명창
name = {0} title = {title1}
name = 송만갑 title = 천하 명창
```

■ 문자열 처리 함수

함수명	기능
s.count(sub[,start[,end]])	지정된 부분 문자열(sub)이 나타나는 횟수를 반환
s.isspace()	모든 문자가 공백문자로 구성돼 있는지 검사
s.index(sub[,start[,end]])	지정된 부분 문자열(sub)이 처음으로 나타나는 위치 반환
s.isalnum()	모든 문자가 알파벳과 숫자로 구성돼 있는지 검사
s.isalpha()	모든 문자가 알파벳으로 구성돼 있는지 검사
s.isdigit()	모든 문자가 숫자로 구성돼 있는지 검사
s.islower()	모든 문자가 소문자로 구성돼 있는지 검사
s.lower()	문자열을 소문자로 반환
s.upper()	문자열을 대문자로 반환

코드

```
s = 'Over the Rainbow After the Raining'
print( 's.count()  :' , s.count('i') )
print( 's.index()  :' , s.index('i') )
print( 's.isalnum() :' , s.isalnum() )
print( 's.isalpha() :' , s.isalpha()  )
print( 's.isdigit()  :' , s.isdigit()   )
print( 's.islower() :' , s.islower()  )
print( 's.isspace() :' , s.isspace() )
print( 's.lower()  :' , s.lower()   )
print( 's.upper()  :' , s.upper()   )
```

실행 결과

```
s.count()   : 3
s.index()   : 11
s.isalnum() : False
s.isalpha() : False
s.isdigit() : False
s.islower() : False
s.isspace() : False
s.lower()   : over the rainbow after the raining
s.upper()   : OVER THE RAINBOW AFTER THE RAINING
```

■ len(): 문자열 길이 계산

문자열의 길이를 확인할 때 사용하는 함수로 len()함수가 있습니다. len()함수는 문자열 항목의 수를 반환합니다. 변수 name에 문자열 '소치 허련'이 대입되어 있을 때 name의 길이를 알기 위해서는 len(name)과 같이 사용하면 됩니다.

코드

```
name = '소치 허련'
print( len(name) )
print( len(name.encode('utf-8') ) )
```

실행 결과

```
5
13
```

위와 같이 한글을 대상으로 문자열의 길이를 구할 때는 다음 사항을 주의해야 합니다. 변수 name의 값인 '소치 허련'에 대해 len() 함수를 이용하여, 문자열의 길이를 구하면 5가 출력됩니다. 그런데 이 변수가 차지하고 있는 실제 길이 즉, 바이트 수를 계산하기 위해서는 encode('utf-8')이라 기술해 주어야 합니다. 그러면 출력되는 값은 13이 되는데 이는 utf-8로 인코딩된 환경에서 한글 한 글자가 3바이트를 이용하기 때문입니다. 또, 한글의 길이를 구할 때는 파이썬의 버전에 따라 결과가 다르므로 주의해야 합니다.

코드

```
name = '송만갑'
title = '명창'

print( '{{0}} {{1}}'.format(name, title) )
print( '{{1}} {{0}}'.format(name, title) )
print('...')
print( '{{name1}} {{title1}}'.format(name1 = name, title1 = title) )
print( '{{title1}} {{title1}}'.format(name1 = name, title1 = title) )

s = 'name = {{0}} title = {{title1}}'
s.format('송만갑', title1 = '천하 명창')
print(s)
print( s.format('송만갑', title1 = '천하 명창') )
```

실행 결과

```
송만갑 명창
명창 송만갑
...
송만갑 명창
명창 명창
name = {0} title = {title1}
name = 송만갑 title = 천하 명창
```

■ 수학 관련 내장 함수

다음은 파이썬에서 자주 사용하는 수학 관련 내장 함수들입니다. max([1,2,3,4])와 max(1,2,3,4)는 순서형 값과 항목들 중에 최댓값을 구하는 함수입니다. min([1,2,3,4])과min(1,2,3,4)는 순서형 값과 항목들 중에 최솟값을 구하는 함수입니다. round(3.14)와round(3.14159, 3)는 반올림을 구하는 함수입니다. 별도로 명시하지 않으면 기본은 소숫점 2자리에서 반올림합니다. 별도로 반올림하고자 하는 위치를 제시할 때는 콤마(,)후에 숫자를 제시합니다. pow(2, 10)는 2의 10승과 같이 거듭 제곱을 나타내는 함수입니다. divmod(6,4)는 몫과 나머지를 함께 계산하는 함수입니다. abs(−3.14)는 절댓값을 계산해 주는 함수입니다.

함수명	기능
max(iterable)	최댓값을 구함
max(arg1, arg2, …)	최댓값을 구함
min(iterable)	최솟값을 구함
min(arg1, arg2, …)	최솟값을 구함
round(x)	반올림 함
round(x, n)	소숫점 이하 n번째 자리를 반올림 함
pow(x,y[,z])	거듭 제곱을 구함, pow(x,y)은 x**y 와 같음
divmod(a, b)	a를 b로 나눈 (몫, 나머지)를 구함, 튜플 반환
abs(n)	절댓 값을 구함, 복소수의 경우 크기를 구함

코드

```
print('max([1,2,3,4])  : ', max([1,2,3,4])   )
print('max(1,2,3,4)    : ', max(1,2,3,4)     )
print('min([1,2,3,4])  : ', min([1,2,3,4])   )
print('min(1,2,3,4)    : ', min(1,2,3,4)     )
print('round(3.14)     : ', round(3.14)      )
print('round(3.14159, 3): ', round(3.14159, 3) )
print('pow(2, 10)      : ', pow(2, 10)       )
print('divmod(6,4)     : ', divmod(6,4)      )
print('abs(-3.14)      : ', abs(-3.14)       )
```

실행 결과

```
max([1,2,3,4])  : 4
max(1,2,3,4)    : 4
min([1,2,3,4])  : 1
min(1,2,3,4)    : 1
round(3.14)     : 3
round(3.14159, 3): 3.142
pow(2, 10)      : 1024
divmod(6,4)     : (1, 2)
abs(-3.14)      : 3.14
```

■ 수학 관련 패키지(math, decimal, fractions, numbers, random)

파이썬에서 단순한 수식은 프로그래머가 작성해도 되지만 복잡한 수식은 작성하기도 어렵고 검증도 힘들어서 파이썬에서는 수학과 관련된 특정 작업을 수행하는 명령문의 집합을 패키지(함수 라이브러리)로 제공하고 있습니다. 기본 수학 내장 함수 외에 수학 관련 패키지는 math, decimal, fractions, numbers, random 등이 많이 사용됩니다. 이곳에서는 math 패키지만 살펴보고 다른 패키지들은 추후 관련한 예제가 나올 때마다 추가로 사용하겠습니다. math 패키지에는 수학에 자주 사용되는 상수는 pi와 e가 정의되어 있습니다. 사용하기 위해서는 소속 연산자(.)를 이용하여 math.pi 나 math.e 를 사용합니다. math 패키지를 사용하기 위해서는 프로그램 본문에서 "import math" 라고 선언해주고 사용합니다. math 패키지 내에 있는 수학 함수는 다음과 같습니다.

함수명	기능
fabs(x)	x 절댓값 실수로 반환
ceil(x)	x를 올림한 정숫값 반환
floor(x)	x를 내림한 정숫값 반환
exp(x)	x의 지수함수(ex) 값 반환
log(x)	x의 자연로그 값 반환
log(x, base)	밑(base)을 갖는 x의 로그 값 반환
sqrt(x)	x의 제곱근 반환
sin(x)	x의 사인값 반환, x는 라디안 각도
asin(x)	x의 아크사인 값 반환, x는 라디안 각도
cos(x)	x의 코사인 값 반환, x는 라디안 각도
acos(x)	x의 아크코사인 값 반환, x는 라디안 각도
tan(x)	x의 탄젠트 값 반환, x는 라디안 각도
degrees(x)	60분법 단위로 값 반환, x는 라디안 각도

코드

```
import math

print('fabs(-3) : '      , math.fabs(-3) )
print('ceil(3.1) : '     , math.ceil(3.1) )
print('floor(3.1) : '    , math.floor(3.1) )
print('exp(1) : '        , math.exp(1) )
print('log(2.718218) : ' , math.log(2.718218) )
print('log(100, 10) : '  , math.log(100, 10) )
print('sqrt(4) : '       , math.sqrt(4) )
print('sin(3.14159/2) : ' , math.sin(3.14159/2) )
print('asin(3.14159) : ' , math.asin(0.5) )
print('cos(3.14159/2) : ' , math.cos(3.14159/2) )
print('acos(3.14159) : ' , math.acos(0.5) )
print('tan(3.14159/4) : ' , math.tan(3.14159/4) )
print('degrees(1.57) : ' , math.degrees(1.57) )
print('radians(90) : '   , math.radians(90) )
```

실행 결과

```
fabs(-3) :  3.0
ceil(3.1) :  4
floor(3.1) :  3
exp(1) :  2.718281828459045
log(2.718218) :  0.9999765185464684
log(100, 10) :  2.0
sqrt(4) :  2.0
sin(3.14159/2) :  0.9999999999991198
asin(3.14159) :  0.5235987755982989
cos(3.14159/2) :  1.3267948966775328e-06
acos(3.14159) :  1.0471975511965979
tan(3.14159/4) :  0.9999986732059836
degrees(1.57) :  89.95437383553924
radians(90) :  1.5707963267948966
```

1. 두 변수의 합과 평균을 계산하는 sumandavg함수를 작성하여 변수의 합과 평균을 구하는 프로그램을 작성해보자.

코드

```
def sumandavg(a,b):
    global sum, avg
    sum = a+b
    avg = (a+b)/2
sum = 0
avg = 0
a = 50
b = 60
sumandavg(a,b)
print("합=", sum)
print("평균=", avg)
```

실행 결과

```
합= 110
평균= 55.0
```

2. "환영합니다."를 출력하는 welcome()함수를 선언해보자. for 문을 이용하여 3회 반복하면서 welcome() 함수를 호출하여 실행해보자.

코드

```
def welcome():
    for i in range(3):
        print("환영합니다.")
welcome()
```

실행 결과

```
환영합니다.
환영합니다.
환영합니다.
```

3. random 모듈에 있는 함수를 사용하여서 7개의 단어 중에서 랜덤하게 3개를 선택하여 출력하여 보자.

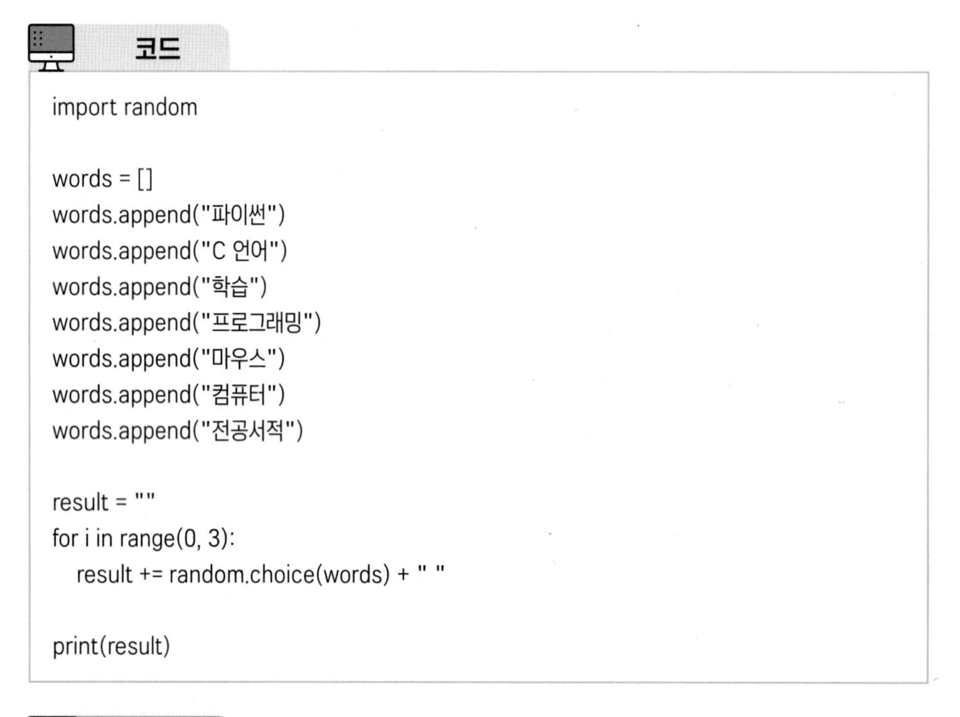

코드

```
import random

words = []
words.append("파이썬")
words.append("C 언어")
words.append("학습")
words.append("프로그래밍")
words.append("마우스")
words.append("컴퓨터")
words.append("전공서적")

result = ""
for i in range(0, 3):
    result += random.choice(words) + " "

print(result)
```

실행 결과

```
학습 컴퓨터 마우스
```

4. math 모듈에 있는 hypot() 함수는 직각삼각형의 빗변의 길이를 반환한다. 이 함수를 이용하여 밑변과 높이가 각각 3.0, 4.0인 직각삼각형의 빗변의 길이를 계산하여 보자.

코드

```
import math
print (math.hypot(3.0, 4.0))
```

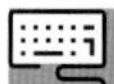

실행 결과

```
5.0
```

5. 주어진 자연수가 홀수인지 짝수인지 판별해주는 함수를 작성해 보자.

코드

```
def is_odd(num):
    if num % 2 == 0:
        return True
    else:
        return False
number = int(input("자연수를 입력해주세요: "))
print(is_odd(number))
```

실행 결과

```
자연수를 입력해주세요: 10
True
자연수를 입력해주세요: 23
False
```

CHAPTER 6

자료형의 확장

1. 컨테이너 자료형
2. 리스트(list)
3. 튜플(Tuple)
4. 집합(Set)
5. 사전(Dictionary)

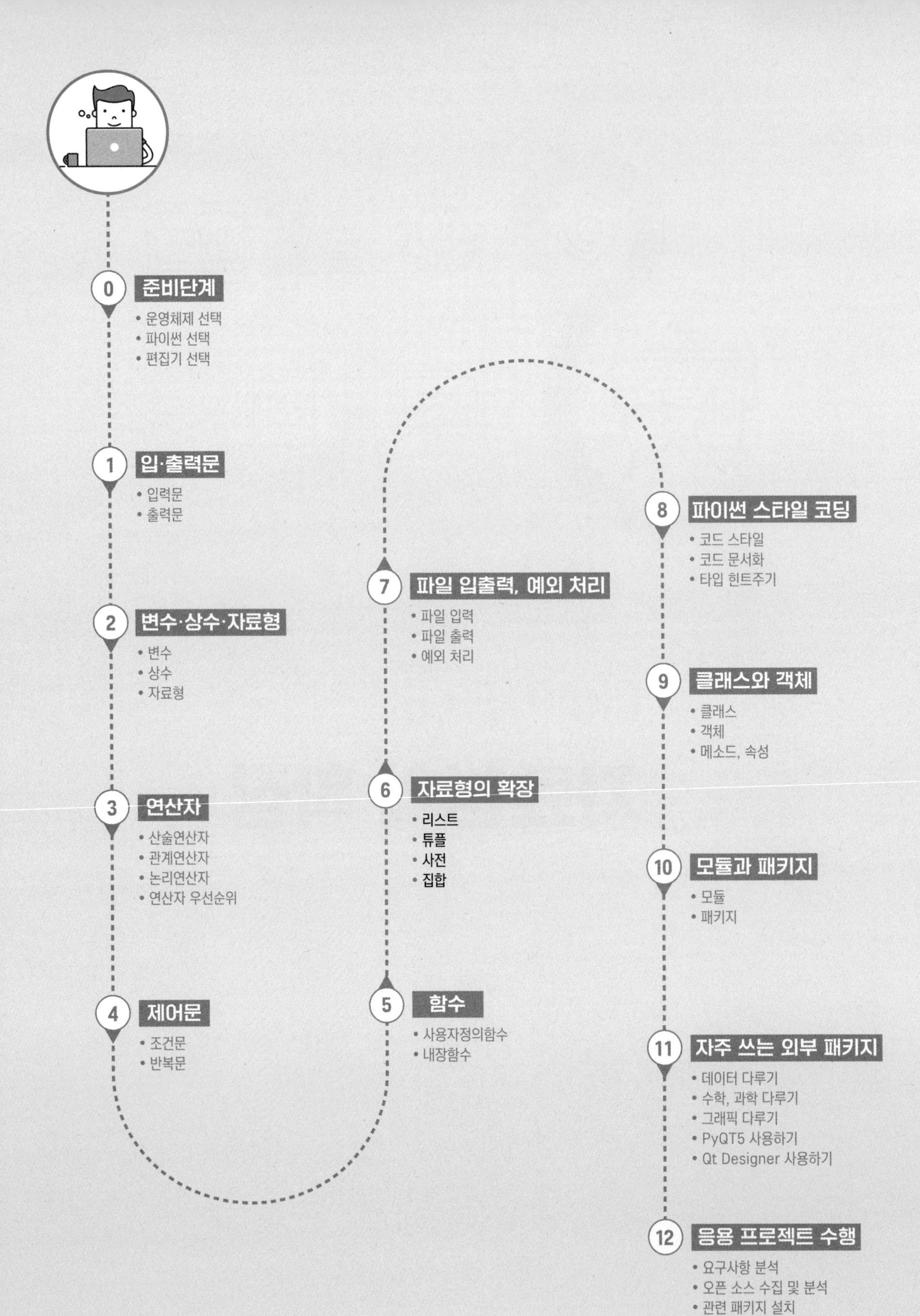
0 준비단계
• 운영체제 선택
• 파이썬 선택
• 편집기 선택
1 입·출력문
• 입력문
• 출력문
2 변수·상수·자료형
• 변수
• 상수
• 자료형
3 연산자
• 산술연산자
• 관계연산자
• 논리연산자
• 연산자 우선순위
4 제어문
• 조건문
• 반복문
5 함수
• 사용자정의함수
• 내장함수
6 자료형의 확장
• 리스트
• 튜플
• 사전
• 집합
7 파일 입출력, 예외 처리
• 파일 입력
• 파일 출력
• 예외 처리
8 파이썬 스타일 코딩
• 코드 스타일
• 코드 문서화
• 타입 힌트주기
9 클래스와 객체
• 클래스
• 객체
• 메소드, 속성
10 모듈과 패키지
• 모듈
• 패키지
11 자주 쓰는 외부 패키지
• 데이터 다루기
• 수학, 과학 다루기
• 그래픽 다루기
• PyQT5 사용하기
• Qt Designer 사용하기
12 응용 프로젝트 수행
• 요구사항 분석
• 오픈 소스 수집 및 분석
• 관련 패키지 설치
• 프로그램 설계
• 응용 프로그램 개발
• 스네이크 게임

이 장에서는 파이썬의 기본 자료형인 정수, 실수, 문자열, 논리형, 문자열을 확장하여 집단형 중 리스트, 튜플, 집합, 사전형에 대해서 살펴보겠습니다.

아래 표는 파이썬 자료형들의 특징을 살펴본 것입니다. 문자열은 언어의 특성상 기본 자료형이기도 하고 집단형 자료형이기도 하여, 문자열을 기본형과 집단형 양쪽에 중복하여 표기하였습니다.

자료형		명령	변경 가능	순서 유무	컬렉션	매핑 가능	이터러블	비고
기본형	정수형	int	○					숫자형
	실수형	float	○					숫자형
	복소수형	complex	○					숫자형
	논리형	bool	○					1, 0
	문자열	str	×	○	○		○	
	NoneType형							
집단형	문자열	str	×	○	○		○	
	리스트형	list	○	○	○		○	
	튜플형	tuple	×	○	○		○	
	집합형	set	○	×	○		○	키로 접근
	사전형	dict	○	×	○	○		중복 불가
기타	bytearray							
	bytes						○	
	frozenset		×		○	○	○	

※ 정수, 실수, 복소수, 논리, 문자열 등의 리터럴 자체는 상수로 변경 불가능

※ 플랫 시퀀스(flat sequence: 동일 타입의 데이터들로 순서대로 저장): 문자열, bytes, bytearray, memoryview, array.array

1. 컨테이너 자료형

컨테이너는 한국말로 무언가를 담는 그릇(용기) 정도로 해석할 수 있으며, 여러 개 값을 담을 수 있는 자료형입니다. 정수, 실수, 복소수 등은 단일 종류의 값을 담는 자료형이고 컨테이너로 표현되는 문자열, 튜플, 리스트, 사전, 집합 자료형은 항목마다 여러 종류의 자료형이 와도 무관한 자료형입니다.

많은 프로그램 언어는 배열과 같이 하나의 이름을 갖고 여러 개의 값을 저장하는 자료형을 제공합니다. 그런데, 배열은 각 항목의 값들이 동일한 자료형을 갖어야 합니다. 그런데, 컨테이너는 list = [1, "한글", 1446, "훈민정음", "가람토"]와 같이 하나의 이름으로 여러 개의 자료형을 담아 사용할 수 있게 해주는 자료형입니다. 이는 마치 C언어의 구조체를 연상하게 만듭니다.

하나의 이름에 여러 개의 데이터가 있는 컨테이너를 사용하여 데이터를 처리할 때는 인덱스라고도 부르는 첨자(index)를 이용하여 변수 이름이 아닌 각각의 값을 가지고 있는 원소에 접근합니다. 파이썬에서 첨자의 시작이 0부터 시작하기 때문에 만일, 위의 list 컨테이너에서 가람토를 접근하기 위해서는 list[4]와 같이 표현합니다.

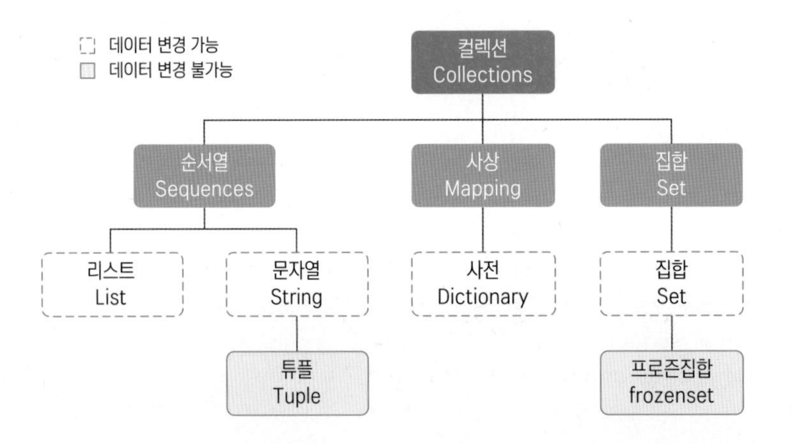

컨테이너 역할을 하는 컬렉션에는 그림과 같이 순서열, 사상, 집합류가 있습니다. 순서열 컨테이너에는 값을 변경할 수 있는 리스트, 변경 불가능한 문자열, 튜플 등이 있습

니다. 사상(Mapping) 컨테이너에는 사전(Dictionary)이 있습니다. 집합(Set) 컨테이너에는 변경 가능한 집합(Set)과 변경 불가능한 프로즌집합(frozenset)이 있습니다.

2. 리스트(List)

(1) 리스트 개념

리스트는 여러 개 데이터를 한 이름으로 묶어서 저장할 때 사용하는 순서(Sequence) 자료형 중 하나입니다. 순서 자료형은 여러 자료를 순서대로 넣어 작성합니다. 또한 리스트는 컨테이너 자료형으로 정수형이나 실수형 같은 다양한 자료형을 포함할 수 있습니다.

리스트를 만들기 위해서는 대괄호([ ])를 이용합니다. 만약 저장해야 할 자료가 변수 score에 5개가 (95, 85, 70, 99, 100)과 같이 있다면 대괄호를 이용하여 아래와 같이 리스트를 만들어 사용할 수 있습니다. 리스트 안의 항목을 분리하기 위해 콤마(,)를 사용합니다.

```
score = [95, 85, 70, 99, 100]
```

리스트 변수 colors에 red, green, blue 값을 갖는 코드는 문자열을 값으로 갖기 때문에 큰따옴표(")나 작은따옴표(')로 감싸서 작성해야 합니다.

```
colors = ['red', 'green', 'blue']
```

여기서 기억하여야 할 것은 일반적인 변수들은 선언을 하게 되면 변수에 값이 저장되는데 리스트 변수는 실제 값이 저장되는 메모리의 주소가 저장된다는 부분입니다. 이 부분이 함수에 값을 전달할 때 "값에 의한 전달"과 "참조에 의한 전달"의 차이를 만들게 되는 이유가 됩니다. 일반 변수들은 "값에 의한 전달" 방법을 사용하게 되지만 리스트형 변수는 "참조에 의한 전달" 방법을 사용하게 됩니다. 그러다 보니 리스트형 변수는 주소를 값으로 갖고 있어서, 리스트형의 변수를 다른 변수에 대입시킨 후 변수의 값을 변경하면 기존 변수의 값도 같이 바뀌게 되는 부분을 기억해야 합니다.

코드

```
colors = ['red', 'green', 'blue']
print(colors)

mycolor = colors
print(mycolor)

mycolor[0] = 'cyan'
print(mycolor)
print(colors)
```

실행 결과

```
['red', 'green', 'blue']
['red', 'green', 'blue']
['cyan', 'green', 'blue']
['cyan', 'green', 'blue']
```

위 코드에서 몇 가지 리스트 자료형의 사용법을 기억하고 넘어갈 필요가 있습니다. 먼저 colors = ['red', 'green', 'blue']와 같이 리스트 자료형은 대괄호와 콤마로 구성합니다. 다음은 mycolor = colors와 같이 리스트 자료형은 여러 개의 자료를 가지고 있는 변수임에도 일대일로 새로운 변수에 대입에 바로 대입합니다. 그리고 mycolor[0]= 'cyan'과 같이 세부적인 항목을 접근하여 값을 가져오가나 변경할 때는 첨자 즉 인덱스를 사용합니다.

■ 공백 리스트 선언

리스트 변수에 값을 할당하지 않고 단순히 리스트 변수를 선언만 하고자 할 때 공백 리스트를 사용합니다. 사용법은 score = [ ]와 같이 사용합니다.

■ 리스트 클래스의 생성자 list()

리스트는 list 클래스에 의해 정의된 순서 자료형입니다. 따라서, 리스트 클래스의 생성자를 이용하여 리스트를 생성할 수도 있습니다. score = list()와 같이 리스트변수를 생성하면 score라는 객체가 생성되게 됩니다.

코드

```
score = list()              # 빈리스트
print(score)
print( type(score) )

score = list([10, 20, 30])    # 원소 10,20,30을 가진 리스트
print(score)

score = list("abcd")         # 문자 a,b,c,d를 가진 리스트
print(score)
```

실행 결과

```
[]
<class 'list'>
[10, 20, 30]
['a', 'b', 'c', 'd']
```

■ 리스트 변수 이어 붙이기

코드

```
a = [1, 2, 3]
b = [4, 5, 6]
c = a + b
d = a + [9]
e = a * 2

print(c)
print(d)
print(e)
```

실행 결과

```
[1, 2, 3, 4, 5, 6]
[1, 2, 3, 9]
[1, 2, 3, 1, 2, 3]
```

■ 변수명 = [표현식 for 항목 in 컬렉션 [if 조건식]] 형태의 리스트 생성

"변수명 = [표현식 for 요소 in 컬렉션 [if 조건식]]" 형태로 리스트를 생성하는 것은 컬렉션의 내포를 이용해 리스트를 생성하는 방법입니다. 리스트 변수 선언을 하면서 반복문인 for 문과 조건문인 if 문을 같이 사용하여 초기화를 합니다. 다음은 1부터 10까지의 수 중 짝수만을 갖는 리스트를 생성하는 코드입니다.

코드

```
evenNo = [i for i in range(1, 11) if i % 2 == 0]
print(evenNo)
```

실행 결과

```
[2, 4, 6, 8, 10]
```

(2) 리스트 인덱싱과 슬라이싱

■ 인덱싱

리스트에 있는 값에 접근하기 위해, 이 값의 상대적인 주소를 사용하는 것을 인덱싱이라 합니다. 인덱싱을 사용할 때는 대괄호 안에 상대 주소를 첫 번째 값을 0으로 하고 첫 번째 값과 얼마나 떨어져 있는지를 나타냅니다. 인덱스는 순방향과 역방향으로 값을 줄 수 있으며, 순방향은 시작 인덱스를 0부터, 역방향은 끝의 인덱스를 -1부터 사용합니다.

코드

```
colors = ['red', 'green', 'blue']

print(colors[0]); print(colors[1]); print(colors[2])

print( len(colors) )

print(colors[-1]); print(colors[-2]); print(colors[-3])
```

실행 결과

```
red
green
blue
3
blue
green
red
```

colors = ['red', 'green', 'blue']의 경우 아래 표와 같이 순방향으로 접근할 때는 colors[0], colors[1], colors[2]와 같이 그리고 역방향으로 접근할 때는 colors[−3], colors[−2], colors[−1]와 같이 사용합니다.

변수명	내용 / 인덱스 방향	red	green	blue
colors	순방향	0	1	2
	역방향	-3	-2	-1

■ 슬라이싱

리스트의 인덱스를 사용하여 전체 리스트에서 범위를 지정하여 리스트 내의 원하는 일부를 잘라내어 반환하는 것을 슬라이싱이라 합니다. 다음 리스트 변수 kings의 순방향과 역방향 인덱스는 0부터 3까지 그리고 −4부터 −1까지로 구성됩니다.

```
kings = ["광개토대왕","진흥왕","의자왕","세종대왕"]
```

변수명	인덱스 방향 \ 내용	광개토대왕	진흥왕	의자왕	세종대왕
kings	순방향	0	1	2	3
	역방향	−4	−3	−2	−1

슬라이싱의 기본 사용법은 아래와 같이 리스트 변수명 뒤의 괄호안에 콜론(:)을 기준으로 앞에는 시작 인덱스 뒤에는 마지막 인덱스를 기술하여 원하는 일부를 지정합니다.

- 변수명[시작 인덱스 : 마지막 인덱스]

  만일, 진흥왕과 의자왕 그리고 세종대왕을 지정하고자 한다면 순방향 인덱스를 사용할 때는 kings[1 : 3]와 같이 역방향 인덱스를 사용할 때는 kings[−3 : −1]와 같이 사용합니다.

- 변수명[시작 인덱스 : 마지막 인덱스 : 증감]

  만일, 광개토대왕부터 세종대왕 사이에서 2개 간격으로 값을 지정하려면, 순방향 인덱스를 사용할 때는 kings[0 : 3 : 2]와 같이 역방향 인덱스를 사용할 때는 kings[−4 : −1 : 2]와 같이 사용합니다.

- 변수명[시작 인덱스 :]

  슬라이싱 처리 때, [시작 인덱스 :]과 같이 시작 인덱스만 지정하고 마지막 인덱스를 생략하게 되면 마지막 인덱스는 최댓값을 갖게 됩니다. 진흥왕, 의자왕, 세종대왕을 순방향 인덱스를 사용할 때는 kings[1 :]와 같이 역방향 인덱스를 사용할 때는 kings[−3 :]와 같이 사용합니다.

- 변수명[: 마지막 인덱스]

  슬라이싱 처리 때, [: 마지막 인덱스]과 같이 마지막 인덱스만 지정하고 시작 인덱스를 생략하게 되면 시작 인덱스는 최솟값을 갖게 됩니다. 광개토대왕, 진흥왕, 의자왕을 순방향 인덱스를 사용할 때는 kings[: 2]와 같이 역방향 인덱스를 사용할 때는 kings[: −2]와 같이 사용합니다.

- 변수명[:]

  슬라이싱 처리 때, [:]과 같이 시작 인덱스와 마지막 인덱스를 모두 생략하게 되면 시작 인덱스는 최솟값 마지막 인덱스는 최댓값을 갖게 됩니다. kings[:]와 같이 사용하면 모든 데이터가 선택됩니다.

- 변수명[: : -1]

  슬라이싱 처리 때, [: : −1]과 같이 시작 인덱스와 마지막 인덱스를 모두 생략하고 증감에 −1을 주게 되면 시작 인덱스는 최솟값 마지막 인덱스는 최댓값을 갖게 되고 뒤에서부터 해당 항목이 선택됩니다. kings[: : −1]와 같이 사용하면 세종대왕부터 광개토대왕 순으로 모든 데이터가 역순으로 선택됩니다.

- 변수명[: : 2]

  슬라이싱 처리 때, [: : 2]과 같이 시작 인덱스와 마지막 인덱스를 모두 생략하고 증감에 2를 주게 되면 시작 인덱스는 최솟값 마지막 인덱스는 최댓값을 갖게 되고 앞에서부터 2개씩 건너뛰며 항목이 선택됩니다. kings[: : 2]와 같이 사용하면 광개토대왕, 의자왕 순으로 데이터가 선택됩니다.

코드

```
kings = [ '광개토대왕', '진흥왕', '의자왕', '세종대왕' ]

print( kings[1 : 3] );      print( kings[-3 : -1] ); print( kings[0 : 3 : 2] )
print( kings[-4 : -1 : 2] ); print( kings[1 : ] );     print( kings[-3 : ] )
print( kings[ : 2] );       print( kings[ : -2] );  print( kings[ : ] )
print( kings[ : : -1] )
```

실행 결과

```
['진흥왕', '의자왕']                        # kings[1 : 3]
['진흥왕', '의자왕']                        # kings[-3 : -1]
['광개토대왕', '의자왕']                    # kings[0 : 3 : 2]
['광개토대왕', '의자왕']                    # kings[-4 : -1 : 2]
['진흥왕', '의자왕', '세종대왕']            # kings[1 : ]
['진흥왕', '의자왕', '세종대왕']            # kings[-3 : ]
['광개토대왕', '진흥왕']                    # kings[ : 2]
['광개토대왕', '진흥왕']                    # kings[ : -2]
['광개토대왕', '진흥왕', '의자왕', '세종대왕']  # kings[ : ]
['세종대왕', '의자왕', '진흥왕', '광개토대왕']  # kings[ : : -1]
```

■ 인덱스 범위를 넘는 슬라이싱

kings[−100 : 100]과 같이 가지고 있는 데이터보다 인덱스의 범위를 넘는 슬라이싱을 하게 되면 파이썬은 시작은 가장 작은 인덱스를 마지막은 가장 큰 인덱스를 값으로 [:]와 동일한 의미로 사용됩니다.

(3) 리스트 연산

리스트는 다음 표와 같은 연산을 수행할 수 있습니다. 이 연산은 순서 자료형인 문자열, 튜플에서도 동일하게 적용됩니다.

리스트 연산식	의미	적용 예, l=[1,2,3]
l1 + l2	두 리스트 l1과 l2를 연결 출력	l1=[1,2], l2 = [3,4] l1 + l2 => [1,2,3,4]
l * n 또는 n * l	리스트를 n번 반복하여 연결 출력	l * 2 => [1,2,3,1,2,3]
x in l	리스트 l에 원소 x가 있으면 참	2 in l => True
x not in l	리스트 l에 원소 x가 없으면 참	2 not in l => False
l[i : j]	인덱스 i에서 j−1까지 리스트 l 부분	l[1:2] => [2]
len(l)	리스트 l의 길이	len(l) => 3

리스트 연산식	의미	적용 예, l=[1,2,3]
min(l)	리스트 l에서 가장 작은 항목	min(l) => 1
max(l)	리스트 l에서 가장 큰 항목	max(l) => 3
sum(l)	리스트 내 숫자의 합	sum(l) => 6

코드

```
l=[1,2,3]
l1=[1,2]; l2 = [3,4]

print(l1 + l2);    print(l * 2);    print(2 in l)
print(2 not in l);  print(l[1:2]);    print(len(l))
print(min(l));    print(max(l));    print(sum(l) )
```

실행 결과

```
[1, 2, 3, 4]
[1, 2, 3, 1, 2, 3]
True
False
[2]
3
1
3
6
```

리스트 변수에 대해서도 다음 표와 같은 관계 연산자를 적용할 수 있습니다. 두 개의 리스트 l1 = [1, 2, 3]와 l2 = [4, 5, 6]에 대해 관계 연산하여 참과 거짓을 반환합니다. 리스트 관계 연산 비교는 사전식 순서를 따릅니다. 즉, 두 리스트의 첫 번째 항목이 서로 비교되며, 이들이 서로 같으면, 두 번째 항목이 서로 비교됩니다. 이러한 과정은 두 리스트의 모든 항목에 대해 반복적으로 비교를 수행합니다.

관계 연산자	적용 예	결과
〈	l1 〈 l2	True
〈=	l1 〈= l2	True
〉	l1 〉 l2	False
〉=	l1 〉= l2	False
==	l1 == l2	False
!=	l1 != l2	True

코드

```
l1=[1, 2, 3]; l2 = [4, 5, 6]

print(l1 < l2);  print(l1 <= l2); print(l1 > l2)
print(l1 >= l2); print(l1 == l2); print(l1 != l2)
```

실행 결과

```
True
True
False
False
False
True
```

(4) 리스트 메소드

메소드는 클래스 내의 동작을 담당하는 클래스 멤버 함수를 나타내는 용어입니다. 리스트 변수를 선언하게 되면 리스트 객체가 생기면서 자동으로 리스트 클래스의 메소드와 속성을 상속받아 해당 함수들을 사용할 수 있게 됩니다.

메소드	반환 데이터유형	의미
append(x)	None	x 항목을 리스트 끝에 객체로 추가
extend(l)	None	리스트 l을 객체가 아닌 항목으로 추가

메소드	반환 데이터유형	의미
count(x)	int	리스트 내에 x 항목의 개수 반환
index(x)	int	리스트에서 x항목이 첫번째로 나온 위치의 인덱스 반환
insert(i, x)	None	항목 x를 지정된 i인덱스에 삽입
pop(i)	Object	지정된 위치 항목 제거하고, 해당 항목 반환. i지정하지 않으면 마지막 항목 제거하고, 해당 항목 반환
remove(x)	None	리스트에서 x 항목 제거. 2개 이상이면 첫번째 것 제거
reverse(x)	None	리스트 원소들을 역순으로 만듬
sort()	None	리스트 항목들을 오름차순으로 정렬, sort(reverse)는 역순
clear()		리스트의 모든 항목을 삭제함
copy()		리스트를 복사함(얕은 복사)
__len__()		리스트 내 항목의 개수를 출력

리스트를 다룰 때 가장 많이 사용하는 메소드는 append()로 리스트 추가 입력에 사용하게 됩니다. 리스트 원소를 접근하기 위해서는 소속 연산자(.)를 사용합니다. 점(.)을 객체에 대한 소속 연산자 또는 접근 연산자라 부릅니다.

코드

```
score= [1,2,3 ]
score.append(4)
print(score)

score1 = [4, 5, 6]
score.append(score1)
print(score)

colors = ['red', 'green', 'blue']
colors.append('cyan')
print(colors)

color1 = ['pink', 'orange']
colors.append(color1)
print(colors)
```

실행 결과

```
[1, 2, 3, 4]
[1, 2, 3, 4, [4, 5, 6]]
['red', 'green', 'blue', 'cyan']
['red', 'green', 'blue', 'cyan', ['pink', 'orange']]
```

■ append, extend 메소드

append 메소드는 score.append(4)처럼, 리스트 항목 [1, 2, 3]의 가장 뒤에 추가로 항목 4를 추가하지만, score.append(score1)과 같이 리스트 score1을 추가하게 되면 score1 리스트 자체를 하나의 항목으로 보고 [1, 2, 3, 4, [4, 5, 6]]와 같이 추가됩니다.

extend 메소드는 위 예제의 score1이나 color1과 같이 리스트를 항목으로 추가할 때, append 메소드처럼 리스트 자체를 하나의 항목으로 추가하지 않고 리스트 내의 항목을 [1, 2, 3, 4, 5, 6]와 같이 항목별로 추가합니다.

코드

```
score= [1,2,3 ]
#score.extend(4)
print(score)

score1 = [4, 5, 6]
score.extend(score1)
print(score)

colors = ['red', 'green', 'blue']
colors.extend('cyan')
print(colors)

color1 = ['pink', 'orange']
colors.extend(color1)
print(colors)
```

실행 결과

```
[1, 2, 3]
[1, 2, 3, 4, 5, 6]
['red', 'green', 'blue', 'c', 'y', 'a', 'n']
['red', 'green', 'blue', 'c', 'y', 'a', 'n', 'pink', 'orange']
```

■ index, count 메소드

리스트 안 특정 항목의 인덱스를 확인하기 위해서 index() 메서드를 사용하고, 특정 항목이 몇 개 있는지 확인하기 위해서 count() 메서드를 사용합니다.

코드

```
saying = "Life is short, Art is long".split()
print( type(saying) )
print(saying)
print(saying.index("Art") )
print(saying.count("is") )
```

실행 결과

```
<class 'list'>
['Life', 'is', 'short,', 'Art', 'is', 'long']
3
2
```

```
saying = "Life is short, Art is long".split()
```

split 메소드는 문자열에 적용되는 메소드로, 프로그램 코딩할 때 많이 사용됩니다. 입력된 문자열을 빈 칸을 구분자로하여 단어를 구분한 후 리스트 형으로 단어들을 돌려줍니다. append 메소드는 score.append(4)처럼, 리스트 항목 [1, 2, 3]의 가장 뒤에 추가로 항목 4를 추가하지만, score.append(score1)과 같이 리스트 score1을 추가하게 되면 score1 리스트 자체를 하나의 항목으로 보고 [1, 2, 3, 4, [4, 5, 6]]와 같이 추가됩니다.

코드

```
saying = "Life is short, Art is long".split()
good_saying = saying

print(good_saying, saying)

saying.sort()
print(good_saying, saying)

saying.sort(reverse=True)
print(good_saying, saying)
```

실행 결과

```
['Life', 'is', 'short,', 'Art', 'is', 'long'] ['Life', 'is', 'short,', 'Art', 'is', 'long']
['Art', 'Life', 'is', 'is', 'long', 'short,'] ['Art', 'Life', 'is', 'is', 'long', 'short,']
['short,', 'long', 'is', 'is', 'Life', 'Art'] ['short,', 'long', 'is', 'is', 'Life', 'Art']
```

리스트 안 항목들을 오름차순으로 정렬하는 메소드는 sort()입니다. 내림차순으로 항목들을 정렬하려면 sort(reverse=True)를 사용합니다. 리스트에서 sort 메소드를 사용할 때는 예제의 saying과 good_saying 값이 변화를 어떻게 변화하는지를 주의 깊게 살펴볼 필요가 있습니다. 리스트 자료형을 설명하면서 리스트 변수가 선언되면 값이 변수에 할당되는 것이 아니라 주소가 변수에 할당된다고 이야기하였습니다. 그러다 보니, 변수 saying에 대해 변수 good_saying을 good_saying = saying과 같이 대입시키게 되면 두 개의 변수는 동일한 주소값을 갖게 됩니다. 따라서 saying.sort()로 saying의 값을 오름차순으로 정렬하게 되면 good_saying의 값도 같이 변화하게 됩니다.

■ sorted() 함수

리스트의 sort 메소드는 리스트 원본 자료를 변경하지만, sorted함수는 원본을 변경하지 않고 새롭게 정렬된 결과를 반환합니다. 또, 리스트의 sort 메소드는 리스트만 적용되지만, sorted 함수는 리스트, 사전, 문자열에도 사용 가능합니다. sorted함수의 사용법은 정렬할 객체 리스트 1개만을 인자로 받는 방법과 정렬할 객체 리스트와 단어의 수를 key로 설정하여 받는 방법이 있습니다.

■ sorted() 1개 인자 사용

리스트의 sort메소드와 다르게 good_saying과 saying이 sorted로 정렬하여 대입하였을 때 서로 다른 변수로 인식함을 알 수 있습니다.

코드

```
saying = "Life is short, Art is long".split()
good_saying = sorted(saying)

print(good_saying, saying)
```

실행 결과

```
['Art', 'Life', 'is', 'is', 'long', 'short,'] ['Life', 'is', 'short,', 'Art', 'is', 'long']
```

■ sorted() 함수에서 key를 이용하여 2개 인자 사용

첫 번째 인자는 리스트 객체를 넣고 두 번째 인자는 단어의 수를 key로 설정하여 정렬해 봅니다.

코드

```
saying = "Life is short, Art is long".split()
good_saying = sorted(saying, key =len)

print(good_saying, saying)
```

실행 결과

```
['is', 'is', 'Art', 'Life', 'long', 'short,'] ['Life', 'is', 'short,', 'Art', 'is', 'long']
```

```
sorted(strings, key=lambda element:lement[n])
```

key값에 익명 함수인 lambda를 사용하여 표현하면 정렬 기능이 더욱 강력해집니다. 또한 key 값에 마이너스(-)를 붙이면 내림차순으로 정렬하게 됩니다.

■ reverse 메소드

코드

```
saying = "Life is short, Art is long".split()
good_saying = saying

print(good_saying, saying)

saying.sort()
print(good_saying, saying)

saying.reverse()
print(good_saying, saying)
```

실행 결과

```
['Life', 'is', 'short,', 'Art', 'is', 'long'] ['Life', 'is', 'short,', 'Art', 'is', 'long']
['Art', 'Life', 'is', 'is', 'long', 'short,'] ['Art', 'Life', 'is', 'is', 'long', 'short,']
['short,', 'long', 'is', 'is', 'Life', 'Art'] ['short,', 'long', 'is', 'is', 'Life', 'Art']
```

리스트의 reverse 메소드는 리스트의 sort(reverse = True)와 같은 기능을 합니다.

■ insert 메소드

insert 메소드는 기존 리스트의 i번째 인덱스에 새로운 값을 추가합니다. i번째 인덱스를 기준으로 뒤쪽의 인덱스가 하나씩 밀려 저장됩니다.

코드

```
colors = ['red', 'green', 'blue']
colors.insert(1,'cyan')
print(colors)
```

실행 결과

```
['red', 'cyan', 'green', 'blue']
```

■ remove 메소드

remove 메소드는 리스트 내의 특정 값을 삭제합니다.

코드

```
colors = ['red', 'green', 'blue']
colors.remove('green')
print(colors)
```

실행 결과

```
['red', 'blue']
```

■ 인덱스 재할당 및 del 메소드

특정한 항목의 값을 값을 바꿀 때는 해당 인덱스에 바꿀 값을 대입하면 됩니다. del 메소드로 특정 항목을 삭제하면 리스트의 항목들은 인덱스를 끌어와 순서를 재할당 됩니다.

코드

```
colors = ['red', 'green', 'blue']
colors[0] = ('pink')
print(colors)

del color[0]
print(colors)
```

실행 결과

```
['pink', 'green', 'blue']
[ 'green', 'blue']
```

■ 다양한 자료형을 갖는 리스트

코드

```
list = [1, 3, 4, 2, 5, 'today', 'is', 'monday']
```

리스트는 다양한 자료형의 데이터를 항목로 받아들일 수 있으며, 중복된 값도 들어갈 수 있습니다. 즉 항목마다 그 형태가 똑같지 않아도 된다는 것이 특징입니다. 심지어 리스트 구조의 데이터를 또 다른 리스트의 항목으로 집어넣을 수도 있습니다. 이 경우 리스트 자체가 하나의 항목으로 취급됩니다.

코드

```
list = [1, 3, 4, 2, 5, ['today', 'is', 'monday']]
```

■ 리스트 내의 항목의 수

코드

```
list = [1, 3, 4, 2, 5, ['today', 'is', 'monday']]
list.__len__()
```

리스트의 길이는 __len__() 메소드를 사용하여 알아볼 수 있습니다. 해당 메소드를 사용하면 대상 리스트 내 항목의 개수를 반환합니다.

(5) 리스트 패킹과 언패킹

한 변수에 여러 개의 데이터를 할당하는 것을 패킹(packing)이라 하고 한 변수의 데이터를 각각의 변수로 반환하는 것을 언패킹(unpacking)이라 합니다.

코드

```
colors = ['red', 'green', 'blue']
r, g, b = colors
print(colors)
print(r, g, b)
```

실행 결과

```
['red', 'green', 'blue']
red green blue
```

colors = ['red', 'green', 'blue']와 같이 여러 개의 리스트 값을 하나의 변수 colors에 할당하는 것을 패킹이라 하고, 한 개의 변수 colors의 값을 r, g, b 변수에 각각 반환하는 것을 언패킹이라 합니다. 리스트에 값이 3개인데, 5개의 변수에 언패킹을 시도한다거나 2개의 변수에 언패킹하게 되면 할당받는 변수의 개수가 적거나 많아 모두 에러가 발생합니다.

(6) 리스트 컴프리헨션

리스트 컴프리헨션은 반복문의 특별한 형태로 순차적인 원소의 리스트를 생성할 때 사용하는 방법입니다. 단 한 줄에 <조건 만족 표현식> if <조건> else <조건 만족 않는 표현식> 형태의 조건문을 표현합니다. 더욱 간결하고, 이해가 쉬운 코드 작성이 가능해지고 리스트, 집합, 사전 등에서 반복 조건 제시만으로 각 항목에 대한 반복적 계산이 가능해집니다.

코드

```
a = [i*i for i in range(1,11)]
b = [i*i for i in range(1,11) if i%2 == 0]
c = [i*j for i in range(2,10) for j in range(1,10)]

print(a)
print(b)
print(c)
```

실행 결과

```
[1, 4, 9, 16, 25, 36, 49, 64, 81, 100]
[4, 16, 36, 64, 100]
[2, 4, 6,....., 63, 72, 81]
```

[i*i for i in range(1,11)]는 1부터 10까지 자기 자신을 곱한 값을 계산합니다. [i*i for i in range(1,11) if i%2 == 0] 는 표현식에 조건식을 추가하여 짝수의 값만 자기자신과 곱셈을 합니다. [i*j for i in range(2,10) for j in range(1,10)]는 for 문을 이중으로 사용하여 구구단을 2단부터 9단까지 계산을 합니다.

리스트 생성 시 사용하는 대괄호([])안에 표현식을 작성하고 그 다음에 for 문을 이용하거나, for 문 뒤에 if 문을 넣어 리스트를 생성하는 방법입니다. 데이터 분석시 많이 사용되며, 이 방법은 집합에서 조건 제시법을 제시하는 것과 같습니다. 수학에서 A={1, 2, 3, …, 5}를 조건 제시법으로 표현하면 A={x| 1<=x<=5, x는 자연수}로 표현됩니다. 즉 집합 기호 안에 {객체| 객체 조건} 형식으로 작성됩니다. 리스트 컴프리헨션도 [객체 조건]형식으로 작성되며, 객체이름은 보통 x를 사용하고 조건은 for 문과 for 문 if 문을 이용합니다.

(7) 단일 리스트와 중첩 리스트

■ 단일 리스트

다음과 같은 조건의 문제를 리스트 자료형을 이용하여 해결해 보고자 합니다. 이때 조건에서 처리하는 대상이 성적이라는 단일 대상을 하고 있습니다. 이런 경우, 우리는 단일 리스트 형태를 사용하게 됩니다.

- 조건 1. 파이썬 수업을 듣는 학생이 10명 있습니다.
- 조건 2. 10명에 대한 성적을 입력받습니다.
- 조건 3. 입력받은 성적에 대한 합계를 구합니다.
- 조건 4. 계산된 합계를 출력합니다.

조건 1을 해결하기 위해, 우리는 학생 수가 10명이므로 S_NO = 10으로 정의해 놓습니다. 조건 2를 해결하기 위해, 10명 학생들의 성적을 저장할 리스트 변수 score를 생성하고, 10명이 될 때까지 한 명씩 input 명령을 이용하여 성적을 입력받습니다. 추가로 입력된 데이터를 리스트에 추가해야 하기 때문에 리스트 데이터 추가 메소드인 append()를 사용합니다. 10명이 될 때까지 한명씩 성적을 가져올 때는 for 문을 사용합니다. 이렇게 하면 우리는 10명 학생의 성적을 하나씩 가져와 score에 추가할 수있습니다.

그런데 왜 우리는 학생 10명에 대해 변수인 S_NO를 정의하고 사용하는 걸까요? 그 이유는 프로그램 코딩할 때는 항상 확장성을 생각해서 코딩하는 것이 유용하기 때문입니다. 예를 들어 현재는 대상 학생이 10명인데, 더 늘어나게 되면 전체 알고리즘 안에 있는 반복문의 끝 값을 수정해야 하게 됩니다. 만일, 프로그램 상단에 S_NO를 선언해 놓고 인원이 바뀔 때마다 수정하게 되면 프로그램의 알고리즘은 수정하지 않고 인원을 필요에 따라 수시로 바꿀 수 있어 프로그램 관리나 확장성에서 유리합니다. 리스트 항목을 접근하기 위해 사용하는 인덱스의 시작은 0이라는 부분을 꼭 기억 바랍니다.

코드

```
S_NO = 10    # 학생수 선언
score= [ ]   # 리스트 생성
for i in range(0, S_NO) :
    sdata = int(input( '%d 성적 입력 : ' % i))
    score.append(sdata)
print(score)
```

이제 입력 받은 score의 합을 계산해 보겠습니다. 합을 계산하는 방법은 for 문과 같은 반복문을 이용하여 계산할 수 도 있고 sum() 함수를 이용하여 리스트 내의 값을 합산할 수도 있습니다.

코드

```
sumScore = 0
for sdata in score :
    sumScore = sumScore + sdata

#다른 방법
# sumScore = sum(score)
print('합계: ', sumScore
```

■ 중첩 리스트

중첩 리스트는 리스트의 리스트 형태를 말합니다. 중첩된 형태에 따라서 이차원 리스트, 삼차원 리스트라고 부를 수도 있습니다. 대표적인 이차원 리스트는 아래와 같이 행과 열로 나타내는 표의 형태를 띠게 됩니다.

과목 / 학생	국어	영어	수학
A	80	60	95
B	85	80	65
C	75	100	40
D	95	85	70

즉, 행과 열이 있는 표 형태로 데이터가 표현되었을 때 이차원 중첩 리스트를 이용하여 자료를 저장합니다. 먼저 행벡터에 해당하는 리스트를 만든 후, 이 리스트를 열벡터에 해당하는 리스트에 집어넣는 형태로 구현합니다. 위 성적에 대해서는 [80, 60, 95] [85, 80, 65]와 같은 형태로 먼저 만들고 이를 쌓는다고 생각하면 쉽게 이해할 것이 있습니다. 쌓게 되면 [[80, 60, 95], [85, 80, 65], [75, 100, 40], [95, 85, 70]]와 같이 이차

원 리스트 형태가 됩니다. 이상의 리스트 값은 행을 기준으로 한 학생별 국어, 영어, 수학 점수를 나타내는 표가 되겠습니다.

각 단일 리스트	이차원 리스트
[80, 60, 95] [85, 80, 65] [75, 100, 40] [95, 85, 70]	[[80, 60, 95], [85, 80, 65], [75, 100, 40], [95, 85, 70]]

코드

```
A = [80, 60, 95]
B = [85, 80, 65]
C = [75, 100, 40]
D = [95, 85, 70]

score = [  [80, 60, 95],  [85, 80, 65],   [75, 100, 40],    [95, 85, 70]  ]
print(score[0])
print(score[0][1])
print(sum(score[0]))
```

실행 결과

```
[80, 60, 95]
60
235
```

■ 이차원 리스트 인덱스로 항목 접근

a = [[11, 22], [33, 44], [55, 66]] 인 3 x 2형태의 이차원 리스트에 대해 각 셀,에 접근하기 위한 인덱스 표기법은 아래 그림의 a[0][0]부터 a[2][1]과 같습니다. 3 x 2형태의 이차원 리스트 a에서 a[0]과 같이 처음 대괄호만 사용하고 뒤의 대 괄호를 생략하게 되면 첫 번째 행 전체가 선택됩니다. sum(a[0])과 같은 형태를 취하면 1행의 모든 값에 대한 합을 구하게 됩니다.

a = [[11, 22], [33, 44], [55, 66]]

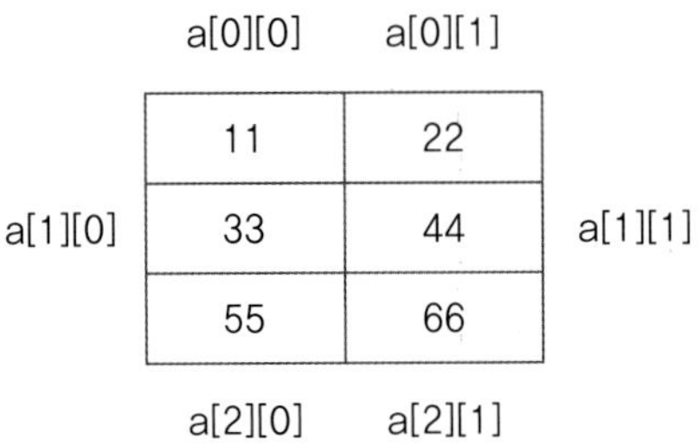

	a[0][0]	a[0][1]	
	11	22	
a[1][0]	33	44	a[1][1]
	55	66	
	a[2][0]	a[2][1]	

이차원 리스트를 이용하여 다음 조건의 문제를 해결하는 프로그램을 작성해 봅니다.

문제 선생님이 성적을 처리하고자 합니다. 한 반에 학생이 3명이고, 국어, 영어, 수학 과목에 대한 성적을 입력하면 학생별로 시험점수의 합계를 내고자 합니다.

코드

```
Student_NO = 3;  Subject_NO = 3

score = []
for i in range(0, Student_NO) :
   pScore = [] # 개인 성적
   print("\n %3d번 학생" %(i+1) )
   Kor  = int(input('국어 점수? '));
   Eng  = int(input('영어 점수? '))
   Math = int(input('수학 점수? '))
   pScore = [Kor, Eng, Math]
   score.append(pScore)

print('  학생  국어 영어 수학 합계')
for i in range(0,Student_NO) :
   print(' %3d번:' %(i+1), end='' )
   for j in range(0, Subject_NO) :
      print('%4d ' %(score[i][j]), end='')
   print(sum(score[i]) )
```

실행 결과

```
 1번 학생
국어 점수? 90
영어 점수? 90
수학 점수? 90

 2번 학생
국어 점수? 80
영어 점수? 80
수학 점수? 80

 3번 학생
국어 점수? 100
영어 점수? 100
수학 점수? 100
 학생  국어  영어  수학   합계
 1번:   90    90    90   270
 2번:   80    80    80   240
 3번:  100   100   100   300
```

```
Student_NO = 3   #학생 수
Subject_NO = 3   #과목 수
```

입력받을 학생 수와 과목 수를 변수로 정의합니다.

```
score = []
```

전체 학생의 성적을 입력할 리스트 변수입니다.

```
for i in range(0, Student_NO) :
```

정의된 학생 수만큼 반복문을 수행합니다.

```
    pScore = [] # 개인 성적
```

임시로 한 명의 국어, 영어, 수학 점수를 입력받을 리스트 변수입니다.

```
print("%3d번 학생" %(i+1) )
```

몇 번째 입력되는 학생인지 출력해줍니다.

```
Kor  = int(input('국어 점수? '))
  Eng  = int(input('영어 점수? '))
  Math = int(input('수학 점수? '))
```

국어, 영어, 수학 점수를 입력받습니다.

```
pScore = [Kor, Eng, Math]
```

입력받은 국어, 영어, 수학 점수를 한 학생 정보를 관리하는 리스트 변수 pScore에 입력합니다.

```
score.append(pScore)
```

입력받은 학생의 국어, 영어, 수학 점수 정보를 이차원 리스트 변수 score에 추가합니다.

```
print('  학생  국어 영어 수학 합계')
```

출력 화면 상단에 타이틀을 출력합니다. 출력되는 내용에 맞추어 여백을 조정하여 보기 좋게 편집합니다.

```
for i in range(0,Student_NO) :
```

학생 수 만큼 출력을 하기위해 for 문을 사용합니다.

```
print(' %3d번:' %(i+1), end='' )
```

몇 번째 학생인지를 출력합니다. print문은 별다른 조치를 하지 않으면 행을 강제로 바꾸는 ""의 기능이 동작하여 연속으로 화면에 값을 출력하지 못합니다. 따라서 end연산에 작은따옴표(')를 대입하여 다음 출력문을 연달아 출력합니다.

```
for j in range(0, Subject_NO) :
```

과목의 수만큼 반복하며 각 과목의 점수를 가져옵니다.

```
    print('%4d ' %(score[i][j]), end='')
```

가져온 과목의 점수를 국어, 영어, 수학 순으로 출력합니다. 계속 오른쪽에 출력할 내용이 남아 있기에 end=''를 명시해줍니다.

```
print(sum(score[i]) )
```

sum함수를 이용하여 학생별로 점수를 합산하여 출력합니다.

3. 튜플(Tuple)

튜플은 여러 개 데이터를 한 이름으로 묶어서 저장할 때 사용되는 리스트와 마찬가지로 순서를 갖는 자료형입니다. 리스트와의 차이는 리스트는 대괄호[ ]를 사용하고 튜플은 소괄호( )를 사용합니다. 그리고 리스트는 항목의 값을 변경할 수 있지만, 튜플은 항목의 값이 고정되어 변경할 수 없습니다. 즉, 튜플이 생성되면 튜플에 새로운 항목을 추가, 삭제, 대체, 순서 변경을 허용하지 않습니다.

■ 소괄호를 이용한 튜플 생성

튜플을 생성하기 위해서 소괄호( )를 사용하는데, 만약 저장해야 할 자료가 5개가 (10, 20, 30, 40, 50)와 같다면 t1 = (10, 20, 30, 40, 50)같이 튜플을 만들어 사용합니다.

코드

```
t1 = (10, 20, 30, 40, 50)
print(t1)
```

■ tuple 클래스 생성자를 이용한 튜플 생성

튜플은 tuple클래스(Class)에 의해 정의된 순서 자료형이기 때문에 tuple 클래스의 생성자를 이용하여 튜플을 생성할 수도 있습니다. 튜플 생성자를 가지고 t1 튜플을 생성하면 t1이라는 객체가 생성되게 됩니다.

코드

```
t1 = tuple()              # 빈 튜플 생성
print(t1)

t1 = tuple([10, 20, 30])      # 리스트로 부터 튜플생성
print(t1)

t1 = tuple("abcd")         # 문자열로 부터 튜플생성
print(t1)
```

실행 결과

```
()
(10, 20, 30)
('a', 'b', 'c', 'd')
```

■ 리스트 컴프리헨션을 이용한 튜플 생성

튜플을 생성할 때 리스트 컴프리헨션을 이용하여 만들 수 있습니다.

코드

```
t1 = tuple([x for x in range(1, 5)])
print(t1)
```

튜플은 순서 자료형으로 리스트와 마찬가지로 다음과 같은 순서형 연산을 수행할 수 있습니다.

코드

```
t1 = (1, 2, 3, 4, 5)
print( len(t1) )          # 5
print( max(t1) )          # 5
print( min(t1) )          # 1
print( sum(t1) )          # 15
t2 = (6, 7, 8)
t3 = t1 + t2        # (1,2,3,4,5,6,7,8) 튜플 생성
print(t3)
```

튜플의 항목들에 접근하기 위해서는 리스트와 마찬가지로 인덱스를 이용하여 접근하면 됩니다. 인덱스의 시작은 0부터 시작됩니다.

코드

```
t1 = (1, 2, 3, 4, 5)
print( t1[1] )          # 두번째 원소 (2)
print( t1[2:4] )          # 슬라이싱 (3,4)
```

4. 집합(Set)

집합은 리스트, 튜플과 마찬가지로 여러 개 데이터를 한 이름으로 묶어서 저장할 때 사용되는 자료형으로 항목들은 중복되지 않으며 리스트나 튜플과 다르게 특정한 순서로 놓여져 있지 않습니다.

■ 중괄호를 이용한 세트 생성

집합을 생성하기 위해서 중괄호({})를 사용합니다. 만약 저장해야 할 자료 5개가 (10, 20, 30, 40, 50)와 같이 있다면 st1 = {10, 20, 30, 40, 50}같이 집합을 만들어 사용합니다.

코드

```
s1 = {{10, 20, 30, 40, 50}}
print(s1)
```

■ set 클래스 생성자를 이용한 세트 생성

집합은 set클래스에 의해 정의된 자료형이기 때문에 set 클래스의 생성자를 이용하여 집합을 생성할 수도 있습니다. set 생성자를 가지고 s1 세트를 생성하면 s1이라는 객체가 생성되게 됩니다.

코드

```
s1 = set()              # 빈 세트 생성
print(s1)

s1 = set([10, 20, 30])      # 리스트로 부터 세트생성
print(s1)

s1 = set("abcd")          # 문자열로 부터 튜플생성
print(s1)
```

실행 결과

```
set()
{{10, 20, 30}}
{{'a', 'b', 'c', 'd'}}
```

■ 리스트 컴프리헨션을 이용한 세트 생성

집합을 생성할 때 리스트 컴프리헨션을 이용하여 만들 수 있습니다.

코드

```
s1 = set([x for x in range(1, 5)])
print(s1)
```

집합은 리스트, 튜플과 같이 다음과 같은 순서형 연산을 수행할 수 있습니다.

코드

```
s1 = {{1, 2, 3}}

print( len(s1) )          # 3
print( max(s1) )          # 3
print( min(s1) )          # 1
print( sum(s1) )          # 6
```

■ add, remove 메소드

집합은 add, remove 메소드를 이용하여 항목을 추가, 삭제할 수 있습니다.

메소드	의미
add(x)	x 항목을 세트에 추가
remove(x)	세트 내에 x 항목 제거

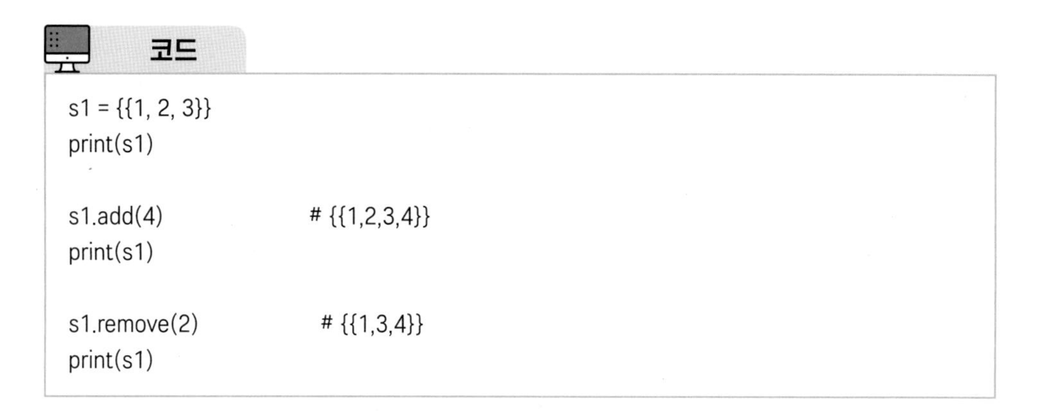

코드

```
s1 = {{1, 2, 3}}
print(s1)

s1.add(4)            # {{1,2,3,4}}
print(s1)

s1.remove(2)         # {{1,3,4}}
print(s1)
```

집합은 합집합, 교집합, 배타적 교집합, 부분집합, 상위집합을 위한 메소드를 제공합니다.

메소드	의미
union(s)	두 집합의 합집합
intersection(s)	두 집합의 교집합
symmetric_difference(s)	두 집합의 배타적 교집합
issubset(s)	집합 내에 부분집합 s가 존재하는 지 검사. True 또는 False값 반환
issuperset(s)	집합 s가 집합 내에 존재 한다면 상위집합이 됨. True 또는 False값 반환

코드

```
s1 = {{1, 2, 3}}
s2 = {{1, 3, 5}}

s1.issubset(s2)                    # FALSE
s1.issuperset(s2)                  # FALSE
s1.union(s2)                       # {{1,2,3,5}}
s1.intersection(s2)                # {{1,3}}
s1.symmetric_difference(s2)        # {{2, 5}}
```

5. 사전(Dictionary)

사전은 데이터를 키와 값의 쌍을 이용하여 저장할 때 사용되는 자료형입니다. 사전은 키와 값의 쌍 구조가 사전과 유사한 자료 구조로 되어 있습니다. 사전은 그림과 같이 키와 함께 값을 저장하며 키는 해시 가능 객체이며 인덱스와 유사하게 운용되며 값을

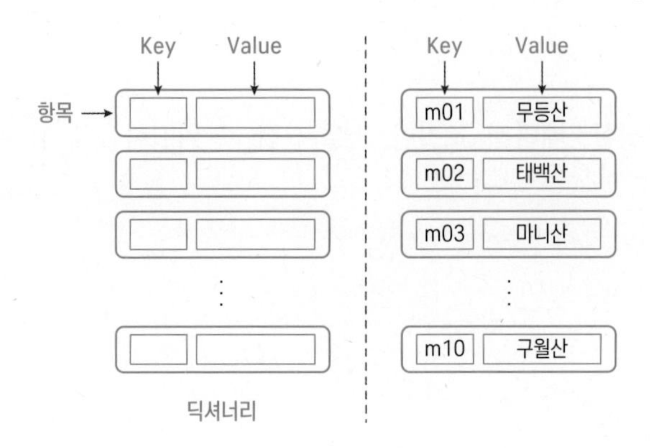

찾는 데 사용합니다. 사전에서는 중복키를 가질 수 없습니다.

리스트는 인덱스를 이용하여 데이터를 접근하지만, 사전은 key를 이용하여 접근하게 합니다. 또, 키를 이용하여 빠르게 값을 검색, 삭제, 갱신할 수 있습니다. 사전을 생성하기 위해서는 중괄 괄호({ }) 안에 "Key : Value"로 된 항목을 이용합니다. 빈 사전을 생성하기 위해서는 { }만을 사용합니다.

```
dictionaryName = {"key : value"}
```

코드

```
mount = {{"m01 : 무등산","m02 : 태백산", "m03 : 마니산"}}
mount ={{ }}                          # 빈 사전 생성
```

사전에 항목을 추가하기 위해서는 아래와 같은 문법을 사용합니다. 위의 mount 사전에 "m10 : 구월산"을 추가하면 아래와 같습니다. 만약 사전에 key가 "m10"이 존재하면 m101의 값을 value인 "구월산"으로 교체합니다.

```
dictionaryName["key"] = value
```

코드

```
mount["m10"]= "구월산"
```

사전에 값을 검색하기 위해서는 아래와 같은 문법을 사용합니다. 사전에 key가 존재하면 그 key에 대한 value가 반환됩니다. 만일 해당한 key가 없으면 "key Error" 예외가 발생합니다.

```
dictionaryName["key"]
```

코드

```
mt = mount["m01"]              # 무등산 반환
print(mt)

mount["m12"]               # key Error 예외 발생
```

■ for 문으로 모든 사전 출력하기

사전을 하나씩 가져오기 위해서는 for 문을 사용할 수 있습니다. 이때 key를 이용하여 값을 하나씩 가져오면 됩니다.

코드

```
for key in mount :
    print(mount[key])
```

사전에 대한 파이썬 클래스는 dict입니다. 사전 객체가 사용할 수 있는 메소드는 다음 표와 같습니다.

메소드	반환 데이터유형	의미
clear()	None	모든 원소 삭제
get(key)	value	키에 대한 값을 반환
items()	Tuple	일련의 튜플 반환
keys()	Tuple	일련의 키들을 반환
values()	Tuple	키에 대한 항목 값 반환
pop(key)	value	키에 대한 항목 삭제하고, 그 항목 값 반환
popitem()	tuple	랜덤하게 선택된 키/값 쌍을 튜플 형태로 반환하고, 선택 항목 삭제
copy()		사전을 복사함 (얕은 복사)
update(dict)		두 사전을 병합함 (사전과 매개변수로 준 사전을 하나로 합침)

코드

```
mount = {{'m01':'무등산', 'm02':'태백산', 'm03':'마니산' }}
print(mount)

myKey = mount.keys()
print(myKey)

myValue = mount.values()
print(myValue)

mount.items()

for k, v in mount.items():
    print("Key:",k)
    print("Value:",v)
```

실행 결과

```
{{'m01': '무등산', 'm02': '태백산', 'm03': '마니산'}}
dict_keys(['m01', 'm02', 'm03'])
dict_values(['무등산', '태백산', '마니산'])
Key: m01
Value: 무등산
Key: m02
Value: 태백산
Key: m03
Value: 마니산
```

사전 클래스의 메소드 중 하나인 get()과 key 값을 이용하여 값에 접근할 수 있으며[1], 또 keys(), values() 메소드로 key 또는 값만 따로 분류할 수도 있습니다.

사전의 장점이라고 한다면, 리스트와 다르게 순서가 부여되어 있지 않고 key 값을 통해 원하는 값으로 바로 접근하기 때문에 값을 찾을 때 실행 시간이 리스트에 비해 훨씬 빠르다는 점입니다.

---

1 이때 만약 key 값이 사전에 존재하지 않는다면 None이 반환됩니다.

사전에 값을 저장하고 싶으면 mount['m01'] = '백두산'과 같이 작성하면 됩니다. 이 경우 사전의 가장 마지막 부분에 데이터가 추가되며, 만일 이미 있는 key 값을 사용했다면 사용된 key 값에 저장된 기존의 값이 새로 작성한 값으로 바뀌게 됩니다.

사전에서 값을 삭제하려면 pop() 메소드를 mount.pop['m01'] 또는 del 키워드를 사용하여 del mount['m01']과 같이 작성하면 됩니다.

또 update() 메소드를 사용하여 두 개의 사전을 합칠 수 있습니다. 당연한 이야기지만 key 값이 중복된다면, 병합 과정에서 해당 key에 대응되는 값이 매개변수로 쓰인 사전의 값으로 교체됩니다.

사전의 key값과 값을 동시에 확인하려면 items() 메소드를 사용하면 됩니다. 또 popitem() 메소드를 사용해 가장 마지막 key-value 쌍을 사전에서 삭제한 후 그 값을 (key, value) 형태로 확인할 수 있습니다.

1. 문자열 중에서 앞으로 읽는 것과 뒤로 읽는 것이 동일한 것을 회문(palindrome)이라고 한다. 사용자로부터 문자열을 입력받아서 회문 여부를 검사하는 프로그램을 작성해보자.

코드

```
myStr = input("문자열을 입력하시오: ")

revStr = reversed(myStr)
if list(myStr) == list(revStr):
  print("회문입니다.")
else:
  print("회문이 아닙니다.")
```

실행 결과

```
문자열을 입력하시오: abba
회문입니다.
```

2. 문전화 키패드에는 각 숫자키마다 3개의 문자가 적혀있다. 사용자가 입력한 문자열을 전화기의 숫자키로 변환하는 프로그램을 작성해보자.

코드

```
numbers = [('abc',2), ('def',3), ('ghi',4), ('jkl',5), ('mno',6), ('pqrs',7), ('tuv',8),
('wxyz',9)]
num_map = {{c:v for k,v in numbers for c in k}}
s = input("문자열을 입력하시오: ")
result = "".join(str(num_map.get(v,v)) for v in s.lower())
print(result)
```

실행 결과

```
문자열을 입력하시오: NUMBER
686237
```

3. 사전을 사용하여서 친구들의 이름과 전화번호를 저장해보자. 사용자로부터 친구들의 이름과 전화번호를 입력받고 사전에 저장한다. 저장이 끝나면 친구들의 이름으로 전화번호를 검색할 수 있도록 한다.

코드

```
contacts = {{ }}

while True:
    name = input("(입력모드)이름을 입력하시오: ")
    if not name:
        break;
    tel = input("전화번호를 입력하시오: ")
    contacts[name] = tel

while True:
    name = input("(검색모드)이름을 입력하시오: ")
    if not name:
        break;
    if name in contacts :
        print(name, "의 전화번호는", contacts[name], "입니다.")
    else:
        print(name, "의 전화번호는 리스트에 없습니다.")
```

실행 결과

```
(입력모드)이름을 입력하시오: 홍길동
전화번호를 입력하시오: 111-2222
(입력모드)이름을 입력하시오: 김철수
전화번호를 입력하시오: 222-3333
(입력모드)이름을 입력하시오: ⊠
(검색모드)이름을 입력하시오: 홍길동
홍길동 의 전화번호는 111-2222 입니다.
(검색모드)이름을 입력하시오:
```

4. 다음 리스트에서 100 이상의 숫자만 출력하게 프로그램을 작성해보자.

코드

```
numbers = [273, 103, 5, 32, 65, 9, 72, 800, 99]
for number in numbers:
    if number >= 100 :
        print("- 100 이상의 수:", number)
```

실행 결과

```
- 100 이상의 수: 273
- 100 이상의 수: 103
- 100 이상의 수: 800
```

5. numbers 내부에 들어있는 숫자가 몇 번 등장하는지 출력하는 코드를 작성해보자.

코드

```
numbers = [1,2,6,8,4,3,2,1,9,5,4,9,7,2,1,3,5,4,8,9,7,2,3]
counter = {{}}

for number in numbers:
    if counter.get(number) == None:
        counter[number] = 1
    else :
        counter[number]= counter[number] +1
print(counter)
```

실행 결과

```
{{1: 3, 2: 4, 6: 1, 8: 2, 4: 3, 3: 3, 9: 3, 5: 2, 7: 2}}
```

6. 주사위를 던져서 나오는 값들의 빈도를 계산하는 프로그램을 작성해보자. 즉 1,2,3,4,5,6의 값이 각각 몇 번이나 나오는지를 계산한다. 난수 발생 함수와 리스트를 사용해보자.

코드

```
import random
counters = [0, 0, 0, 0, 0, 0]

for i in range(1000):
    value = random.randint(0, 5)
    counters[value] = counters[value] + 1

for i in range(6) :
    print("주사위가 ", i+1, "인 경우는 ", counters[i], "번")
```

실행 결과

```
주사위가  1 인 경우는  161 번
주사위가  2 인 경우는  169 번
주사위가  3 인 경우는  168 번
주사위가  4 인 경우는  158 번
주사위가  5 인 경우는  160 번
주사위가  6 인 경우는  184 번
```

7. 사용자에게서 받은 정수들의 평균과 표준 편차를 계산하여 출력한다. 평균과 표준 편차를 계산하는 함수를 작성한 후에 이들 함수들을 호출하도록 하라.

코드

```
import math

def getDeviation(lst):
    avg = getMean(lst)
    sum = 0
    for x in lst:
        sum += (x - avg)**2
    return math.sqrt(sum / (len(lst) - 1))

def getMean(lst):
    sum = 0
    for x in lst:
        sum += x
    return sum / len(lst)

s = input("정수 리스트 입력: ")
list1 = [ int(s) for s in s.split() if s.isdigit() ]
print("평균=", getMean(list1))
print("표준 편차", getDeviation(list1))
```

실행 결과

```
정수 리스트 입력: 10 20 30 40 50
평균= 30.0
표준 편차 15.811388300841896
```

8. 사용자로부터 5개의 숫자를 읽어서 리스트에 저장하고 숫자들의 평균을 계산하여 출력한다. 또 숫자 중에서 평균을 상회하는 숫자가 몇 개나 되는지 출력하여 보자.

코드

```
number_list = []
sum = 0

for i in range(5):
    x = int(input("정수를 입력하세요: "))
    number_list.append(x)
    sum = sum + x

avg = sum / 5

n = 0
for i in range(5):
    if number_list[i] > avg:
        n = n + 1

print("평균=", avg)
print("평균을 상회하는 숫자의 개수=", n)
```

실행 결과

```
정수를 입력하세요: 10
정수를 입력하세요: 20
정수를 입력하세요: 30
정수를 입력하세요: 40
정수를 입력하세요: 50
평균= 30.0
평균을 상회하는 숫자의 개수= 2
```

CHAPTER 7

파일 입·출력, 예외 처리

1. 파일 열기 및 닫기: open, close
2. 파일 읽기: read, readlines
3. 파일 쓰기: write, writelines
4. 파일 추가로 덧붙여 쓰기
5. 직렬화된 데이터 읽고 쓰기
6. 예외 처리: try~except, with~as
7. 판다스를 이용한 데이터 처리

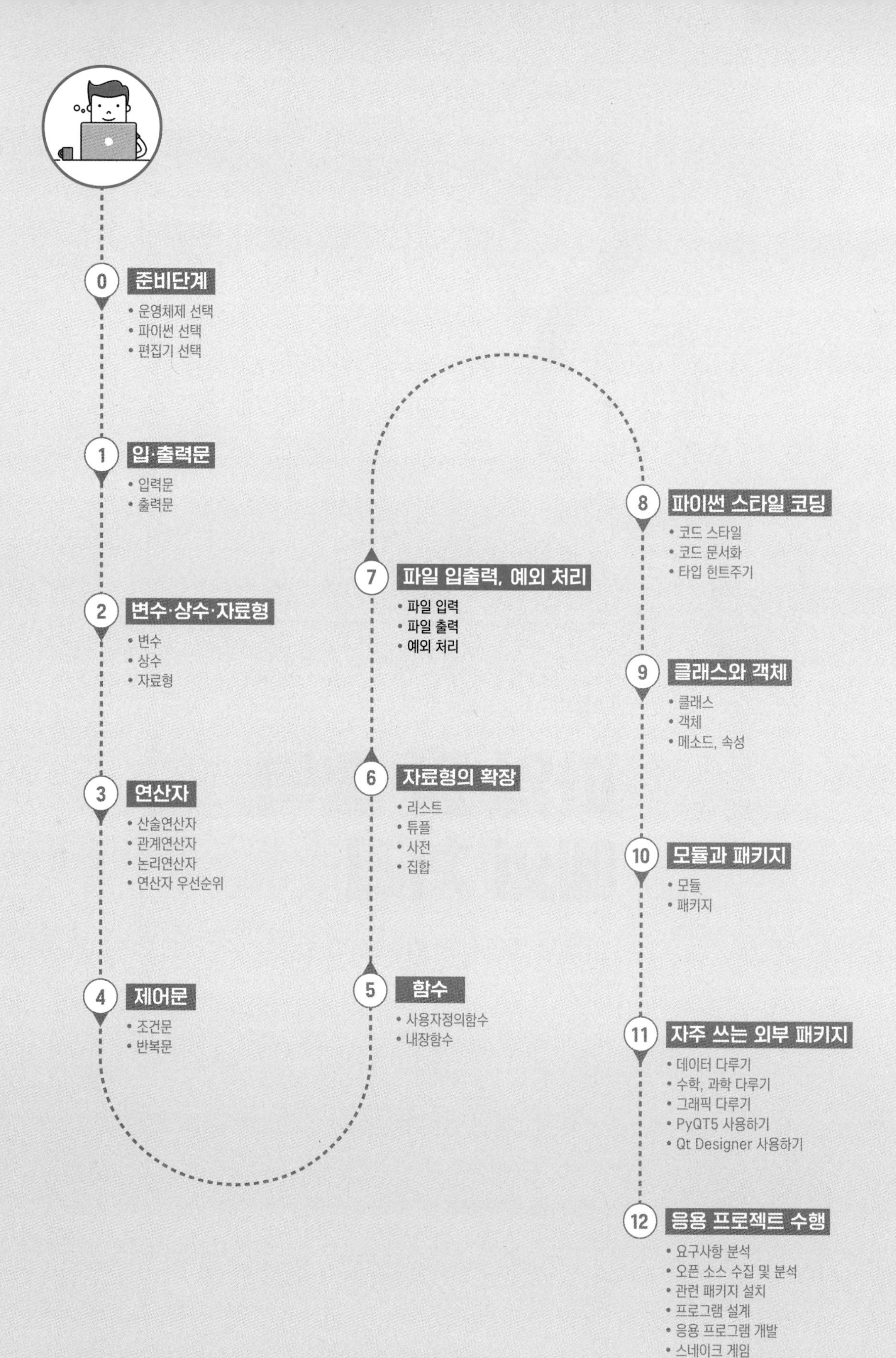

0 준비단계
• 운영체제 선택
• 파이썬 선택
• 편집기 선택
1 입·출력문
• 입력문
• 출력문
2 변수·상수·자료형
• 변수
• 상수
• 자료형
3 연산자
• 산술연산자
• 관계연산자
• 논리연산자
• 연산자 우선순위
4 제어문
• 조건문
• 반복문
5 함수
• 사용자정의함수
• 내장함수
6 자료형의 확장
• 리스트
• 튜플
• 사전
• 집합
7 파일 입출력, 예외 처리
• 파일 입력
• 파일 출력
• 예외 처리
8 파이썬 스타일 코딩
• 코드 스타일
• 코드 문서화
• 타입 힌트주기
9 클래스와 객체
• 클래스
• 객체
• 메소드, 속성
10 모듈과 패키지
• 모듈
• 패키지
11 자주 쓰는 외부 패키지
• 데이터 다루기
• 수학, 과학 다루기
• 그래픽 다루기
• PyQT5 사용하기
• Qt Designer 사용하기
12 응용 프로젝트 수행
• 요구사항 분석
• 오픈 소스 수집 및 분석
• 관련 패키지 설치
• 프로그램 설계
• 응용 프로그램 개발
• 스네이크 게임

1. 파일 열기 및 닫기

■ open 메소드를 이용하여 파일 열기

프로그램 내에서 파일을 사용하기 위해서는 파일 열기를 통해 파일 객체를 생성해야 합니다. 이때, 내장 함수인 open()메소드를 이용하여 파일을 엽니다.

```
Syntax: fileObject = open("파일이름", "모드")
```

Open의 매개 변수로는 파일이름과 모드가 사용됩니다.

① 파일이름 : 파일이름은 경로 없이 파일이름만 작성하는 경우와 경로를 포함하여 파일이름을 작성하는 경우로 나눌 수 있습니다.

- 파일이름만 작성하는 경우: 현재 작업하고 있는 디렉토리에서 파일을 열게 될 경우는 그냥 "파일이름"만 적어주면 됩니다.
- 경로와 파일이름을 작성하는 경우: 경로를 포함하여 파일이름을 적어주는 경우는 다시 경로를 절대경로로 기술하고 파일이름을 적어주는 경우와 경로를 상대경로로 기술하고 파일이름을 적어주는 경우로 나뉩니다.
- 절대경로는 루트 디렉터리로부터의 모든 경로를 적어주는 형태로 보통은 "c:\저장된 디렉토리 경로\파일이름" 형태입니다.
- 상대경로는 현재 프로그램을 작성하고 있는 위치에서 파일의 경로를 작성합니다. "상대 경로\파일이름" 형태입니다. 현재 위치는 점(.), 이전 위치는 점점(..)을 활용하여 표현합니다.

② 모드(mode) : 파일을 열 때 읽기로 할 것인지, 쓰기로 할 것인지, 추가할 것인지 선택 하는 것입니다.

모드	설명
r	파일 읽기
w	파일 쓰기
a	파일의 마지막에 새로운 내용 추가
rb	바이너리 파일 읽기
wb	바이너리 파일 쓰기

■ 파일 객체

파일 열기를 통해 만들어진 파일 객체(파일 핸들러라고도 불리움)는 그림과 같이 파일의 시작 위치를 가리키게 됩니다.

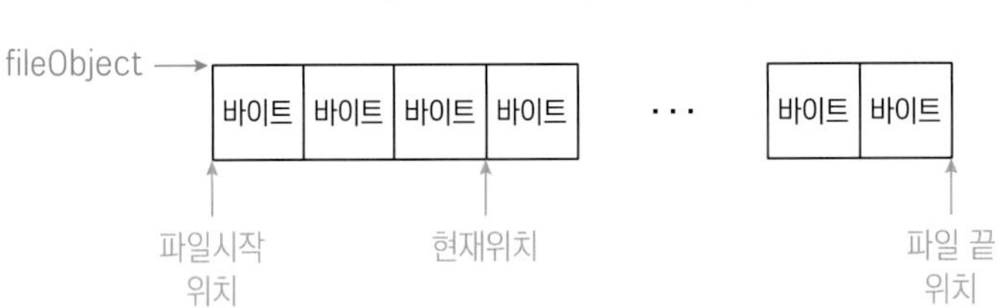

파일 객체는 다음과 같은 메소드를 이용하여 파일을 읽고, 쓰는 역할을 하게 됩니다.

메소드	의미
close()	파일 닫기
flush()	내부 버퍼 버리기
fileno()	파일기술자 돌려줌
next()	호출된 파일로부터 다음 줄 돌려줌
read([size])	파일로부터 size 바이트 읽음. size 없으면 전체 읽어 하나의 문자열로 반환
readline()	파일로부터 한 줄 즉 (\n)까지 읽음. 문자열로 반환
readlines()	readline()을 사용 EOF까지 읽음. 리스트로 반환
seek(offset)	현재 위치 설정

메소드	의미
tell()	파일의 현재 위치 돌려줌
truncate([size])	파일 사이즈 만큼 자름
write(str)	파일에 str 쓰기
writelines(sequence)	파일에 일련의 문자열 쓰기

■ 파일 열기 예

현재 프로그램하는 디렉토리에서 파일을 가지고 작업을 하려고 합니다. 파일 "test.txt"가 있는데 여기에 있는 자료를 읽어옵니다. 파일 열기를 하기 위해서는 먼저 파일의 경로를 파악한 후, 작업에 적절한 모드를 선택해야 합니다. 여기에서는 읽기를 해야하므로 "r" 모드로 파일을 엽니다.

```
fileObject = open("test.txt", "r")
```

■ 파일 닫기

파일 읽기 또는 쓰기 작업을 한 후에는 열었던 파일을 항상 닫아주어야 합니다. 이는 파일 객체가 생성되면서 획득한 메모리를 다시 운영체제에게 돌려주는 역할을 하게 됩니다. 파일 닫기는 파일 객체의 close()메소드를 이용하고, 그림과 같이 메모리를 반환하게 됩니다.

```
fileObject = open("test.txt", "r")
    ...
fileObject.close()        # 파일 닫기
```

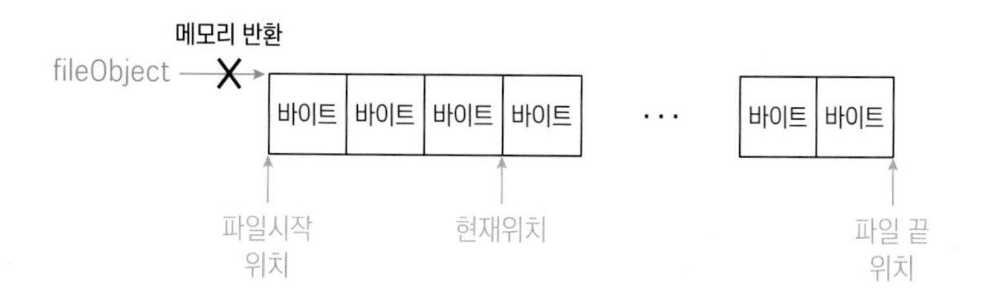

■ with문을 이용한 파일 다루기

파일을 다룰 때는 파일을 사용한 후 반드시 닫기(close())를 해주어야 합니다. 그런데 프로그램 코딩을 하다 보면 파일 닫기 close()문을 빼먹는 경우가 가끔 발생합니다. 이럴 때를 대비해서 자동으로 파일을 닫게 해주는 문장이 있습니다. with문이 이런 역할을 하는데 wiht문 안에서 파일을 자유롭게 다룰 수 있도록 도와줍니다.

기존 코드

```
fileObject = open("test.txt", "r")
  ...
fileObject.close()        # 파일 닫기
```

에러 처리 코드

```
with open("test.txt", "r") as fileObject:
    파일 처리
```

2. 파일 읽기

■ 자료 읽기에 사용되는 메소드

파일 객체의 메소드 중 자료 읽기에 사용되는 메소드는 아래와 같습니다. 메소드 선택은 반환되는 데이터의 형태를 잘 살펴보고 선택해야 합니다.

메소드	의미
read([size])	파일로부터 size 바이트 읽음. size 없으면 전체 읽어 하나의 문자열로 반환
readline()	파일로부터 한 줄 즉 (\n)까지 읽음. 문자열로 반환
readlines()	readline()을 사용 EOF까지 읽음. 리스트로 반환

■ 읽기에 사용되는 파일 만들기

예제에 사용할 파일을 다음과 같이 메모장으로 만들어 봅니다. 파일은 나태주 시인의 풀꽃이고 4줄로 구성되어 있으며 파일 이름은 'test.txt'입니다.

[test.txt]

```
자세히 보아야 예쁘다.
오래 보아야 사랑스럽다.
너도 그렇다.

나태주 -풀꽃 -
```

■ 파일 읽기 예제

사용될 'test.txt' 파일은 네 줄로 작성되어 있으며 아래와 같이 문자열이 표현되게 되는데, 줄 바꿈은 '\n'으로 표시됩니다.

```
자세히 보아야 예쁘다. \n 오래 보아야 사랑스럽다. \n 너도 그렇다. \n 나태주 -풀꽃 - \n
```

■ read() 메소드 사용하기

파일객체의 read([size])메소드는 파일을 읽어 하나의 문자열로 반환해 줍니다. 메소드 안에 수가 표시되면 그 숫자만큼 읽어 자료를 넘겨주게 됩니다.

'test.txt'파일을 read()메소드를 이용하여 읽은 후 출력하는 프로그램을 작성해보겠습니다.

코드

```
# fileObject = open("test.txt", "r")
# fileObject = open("c:/python/test.txt", "r")

fileObject = open("c:/python/test.txt", "r", encoding='utf-8')

main_text = fileObject.read()
print(main_text)

fileObject.close()          # 파일 닫기
```

이렇게 작업하였을 때, 나올 수 있는 에러는 다음과 같습니다.

① 파일이 열리지 않는 경우입니다. 이것은 작업 디렉토리와 파일 위치가 맞지 않은 경우일 확률이 높습니다. 이때는 절대 경로 혹은 상대 경로를 사용하여 강제로 해당 파일 위치를 지정해줍니다. test.txt파일을 c:\python에 저장하였기 때문에 c:/python/test.txt라고 지정해줍니다.

② 파일 엔코딩 방식이 맞지 않아 읽기 에러가 나는 경우가 있습니다. 우리가 저장한 파일이 한글파일이다 보니 엔코딩 방식이 utf-8임을 명시하지 않았을 경우 에러가 나는 경우가 있습니다. 이때는 open의 옵션에 encoding ='utf-8'이라고 명시하여 파일을 읽어오면 됩니다.

실행 결과

```
자세히 보아야 예쁘다.
오래 보아야 사랑스럽다.
너도 그렇다.

나태주 -풀꽃 -
```

■ read([Size]) 메소드에 읽을 글자 수 Size 사용하기

'test.txt'파일을 read([size])메소드의 size를 이용하여 읽은 후 출력하는 프로그램을 작성해보겠습니다. 10개의 글자를 읽어 출력해 봅니다.

코드

```
fileObject = open("c:/python/test.txt", "r", encoding='utf-8')

main_text = fileObject.read(10)
print(main_text)

fileObject.close()
```

실행 결과

```
자세히 보아야 예쁘
```

■ readline() 메소드 사용하기

파일객체의 readline()메소드는 파일로부터 한 줄만 즉, (\n)까지만 읽어 문자열로 반환합니다. 'test.txt'파일을 readline()메소드를 이용하여 읽은 후 출력하는 프로그램을 작성해보겠습니다.

코드

```
fileObject = open("c:/python/test.txt", "r", encoding='utf-8')

main_text = fileObject.readline()
print(main_text)

fileObject.close()
```

실행 결과

```
자세히 보아야 예쁘다.
```

코드

```
fileObject = open("c:/python/test.txt", "r", encoding='utf-8')

main_text = fileObject.readline()
print(main_text)

for text in main_text:   #읽어 온 한줄을 한 글자씩 전달
    print(text)

fileObject.close()
```

실행 결과

```
자세히 보아야 예쁘다.

자
세
히
....

예
쁘
다
.
```

3. 파일 쓰기

■ 쓰기 파일 객체 생성

처리된 자료를 쓰기 위해서는 쓰기 파일 객체가 생성되어야 합니다. 파일은 같은 디렉토리에 "testw.txt"로 파일 객체의 이름은 fileObject로 파일을 열 때 모드는 "w"로 진행합니다.

```
fileObject = open("testw.txt", "w")
```

■ 자료 쓰기에 사용되는 메소드

파일 객체의 메소드 중 자료 쓰기에 사용되는 메소드는 아래와 같습니다. 메소드 선택은 저장해야 할 데이터의 형태를 잘 살펴보고 선택해야 합니다.

메소드	의미
write(str)	파일에 문자열(str) 쓰기
writelines(sequence)	파일에 sequence(문자열, 리스트, 튜플 등) 쓰기

■ 파일 쓰기 예제

쓰기에 사용할 데이터는 서정윤 시인의 홀로 서기의 일부로 아래와 같이 네 줄 데이터가 있다고 가정합니다.

```
홀로 서기
서정윤
둘이 만나 서는 게 아니라
홀로 선 둘이가 만나는 것이다
```

■ write() 메소드 사용하기

파일객체의 write(str)메소드는 파일에 하나의 문자열을 씁니다. 'testw.txt'파일 객체를 먼저 생성 한 후 자료를 파일에 저장하는 프로그램을 작성해보겠습니다. 준비 된 데이터는 작성을 용이하도록 문자열 리스트로 표현하였습니다. 변수 str의 3번째에 있는 값을 저장하고 c:\python\ 디렉토리로 가서 testw.txt 파일을 읽어 정상적으로 파일이 쓰기가 완료되었는지 확인합니다.

코드

```
fileObject = open("c:/python/testw.txt", "w", encoding='utf-8')

str = ['홀로 서기', '서정윤', '둘이 만나 서는 게 아니라', '홀로 선 둘이가 만나는 것이다']

fileObject.write(str[2])

fileObject.close()
```

[c:/python/testw.txt]

```
둘이 만나 서는 게 아니라
```

이번에는 준비된 데이터 4개를 파일에 저장하는 프로그램을 작성해보겠습니다.

코드

```
fileObject = open("c:/python/testw.txt", "w", encoding='utf-8')

str = ['홀로 서기', '서정윤', '둘이 만나 서는 게 아니라', '홀로 선 둘이가 만나는 것이다']

for text in str :
    fileObject.write(text)

fileObject.close()
```

[c:/python/testw.txt]

```
홀로 서기서정윤둘이 만나 서는 게 아니라홀로 선 둘이가 만나는 것이다
```

저장된 파일을 읽어 보면 지저분하게 저장된 것이 저장을 하면서 파일 저장의 구조화가 필요하게 보입니다. 파일 저장을 구조화하기 위해서는 출력형식에 관련된 문자들을 사용하면 됩니다. 한 줄에 일정한 간격을 유지하기 위해서는 탭('\t')을 넣거나, 콤마(',') 등을 넣어 자료를 분리해봅니다. 그리고 한 줄을 넘길 때는 행바꿈('\n')을 넣어주어야 합니다. 저장된 내용을 네 줄로 저장하기 위해서는 한 줄을 파일에 쓰고, 줄 마지막에 행바꿈('\n')을 작성해서 저장해야 합니다.

코드

```
fileObject = open("c:/python/testw.txt", "w", encoding='utf-8')

str = ['홀로 서기', '서정윤', '둘이 만나 서는 게 아니라', '홀로 선 둘이가 만나는 것이다']

for text in str :
    fileObject.write(text)
    fileObject.write('\n')

fileObject.close()
```

[c:/python/testw.txt]

```
홀로 서기
서정윤
둘이 만나 서는 게 아니라
홀로 선 둘이가 만나는 것이다
```

■ writeline() 메소드 사용하기

파일객체의 writeline(sequence)메소드는 파일에 리스트나, 튜플 같은 순서 자료형을 파일에 쓰게 할 때 사용합니다.

코드

```
fileObject = open("c:/python/testw.txt", "w", encoding='utf-8')
str = ['홀로 서기', '서정윤', '둘이 만나 서는 게 아니라', '홀로 선 둘이가 만나는 것이다']
fileObject.writeline(str)
fileObject.close()
```

4. 파일 추가로 덧붙여 쓰기

■ 덧붙여 쓸 파일 객체 생성

처리된 자료를 파일에 덧붙이기 위해서는 파일 객체가 생성되어야 합니다. 덧붙일 파일은 "testw.txt"로 아래와 같이 파일 내용이 되어 있습니다.

```
fileObject = open("test.txt", "a")
```

파일 객체의 이름은 fileObject로 파일을 열 때 파일을 덧붙이기 위한 모드는 "a"로 작성합니다. 파일 객체가 생성되면 파일 객체는 파일 시작의 위치가 아닌 파일의 끝을 가리키도록 생성됩니다.

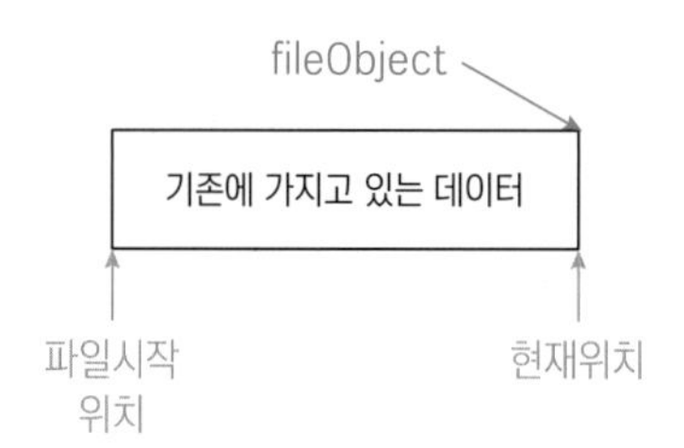

■ 파일 덧붙이기에 사용되는 메소드

파일 객체의 메소드 중 자료 덧붙이기에 사용되는 메소드는 쓰기에 사용되는 메소드와 같습니다.

메소드	의미
write(str)	파일에 문자열(str) 쓰기
writelines(sequence)	파일에 sequence(문자열, 리스트, 튜플 등) 쓰기

■ 파일 덧붙여 쓰기 예제

처리로 얻어진 데이터가 아래와 같이 한 개가 있는데, 이를 "testw.txt"에 추가하여 5줄을 만들고자 합니다.

```
기다림은 만남을 목적으로 하지 않아도 좋다
```

 코드

```
fileObject = open("c:/python/testw.txt", "a", encoding='utf-8')

str = ['기다림은 만남을 목적으로 하지 않아도 좋다']

fileObject.writelines(str)

fileObject.close()
```

[c:/python/testw.txt]

```
홀로 서기
서정윤
둘이 만나 서는 게 아니라
홀로 선 둘이가 만나는 것이다
기다림은 만남을 목적으로 하지 않아도 좋다
```

5. 직렬화된 데이터 읽고 쓰기

■ 직렬화(sericalization)

파이썬 객체를 일정한 규칙을 따라서 1. 효율적으로 저장하거나 스트림으로 전송할 때 파이썬 객체의 데이터를 줄로 세워 저장하는 것을 직렬화(serialization)라고 하고, 2. 이렇게 직렬화된 파일이나 바이트를 원래의 객체로 복원하는 것을 역직렬화(de-serialization)라고 합니다.

우리는 파이썬으로 코딩을 할 때 리스트, 튜플, 사전 등의 자료 구조를 가지고 효율적으로 작업을 합니다. 이런 데이터를 저장하고자 할 때 CSV, XML, JSON, Pickle 등의 파일 형식으로 일정한 규칙에 의해 데이터를 줄을 세워 저장하는 것이 직렬화입니다. 다시 프로그램에서 CSV, XML, JSON 등의 파일을 읽어와 우리가 사용하는 리스트, 튜플, 사전 등의 자료 구조로 재구성하는 것이 역직렬화입니다.

■ CSV 파일이란

CSV 파일은 'Comma Separated Value'의 약자로, 이는 즉 콤마(,)로 구분한 데이터를 의미합니다. 콤마(,) 말고도 다양한 문자를 구분 문자로 사용할 수 있으며 만약 탭(\t)을 구분자로 사용한다면 TSV 파일, 파이프(|)를 사용한다면 PSV 파일로 볼 수 있습니다.

■ CSV 파일 읽고, 쓰기

CSV 파일로의 직렬화를 예를 들어 알아보겠습니다. 엑셀 파일에 이름, 국어, 수학, 국사 점수를 가진 3명의 데이터가 있습니다. 이를 다른 프로그램에서 읽어와서 처리할 수 있도록 쉼표를 이용해 직렬화를 하고자 합니다.

[c:\python\test.csv]

```
정약용, 80, 90, 85
조광조, 77, 94, 87
윤선도, 99, 88, 92
```

■ CSV 직렬화에 사용되는 메소드

파일 객체를 이용하여 CSV 형식으로 자료를 읽거나 쓰기 위해서는 아래의 메소드를 사용할 수 있습니다.

메소드	의미
csv.reader(파일객체)	파일 객체를 읽어 리스트로 반환
csv.writer(파일객체)	파일 객체로 자료를 저장하는 객체 반환

■ CSV 파일 읽기 객체 선언

CSV 파일을 읽기 위해서는 파일 읽기에 사용된 모드인 "r"를 이용하여 파일을 읽어와서 파일 객체 fileObject를 만듭니다. 읽어 올 CSV 파일을 "test.csv"라 가정합니다. 읽어 올때는 한글을 포함하고 있으므로 파일 객체를 만들 때 encoding 타입을 정해주어야 한글을 제대로 읽을 수 있습니다.

```
fileObject = open('c:/python/test.csv', 'r', encoding='utf-8')
```

■ CSV 파일 읽어오기

CSV파일 객체를 읽기 위해서 csv.reader(파일객체)로 읽어오고 읽힌 파일의 내용은 리스트 형태로 반환됩니다.

만일 별도로 test.csv 파일이 아직 준비되어 있지 않다면 엑셀 파일에서 정약용, 조광조, 윤선도의 점수를 입력하고 다른 이름으로 저장하기에서 확장자를 csv파일로 저장하여 test.csv파일을 만들어줍니다.

또는 뒤에 나오는 CSV 파일 쓰기를 먼저 실습하여 파일 쓰기에서 만들어진 test.csv 파일을 대상으로 읽어 오기를 해보는 것도 하나의 방법입니다.

코드

```
import csv

csvObject= csv.reader(fileObject)
```

c:\python 디렉토리에서 "test.csv"파일을 읽어와 화면에 출력하는 프로그램을 작성해봅니다.

코드

```
import csv

fileObject = open('c:/python/testw.csv','r',encoding='utf-8')

csvObject = csv.reader(fileObject)

for text in csvObject :
    print(text)

fileObject.close()
```

■ CSV 파일 쓰기 객체 선언

CSV 파일을 쓰기 위해서 파일 객체를 fileObject 이름으로 작성합니다. 이때 모드는 "w"를 사용하고 한글을 사용하기 위해 encoding = 'utf-8'이라 지정해줍니다.

```
fileObject = open('test.csv', 'w', encoding = 'utf-8')
```

■ CSV 파일 쓰기

리스트 객체를 CSV파일로 만들기 위해서 csv.writer(파일객체)를 이용하여 CSV 파일 객체를 만든 후 CSV 파일 객체의 writerow 메소드를 이용하여 리스트를 파일에 저장합니다. CSV 파일 객체의 writerow(리스트) 메소드는 리스트 데이터를 한 라인씩 저장합니다.

코드

```
import csv

csvObject= csv.writer(fileObject)
csvObject.writerow(리스트)
```

세 명의 성적 자료를 "testw.csv"파일에 저장해 봅니다.

코드

```
import csv

fileObject = open('test.csv', 'w', encoding = 'utf-8')
csvObject= csv.writer(fileObject)

csvObject.writerow(['정약용', 80, 90, 85])
csvObject.writerow(['조광조', 77, 94, 87])
csvObject.writerow(['윤선도', 99, 88, 92])

fileObject.close()
```

6. 예외 처리

프로그램을 이용하여 소프트웨어를 만들 때 원하는 대로 작동되지 않을 때 발생하는 것이 오류(error)입니다. 소프트웨어 오류는 크게 컴파일 오류(compile time error)와 실행 오류(run time error)가 있습니다. 컴파일 오류는 프로그램 언어의 문법이 맞지 않게 작성되었을 때 발생하는 오류입니다. 프로그램 작성 후 컴파일 시 오류가 발생하며 문법 오류를 문법에 맞게 수정해 주어야 합니다. 실행오류는 리스트의 인덱스의 범위가 벗어나거나, 파일이 없는 것과 같은 경우들 입니다. 컴파일 시점에 문법에 이상이 없기 때문에 오류를 알 수 없고 프로그램 실행 중에 발생하게 되는 오류입니다.

예외(Eception)는 프로그램 실행 오류 발생을 응용프로그램에게 알려 올바른 정보를 처리할 수 있도록 도와주는 역할을 합니다. 예외가 발생하는 대표적인 경우는 정수를 0으로 나누기, 범위를 벗어난 리스트 인덱스 접근하기, 없는 파일을 읽기, 정수를 읽는데 문자 입력하기 등이 있습니다. 실행 오류가 발생하는 데 예외 처리를 하지 않으면 프로그램 실행 중 예외 상황을 보여주고 소프트웨어는 작동을 멈추게 됩니다. 즉 예외가 발생하는 에러의 종류를 보여주고 실행이 멈추게 됩니다.

■ 내장 예외의 종류

파이썬에서 내장(built-in) 예외의 종류는 다음 표와 같습니다.

예외				의미
BaseEception				예외 조상
	SystemExit			프로그램 종료
	KeyboardInterrupt			ctrl-c(인터럽트 키)에 의해 발생
	GeneratorExit			생성기 .close()에 의해 발생
	Exception			기반 클래스
		StopIteration		반복 중단하기 위해 발생
		ArithmeticError		산술 예외 기반 클래스
			FloatingPointError	부동소수점 연산 실패
			OverflowError	수 너무 큼
			ZeroDivisionError	0으로 나눔
		AssertionError		assert문에 의해 발생
		AttributeError		속성 이름이 유효하지 않음
		BufferError		버퍼 에러
		EOFError		파일 끝 오류
		ImportError		import 실패
		LookupError		색인과 키 오류
			IndexError	색인의 범위를 벗어남
			KeyError	키가 존재하지 않음
		MemoryError		메모리 부족
		NameError		이름 찾기 실패
		OSError		운영체제 관련 에러. 파일, 퍼미션 에러, 등
		ReferenceError		참조할 수 없는 것을 참조
		RuntimeError		실행에러
		SyntaxError		구문 에러, 들여쓰기, 탭 에러

■ try ~ except 예외 다루기

프로그램 실행 중에 예외를 다루려면 아래와 같이 try와 except를 사용해야 합니다. try 블록 안의 문장들을 수행하다 예외가 발생하면 발생한 예외에 부합하는 except 절을 찾아 제어흐름을 넘깁니다. 만약 해당하는 except가 없는 경우 예외는 try문을 담고 있는 코드 블록 쪽으로 전파됩니다. 이는 중첩 try: excet: 블록이 있을 수 있기 때문입니다.

코드

```
try:
  예외가 발생하는 문장들(뭔가 수행)
except 에러종류A as e:
  에러종류A가 발생했을 때 처리하는 문장들
except 에러종류B as e:
  에러종류B 발생했을 때 처리하는 문장들
          :
except 에러종류Z as e:
  에러종류Z가 발생했을 때 처리하는 문장들
```

except문에서 as var 변경자를 이용하여 예외가 발생했을 때 저장될 변수의 이름을 지정하여 사용할 수 있습니다. 이 변수를 통해 예외가 발생한 원인에 대한 정보를 얻을 수 있습니다.

만일, 프로그램 코딩을 할 때 실행 오류가 무엇인지 잘 모를 경우 즉 프로그램 종료를 제외한 모든 예외를 잡고자 한다면 아래와 같이 사용하면 됩니다.

코드

```
try:
  예외가 발생하는 문장들(뭔가 수행)
except Exception as e:
  에러가 발생했을 때 처리하는 문장들
```

7. 판다스를 이용한 데이터 처리

외부 패키지를 사용하는 것을 별도의 장으로 정리하고자 하다가 파일 입출력 관련부분은 많이 사용되는 부분이다 보니 데이터 입출력에 대해 간단한 예만 살펴보고 지나가겠습니다.

파이썬의 판다스 라이브러리는 외부 파일을 가져와서 데이터프레임 형태로 만들어주는 메소드를 지원하고 있습니다. 특히 데이터프레임은 우리가 흔히 사용하는 CSV, EXCEL 파일 등과 그 형태가 매우 유사하므로 이러한 메소드를 사용하여 손쉽게 우리가 원하는 형태로 데이터를 관리할 수 있습니다.

(1) 판다스에서 CSV 파일 읽기

우리는 csv 패키지를 가져와서 csv파일을 관리하는 것을 이미 실습하였습니다. 하지만 판다스는 csv 패키지보다 파일 입출력에 관련한 다양한 포맷과 편리한 기능을 많이 지원하고 있습니다.

- pandas 패키지를 사용하기 위해서는 기존에 하지 않았던 작업을 하나 더 해야합니다. 먼저 visual studio code의 터미널 창에서 pip install pandas하여 pandas 패키지를 인스톨 시켜야 합니다.
- pandas 패키지가 정상적으로 인스톨 되었으면 import pandas as pd라는 명령을 주어도 정상적으로 동작할 것입니다. 만일, pandas 모듈이 인스톨되어 있지 않다고 하면 반드시 pandas 패키지를 인스톨 시켜야 함을 확인바랍니다.
- 불용어라 불리는 stopword.csv 파일은 메모장이나 엑셀에서 여러분이 사용하지 않는 단어를 콤마(,)로 구분 지어 몇 개 넣은 후 프로그램을 테스트해 봅니다. 구조는 한 행에 index항목과 words항목으로 나누어 저장하였습니다.

먼저 pandas의 read_csv() 메소드를 사용해 CSV 파일을 불러와 데이터프레임으로 변환합니다. 이 때 인코딩 방식을 지정해 줄 수 있으며, 한글 데이터의 경우 깨짐 방지를 위한 인코딩 방식으로 'UTF-8-SIG', 혹은 'EUC-KR' 방식을 사용할 것을 권장합니다.

코드

```
import pandas as pd

stopwords = pd.read_csv('c:/python/stopword.csv', encoding = 'UTF-8-SIG')
print(stopwords)
```

실행 결과

```
    index words
0      0    휴
1      1  아이구
..   ...  ...
676  676    영
677  677    아

[678 rows x 2 columns]
```

(2) 판다스에서 엑셀 파일 다루기

판다스에서 엑셀 파일을 읽어와 데이터프레임으로 변환합니다. 엑셀 파일을 읽기 위해 pandas의 read_excel() 메소드를 사용합니다. 읽어 온 파일은 행과 열 정보로 관리되는 데이터프레임구조로 변환되어 전달됩니다. 이전 CSV 파일 읽기과 마찬가지로 인코딩 방식은 'UTF-8-SIG'를 사용하였습니다. 엑셀 파일은 주식관련 stock.xls 파일을 읽어온다고 가정하겠습니다.

코드

```
import pandas as pd

df = pd.read_excel('c:/python/stock.xls', encoding = 'UTF-8-SIG')

print(df)
```

비어있는 행이 있을 경우 isnull() 메소드로 어느 부분의 값이 비어있는지 확인할 수 있습니다. 또한 isnull().sum으로 비어있는 행의 합계를 출력할 수도 있습니다.

코드

```
isnull()
isnull().sum
```

이번에는 데이터프레임의 특정 부분을 지정해 나누어 보고자 합니다. 인공신경망 등에서 읽어온 전체 데이터셋을 학습 데이터, 검증 데이터와, 테스트 데이터로 구분하여 나누는 작업 등에 활용됩니다. df 크기에 75퍼센트를 개수를 나타내는 변수 SIZE로 계산하여 훈련을 위해 처음부터 SIZE-1까지 즉 75퍼센트 데이터를 분리해서 변수 train에 할당하고, 테스트를 위해 SIZE부터 끝까지 데이터를 분리해서 변수 test에 할당합니다.

코드

```
SIZE = len(df) * 0.75
train = df[:SIZE]
test = df[SIZE:]

print(train.tail())
print(test.head())
```

이제, 이렇게 나눈 데이터프레임을 다시 엑셀 파일로 저장하겠습니다.

코드

```
train.to_excel('훈련 데이터.xls', encoding = 'UTF-8-SIG')
test.to_excel('테스트 데이터.xls', encoding = 'UTF-8-SIG')
```

(3) JSON 파일 다루기

다음 예제를 통해 우리는 json 파일 읽기, 수정하기 그리고 저장하기 실습을 해보겠습니다. 우선 우리는 아래와 같이 player.json파일과 cars.json파일을 작성합니다.

[cars.json]

```
# cars.json
{{
  "p_name": "john",
  "level": 20,
  "str": 5,
  "dex": 3,
  "int": 2,
  "luk": 5
}}
```

[player.json]

```
# player.json
{{
  "K5": {{
    "price": "3000",
    "year": 2020
  }},
  "G80": {{
    "price": "5000",
    "year": 2021
  }}
}}
```

아래의 예제는 cars.json과 player.json 파일에서 데이터를 읽어와 player_json과 cars_json 변수 저장하고, 그리고, 각 변수를 수정한 후 다시 파일 핸들러를 이용하여 저장한 후 저장된 내용을 확인하는 예제입니다.

코드

```
import json

# json 파일 읽어오기
with open('./player.json', 'r') as f:
layer_json = json.load(f)

with open('./cars.json', 'r') as f:
cars_json = json.load(f)

print("수정 전 player data : ", player_json)
print("수정 전 cars data : ",cars_json)

# json 파일을 수정하기
player_json["level"] = 21
cars_json['G80']['year'] = 2021

# json 파일을 저장하고, 다시 확인하기
with open('./player.json', 'w', encoding='utf-8') as f:
json.dump(player_json, f)

with open('./cars.json', 'w', encoding='utf-8') as f:
json.dump(cars_json, f)

with open('./player.json', 'r') as f:
player_json = json.load(f)

with open('./cars.json', 'r') as f:
cars_json = json.load(f)

print("수정 후 player data : ", player_json)
print("수정 후 cars data : ", cars_json)
```

위 예제를 실행하면 다음과 같은 결과가 출력됩니다.

실행 결과

```
수정 전 player data : {'p_name' : 'john', 'level' : 21, 'str' : 5, 'dex' : 3, 'int' : 2, 'luk' : 5}
수정 전 cars data : {'K5' : {'price' : '3000', 'years' : 2020}, 'G80' : {'price' : '5000',
'year' : 2021}}
수정 후 player data : {'p_name' : 'john', 'level' : 21, 'str' : 5, 'dex' : 3, 'int' : 2, 'luk' : 5}
수정 후 cars data : {'K5' : {'price' : '3000', 'years' : 2020}, 'G80' : {'price' : '5000',
'year' : 2021}}
```

1. 현재의 작업 디렉토리에 "todo.txt" 파일을 열어서 "파이썬 프로그래밍", "자료구조", "네트워크 프로그래밍"을 추가하고 파일을 닫는 프로그램을 작성하라.

```
outfile = open("todo.txt", "w")

outfile.write("파이썬 프로그래밍\n")
outfile.write("자료구조\n")
outfile.write("네트워크 프로그래밍")

outfile.close()
```

2. 파일에서 데이터를 읽을 때, 파일이 없으면 IOError가 발생한다. 이것을 try와 except로 처리해보자. 파일이 없으면 "파일이 없습니다. 다시 입력하시오."를 화면에 출력하고 실행을 계속한다.

코드

```
while True:
    try:
        fname = input("입력 파일 이름: ").strip()
        infile = open(fname, "r")
        break

    except IOError:
        print("파일 " + fname + " 이 없습니다. 다시 입력하십시오.")

print("파일이 성공적으로 열렸습니다.")
infile.close()
```

실행 결과

```
입력 파일 이름: ppp.txt
파일 ppp.txt 이 없습니다. 다시 입력하십시오.
입력 파일 이름: proverbs.txt
파일이 성공적으로 열렸습니다.
```

3. 파이썬에서는 객체를 파일에 저장할 수 있다. pickle 모듈을 사용하여서 정수 12, 실수 3.14, 리스트 [1, 2, 3, 4, 5]를 이진 파일 "test.dat"에 저장하였다가 다시 읽는 프로그램을 작성하고 테스트하라.

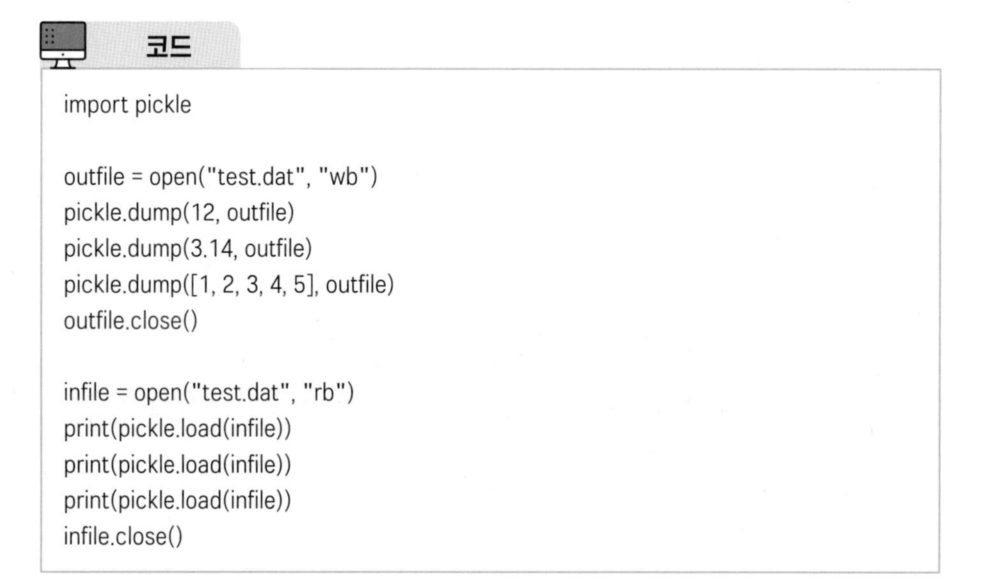

코드

```
import pickle

outfile = open("test.dat", "wb")
pickle.dump(12, outfile)
pickle.dump(3.14, outfile)
pickle.dump([1, 2, 3, 4, 5], outfile)
outfile.close()

infile = open("test.dat", "rb")
print(pickle.load(infile))
print(pickle.load(infile))
print(pickle.load(infile))
infile.close()
```

실행 결과

```
12
3.14
[1, 2, 3, 4, 5]
```

4. 텍스트 파일(data2.txt)에 이번 학기 점수가 저장되어 있다고 가정하자. 텍스트 파일의 점수를 모두 읽어서 합계와 평균을 구한 후 화면에 출력해보자.

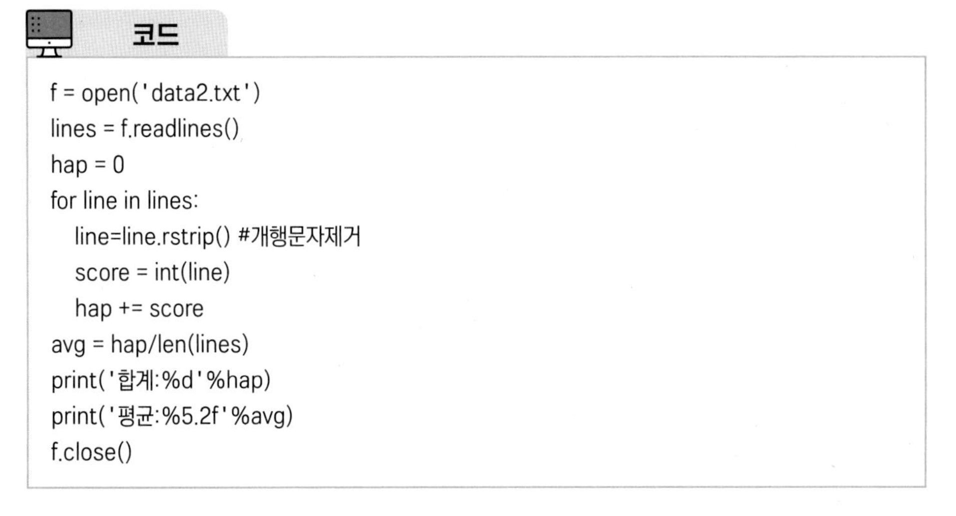

코드

```
f = open('data2.txt')
lines = f.readlines()
hap = 0
for line in lines:
    line=line.rstrip() #개행문자제거
    score = int(line)
    hap += score
avg = hap/len(lines)
print('합계:%d'%hap)
print('평균:%5.2f'%avg)
f.close()
```

실행 결과

```
합계:450
평균:90.00
```

5. 사용자로부터 읽고자 하는 파일명을 입력받아 파일이 존재할 경우 파일을 모든 내용을 읽어서 화면에 출력하고 파일이 존재하지 않다면 오류메시지를 출력한다.

코드

```
import os.path
fname = input('file name :')
fname = fname + '.txt'
if os.path.exists(fname): # os.path.isfile(fname)
    f = open(fname,'r')
    data = f.read()
    print(data,end='')
    f.close()
else :
    print('파일이 없습니다.'.format(fname))
```

CHAPTER 8
파이썬 스타일 코딩

1. 코드 스타일: PEP8, PEP8 리펙토링
2. 코드 리펙토링

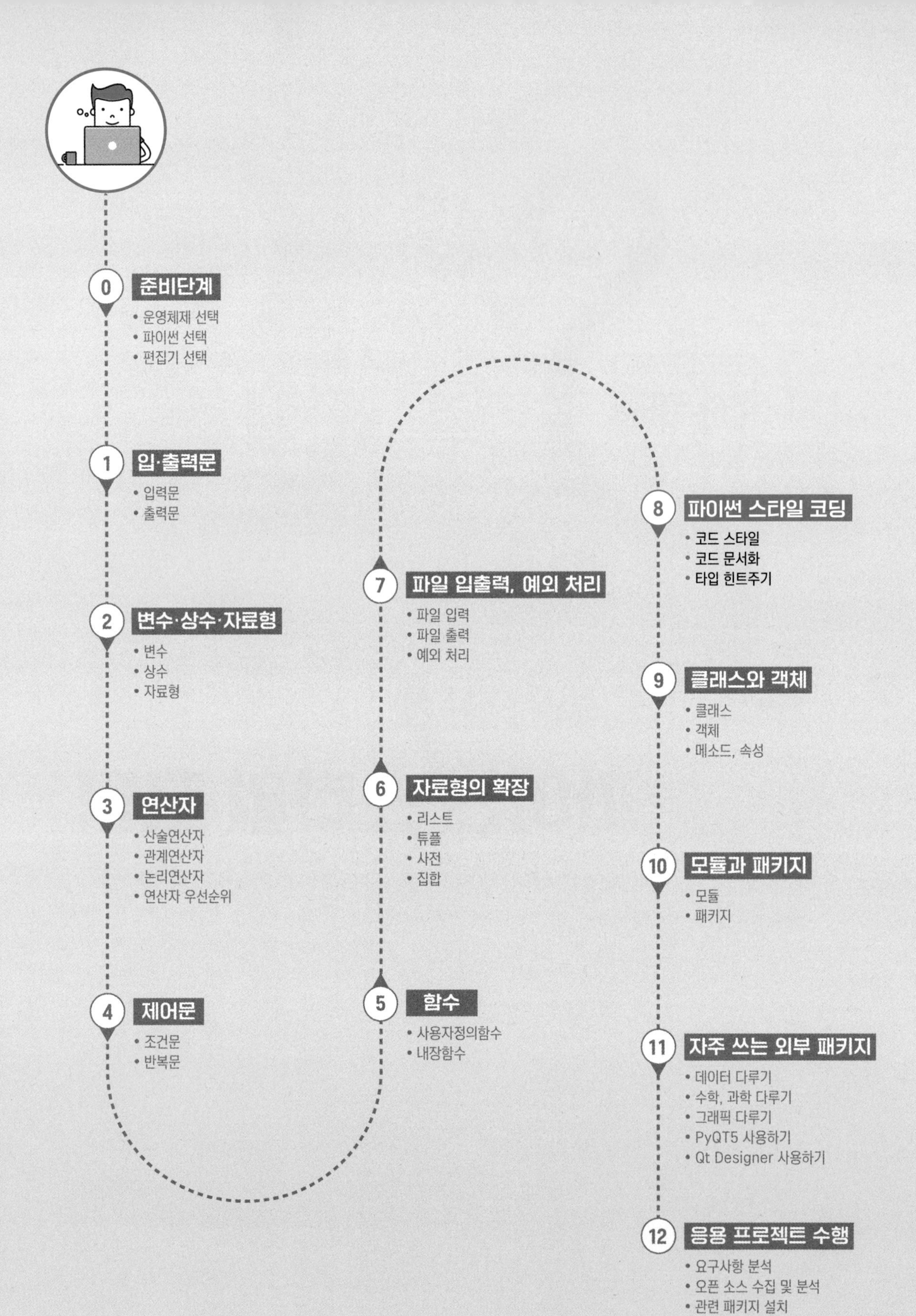

0
준비단계
• 운영체제 선택
• 파이썬 선택
• 편집기 선택
1
입·출력문
• 입력문
• 출력문
2
변수·상수·자료형
• 변수
• 상수
• 자료형
3
연산자
• 산술연산자
• 관계연산자
• 논리연산자
• 연산자 우선순위
4
제어문
• 조건문
• 반복문
5
함수
• 사용자정의함수
• 내장함수
6
자료형의 확장
• 리스트
• 튜플
• 사전
• 집합
7
파일 입출력, 예외 처리
• 파일 입력
• 파일 출력
• 예외 처리
8
파이썬 스타일 코딩
• 코드 스타일
• 코드 문서화
• 타입 힌트주기
9
클래스와 객체
• 클래스
• 객체
• 메소드, 속성
10
모듈과 패키지
• 모듈
• 패키지
11
자주 쓰는 외부 패키지
• 데이터 다루기
• 수학, 과학 다루기
• 그래픽 다루기
• PyQT5 사용하기
• Qt Designer 사용하기
12
응용 프로젝트 수행
• 요구사항 분석
• 오픈 소스 수집 및 분석
• 관련 패키지 설치
• 프로그램 설계
• 응용 프로그램 개발
• 스네이크 게임

1. 코드 스타일: PEP8

PEP8은 파이썬 코드의 작성규칙(coding convention)에 설명하는 문서입니다. 파이썬 개발자 귀도 반 로섬은 프로그램 코드를 작성하는 것보다 읽는 것이 쉽게 작성되어야 한다고 생각해서 가독성을 향상시키고 코드 작성에 일관성을 지키기 위한 목적으로 PEP8을 제시하고 있습니다.

PEP8은 파이썬 코드의 스타일 가이드라 불립니다. 작성자는 파이썬 개발자인 귀도 반 로섬, 베리 와쇼, 닉 코프란입니다.

PEP8 공식 사이트와 관련 사이트는 다음과 같습니다. 자세한 내용은 이곳을 참고 바랍니다.

- https://www.python.org/dev/peps/pep-0008/
- https://realpython.com/python-pep8/

PEP8 공식 사이트의 한글 번역 사이트는 https://kongdols-room.tistory.com/18에서 확인할 수 있습니다.

■ 코드 스타일

코드 스타일은 일조의 편집 규약(규칙)입니다. 코드 컨벤션이라고도 부릅니다. 프로그램 코드를 기계가 읽을 때는 괄호 위치나 네이밍 컨벤션 같은 것들이 결과에 영향을 끼치진 않겠지만, 작성된 코드를 사람이 읽을 때는 사람들이 더 잘 읽을 수 있게 작성하면 코드를 재활용 등 관리뿐만 아니라 공유하기에도 코드 스타일이 일관성있고 가독성있는 것이 좋습니다. 그래서 코드 스타일은 코드의 품질을 측정하는 지표가 되기도 합니다.

PEP8의 공식 스타일 가이드에서 제시하는 몇 개의 항목을 살펴보면 다음과 같습니다. 이런 가이드는 일관성이 있다 보니 기계적으로 측정하는 것이 합니다. 그래서 자동으로 코드 스타일을 검사해주는 도구들이 많이 있습니다. 이렇게 자동으로 검사해주는 도구를 style checker라 부릅니다. 또 스타일을 바꿔주는 것을 formatter라 부릅니다.

- indent는 4 spaces를 사용한다.
- 함수와 함수 사이에 blank line을 2개 둬야 한다.
- line length의 최대치는 79다.
- 각각의 import들은 comma로 연결하지 말고, 별도의 라인으로 나눈다.

코드 스타일은 통일될수록, 대표적인 스타일을 사용할수록 파이썬 코드의 품질은 좋습니다. 파이썬을 사용하는 조직에서 별다른 코드 스타일 없이 마음대로 코드를 작성하는 것보다, PEP 8같은 스타일 가이드를 따르며 코드를 작성하는 게 결과적으로 더 높은 품질의 코드를 만들어낼 가능성이 높습니다. 하지만 자유롭게 자신의 취향대로 코딩하지 않고 가이드를 따르는 것이 번거로운 작업이다 보니 style checker와 formatter를 활용하는 것도 제안해 봅니다.

① Code Style Checker

- pycodestyle : PEP8기반의 CLI 라이브러리로 코드 검사
- pyflakes : 코드를 검사해서 error 명시, 최근 코드 편집기 등에서 에러 검사 결과를 잘 제시하고 있으므로 vim과 같은 단순 텍스트 편집기를 사용할 때 활용
- pylint : 스타일 검사, 에러 검사, 리팩토링 조언 및 코드 점수 제시
- flake8 : pycodestyle 기능과 pyflakes 그리고 복잡도 검사 기능을 제공

② Code Formatter

- autopep8 : pycodestyle의 결과를 기반으로 코드를 수정
- yapf : 구글이 작성한 포맷터, 시각적으로 좋은 코드 작성이 주 목적
- black : REAME에 어떤 방식으로 코드를 포매팅하는지 직관적으로 쉽게 설명, 코드 편집기 등에서 File Watcher 플러그인을 설치하여 함께 사용하기에 좋습니다.

style checker는 pylint 그리고 formatter는 black의 조합으로 사용해보길 추천합니다.

2. 코드 리펙토링

코딩을 마친 후 코드를 리펙토링하는 과정은 다음과 같습니다. 앞에서 살펴본 style checker를 사용하여 코드 스타일에 맞추기, 추상화, 모듈화, 테스트 코드 작성 순으로 진행합니다.

- 코드 스타일 적용하기 (refactoring/lint)
- 추상화 적용하기 (refactoring/abstraction)
- 모듈화 적용하기 (refactoring/moulization)
- 테스트 코드 작성하기 (refactoring/testcode)

■ 코드 스타일 적용하기

린트(lint) 또는 린터(linter)는 소스 코드를 분석하여 프로그램 오류, 버그, 스타일 오류, 의심스러운 구조체에 표시(flag)를 달아놓기 위한 도구들을 가리키는 용어입니다. 린트를 어긴다고 해서 에러가 나는 것은 아니지만, 이를 잘 지켜주는 것은 중요합니다. 린트는 팀원들 간의 코딩 스타일을 통일시켜주고, 잠재적인 에러의 가능성을 줄여주기 때문입니다.

■ 추상화 적용하기

추상화를 통해서 개발자는 전체 코드의 진행 흐름을 파악하기 편해지며 기능별로 나눠어져 있어서 디버깅과 유지보수가 편해집니다. 함수명과 파라미터만으로 충분히 설명된다고 판단하여 불필요한 문서와 주석은 삭제합니다. 이는 린트에 반하지만, 불필요한 주석은 오히려 가독성을 해치므로 적절히 판단하여 필요한 주석만 다는 것이 바람직합니다.

■ 모듈화 적용하기

프로젝트의 규모가 커질수록 하나의 파일에 모든 코드를 작성하는 것은 복잡성을 키우고 가독성을 떨어뜨립니다. 따라서 기능별로 파일을 적절하게 분리하고, 이를 가져와 사용하도록 재구성하는 작업이 필요하며, 이를 모듈화라고 합니다.

■ 테스트 코드 작성하기

이상의 리펙토링 과정을 마치고 나면 작성된 코드가 잘 동작하는지를 검사합니다. 리펙토링 과정에서 기능별로 함수와 코드들이 나누게 되어 코드들이 한눈에 보다 명확하게 확인할 수 있게 됐습니다. 각 함수들이 정상적으로 동작하는지 함수별 단위 테스트를 합니다. 작은 규모의 프로젝트에서는 굳이 함수별로 테스트 코드를 작성하여 테스트할 필요는 없습니다만 프로젝트의 규모가 커질수록 테스트 코드 작성 및 단위 테스트 그리고 통합 테스트가 중요해 집니다.

이렇게 리펙토링과 테스트를 거쳐 우리는 좀 더 가독성 있고 유지보수에 좋은 성능 좋은 코드를 작성할 수 있게 됩니다.

1. 다음과 같이 for 문을 사용하여 여러 단어를 붙이는 경우 파이썬 스타일 코드로 변형하시오.

코드

```
colors = ['red','blue','green','yellow']
result = ''
for s in colors:
    result += s
print(result)
```

변형 코드

```
colors = ['red','blue','green','yellow']
result = ''.join(colors)
print(result)
```

2. lambda 와 map 함수를 사용하여 리스트 안의 제곱값을 출력하시오.

코드

```
ex = [1,2,3,4,5]
f = lambda X: X ** 2
print(list(map(f,ex)))
```

실행 결과

```
[1,4,9,16,25]
```

CHAPTER 9
클래스와 객체

1. 클래스와 객체
2. 클래스의 상속

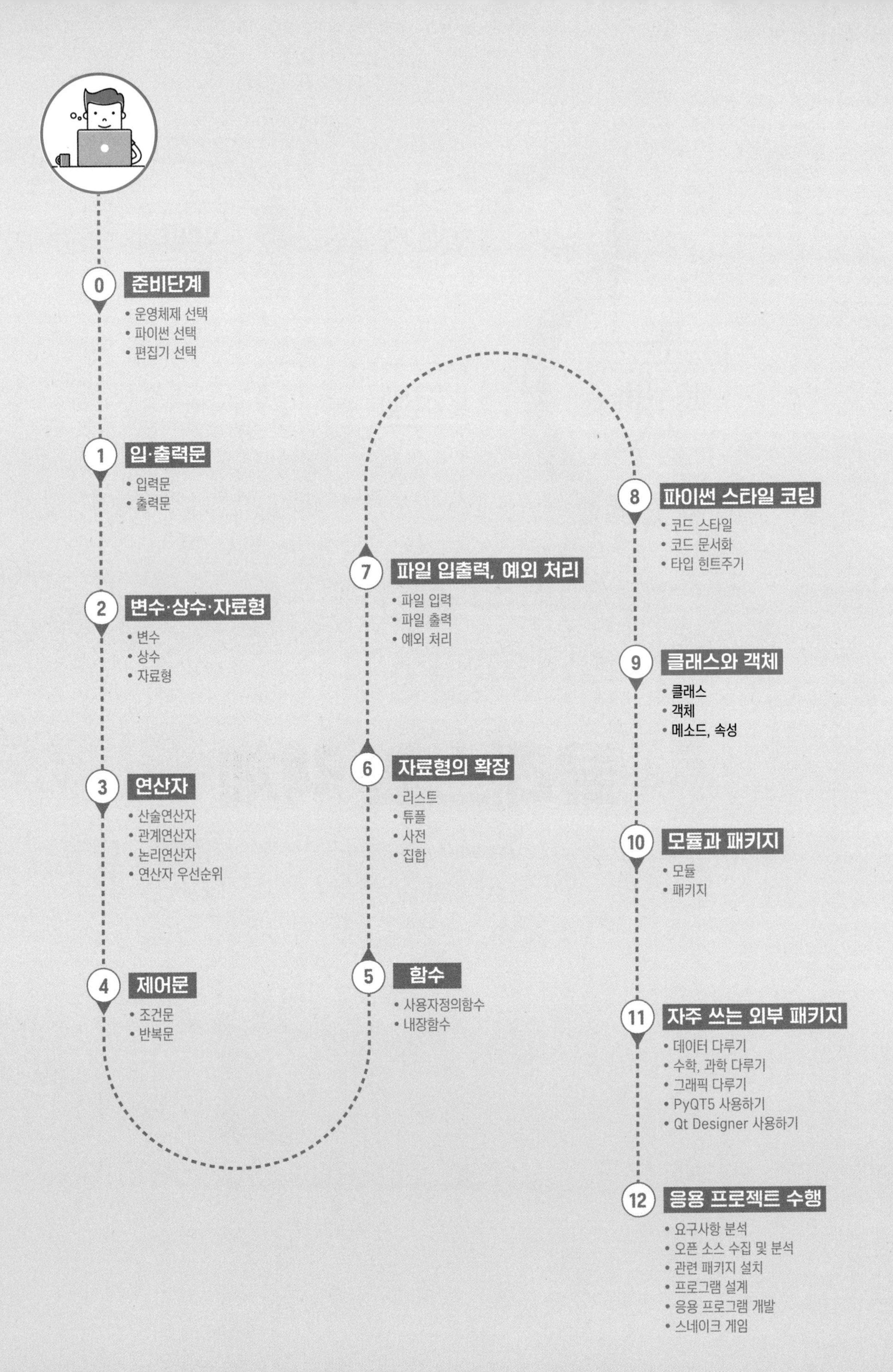
0 준비단계
• 운영체제 선택
• 파이썬 선택
• 편집기 선택
1 입·출력문
• 입력문
• 출력문
2 변수·상수·자료형
• 변수
• 상수
• 자료형
3 연산자
• 산술연산자
• 관계연산자
• 논리연산자
• 연산자 우선순위
4 제어문
• 조건문
• 반복문
5 함수
• 사용자정의함수
• 내장함수
6 자료형의 확장
• 리스트
• 튜플
• 사전
• 집합
7 파일 입출력, 예외 처리
• 파일 입력
• 파일 출력
• 예외 처리
8 파이썬 스타일 코딩
• 코드 스타일
• 코드 문서화
• 타입 힌트주기
9 클래스와 객체
• 클래스
• 객체
• 메소드, 속성
10 모듈과 패키지
• 모듈
• 패키지
11 자주 쓰는 외부 패키지
• 데이터 다루기
• 수학, 과학 다루기
• 그래픽 다루기
• PyQT5 사용하기
• Qt Designer 사용하기
12 응용 프로젝트 수행
• 요구사항 분석
• 오픈 소스 수집 및 분석
• 관련 패키지 설치
• 프로그램 설계
• 응용 프로그램 개발
• 스네이크 게임

1. 클래스와 객체

클래스란 객체를 정의해 놓은 것 또는 객체의 설계도, 틀이라고 정의할 수 있습니다. 붕어빵을 예를 들어 보면, 클래스는 붕어빵을 찍어 내는 틀에 해당하고 객체는 붕어빵 틀에서 만들어지는 붕어빵이 될 수 있습니다. 즉, 클래스는 원형을 이야기하고 객체는 클래스를 사용하기 위해 선언된 인스턴스라고 생각하면 됩니다.

객체지향프로그래밍에서는 클래스를 정의하고 정의된 클래스를 선언하여 객체를 기반으로 원하는 기능을 프로그래밍합니다. 클래스는 동작, 행위에 해당하는 메소드라고도 불리는 멤버 함수와 속성, 값에 해당하는 멤버 변수로 구성되어 있습니다.

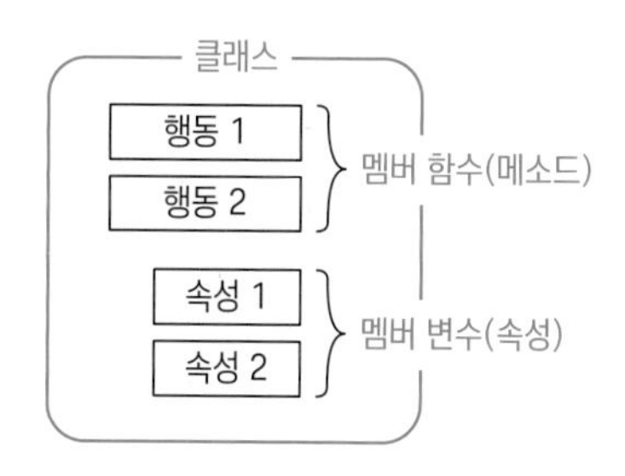

클래스와 객체를 이해하기 위해, 다음 사각형의 면적을 구하는 프로그램을 1. 변수 이용하기, 2. 함수 이용하기, 3. 클래스 이용하기로 나누어 작성한 후 각 코딩 방법의 장단점을 생각해 보겠습니다. 프로그램 작성에 필요한 변수와 함수는 다음과 같습니다.

- 가로 길이와 세로 길이라는 두 개의 데이터를 넣을 변수
- 두 길이를 곱해서 면적을 구하는 함수

[사각형 면적 공식]

■ 사각형의 면적 구하기 (사각형 면적 = 밑변 x 높이)

[변수 이용하기]

```
width = 100   # 밑변
height = 200  # 높이

area=width* height

print(area)
```

[함수 이용하기]

```
width = 100   # 밑변
height = 200  # 높이

def area(w, h):
    return w * h

a=area(width, height)
print(a)
```

[클래스 이용하기]

```
class Rectangle(object):

    def __init__(self, width, height):
        self.width= width
        self.height= height

    def area(self):
        return self.width* self.height

width = 100   # 밑변
height = 200  # 높이

r=Rectangle(width, height)
a=r.area()

print(a)
```

우리는 사각형의 면적을 변수를 이용하기, 함수를 이용하기 그리고 클래스를 이용하기를 통해 코드를 비교해 보았습니다. 간단하고 짧은 코드를 작성할 때는 변수나 함수를 이용하여 면적을 계산하는 것이 코드도 짧고 간단하게 보입니다.

위 프로그램에서 변수나 함수를 이용하여 작성한 코드는 사각형의 밑변 길이를 나타내는 변수 width, 사각형의 높이 길이를 나타내는 변수 height, 그리고 이 사각형의 면적을 계산하는 함수 area는 제각기 떨어져 있게 됩니다. 하지만 초기에 작성하는 코드는 조금 복잡하지만 클래스를 기반으로 한 객체지향프로그래밍에서는 이 세가지를 하나의 객체(object)로 묶을 수 있습니다.

위 클래스 코드 중에서 r이 클래스 Ractangle을 선언한 객체입니다. 이렇게 객체 r은 사각형의 밑변 길이와 높이 길이를 나타내는 변수 height와 width 그리고 면적을 계산하는 함수 area()가 합쳐져서 만들어진 것입니다. 이렇게 클래스로 작성하게 되면 밑변 길이, 높이 길이, 그리고 면적을 계산하는 함수를 갖는 객체를 내가 원하는 만큼 선언하여 사용할 수 있습니다.

객체 r에 포함된 이 변수(속성 또는 멤버 변수)들과 함수(동작, 메소드 또는 멤버 함수라 부릅니다), 즉 속성을 꺼내려면 객체 이름 뒤에 소속을 나타내는 연산자 점(.)을 붙인 다음 속성이름을 입력하면 됩니다.

[객체내의 변수, 함수 접근]

객체 r에 포함된 밑변 속성 width, 높이 속성 height 그리고 넓이를 계산하는 함수 area를 출력하기 위해서는 다음과 같이 코딩합니다.

```
print(r.width)
print(r.height)
print(r.area())
```

[클래스 정의하기]

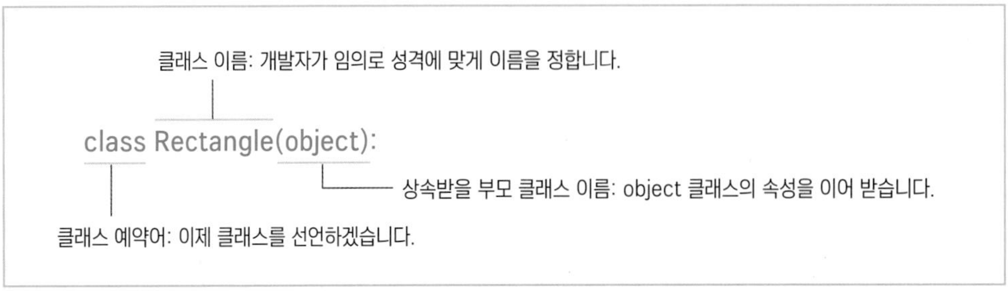

```
              클래스 이름: 개발자가 임의로 성격에 맞게 이름을 정합니다.
                    |
class Rectangle(object):
  |                 └──── 상속받을 부모 클래스 이름: object 클래스의 속성을 이어 받습니다.
  |
클래스 예약어: 이제 클래스를 선언하겠습니다.
```

이상에서 보았듯이 객체지향프로그래밍에서 객체를 만들려면 객체를 바로 만들지 못하고 항상 클래스(class)라는 것을 만든 후에 그 클래스를 이용하여 객체를 만들어야 합니다. 위 코드의 Rectangle은 클래스이고 r은 Rectangle 클래스로 만들어진 객체입니다. 이미 설명하였듯이 클래스는 붕어빵을 찍어내는 틀이라고 하였습니다. 따라서 사각형을 나타내는 클래스 Rectangle은 객체 r로 찍어 내었는데, 이제 Rectangle 틀이 있기 때문에 다양한 사각형을 필요에 따라 얼마든지 찍어낼 수 있겠습니다. 밑변과 높이가 다른 사각형 객체를 r1, r2, r3, r4, r5를 만들어 봅니다.

[객체 선언하기]

```
r1 = Rectangle(10, 10)   # 밑변 10, 높이 10인 사각형
r2 = Rectangle(20, 20)   # 밑변 20, 높이 20인 사각형
r3 = Rectangle(30, 20)   # 밑변 30, 높이 20인 사각형
r4 = Rectangle(40, 10)   # 밑변 40, 높이 10인 사각형
r5 = Rectangle(50, 50)   # 밑변 50, 높이 50인 사각형

print(r1.area());  print(r2.area())
print(r3.area());  print(r4.area())
print(r5.area())
```

[클래스 내 생성자 정의하기]

```
class 클래스이름(object):
    def__init__(self,속성값1,속성값2):
        self.속성이름1 = 속성값1
        self.속성이름2 = 속성값2
```

클래스가 호출될 때 무조건 처음 실행되는 메소드가 클래스의 생성자입니다. class 영역 안에 정의된 __init__란 메소드는 생성자(constructor)라고 하며, 객체를 선언하여클래스 실행하게 될 때 제일 먼저 무조건 실행되는 함수입니다. 따라서, 각종 초기화 정보를 이곳에서 정의해 놓습니다.

__init__( ) 함수의 첫 번째 매개변수는 반드시 self 변수를 사용해야 합니다. self라는 변수를 통해 클래스 내의 함수 간의 정보를 교류합니다.

[__를 이용한 예약 함수, 변수]

```
__를 이용한 특수한 예약함수나 변수
    클래스 생성자__init__( )
    클래스의 객체 출력__str__( )
   __repr__, __main__ , __name__
```

__str__는 객체를 호출하면 기본을 출력하는 형식을 정의하는 예약함수입니다. 그리고 __name__ 은 표준 입력, 스크립트 또는 대화식 프롬프트에서 읽힐 때 '__main__' 으로 설정됩니다.

[Rectangle 클래스 정의하기]

```
class Rectangle(object):
   def __init__(self, width, height):
       self.width= width
       self.height= height

   def area(self):
       return self.width* self.height

   def __str __(self):
       return "Area is %d "%(self.width*self.height)

width = 100   # 밑변
height = 200  # 높이

r=Rectangle(width, height)

a=r.area()

print(a)
print(r)
```

참고

클래스, 객체, 속성, 행동

개념	의미
객체(Object)	실생활에 존재하는 개념, 물건을 프로그램에서 클래스로 정의하여 선언한 인스턴스
속성(attribute)	객체가 가지고 있는 수치, 색깔과 같은 속성 변수, 멤버 변수
행동(action)	객체가 실제 작동하는 함수, 메서드, 멤버 함수

2. 클래스의 상속

클래스 상속(class inheritance)은 부모 클래스의 속성이나 메소드는 자식 클래스에 상속되어, 자식 클래스에서 두 번 반복해서 코딩할 필요가 없습니다. 즉, 클래스 상속을 사용하면 이미 만들어진 클래스 코드를 재사용하여 다른 클래스를 생성할 수 있습니다.

[자식 클래스 정의하기]

```
class자식클래스이름(부모클래스이름):
        def__init__(self,속성값1, 속성값2):
          super(자식클래스이름,self).__init__()
         자식 클래스의 초기화 코드
```

[자식 클래스 정의하기]

```
class Rectangle(object):
   def __init__(self, width, height):
       self.width= width
       self.height= height
   def area(self):
       return self.width* self.height
   def __str __(self):
       return "Area is %d "%(self.width*self.height)

class colorRectangle(Rectangle):
  def __init__(self,color):
   super(colorRectangle,self).__init__(width,height)
   self.color=color

width=50;  height=70;  color="blue"
c = colorRectangle(color)
a = c.area()

print(a);  print(c.color);  print(c)
```

- super(자식클래스이름, self).__init()__ 부분은 부모 클래스의 초기화 생성자를 호출하는 부분입니다.
- colorRectangle 라는 클래스에서 부모 클래스인 Rectangle 클래스의 생성자를 호출하면
- width,height라는 속성값을 초기화하므로 자식 클래스에서는 이 속성값을 초기화해 줄 필요가 없습니다.

객체지향 프로그래밍은 컴퓨터 프로그램을 명령어의 목록으로 보지 않고, 여러 개의 독립된 객체(Object)라는 단위를 기반으로 객체 간에 메시지를 주고 받으며 문제를 처리하는 프로그래밍 방식입니다. 객체지향 프로그래밍을 사용하는 이유는 절차적(Procedural Programming), 구조적 프로그래밍(Structured Programming)에 비해 실세계를 클래스 기반으로 쉽게 코딩하고 직관적이고 빠르게 작성 및 이해하며 유지보수 변경이 용이하기 때문입니다. 상속(inheritance), 다형성(polymorphism), 캡슐화(encapsulation), 정보은닉(information hiding), 생성자, 소멸자, 메소드, 속성, 오버라이딩, 오버로딩 등의 특징을 가지고 있으며 이 특징들을 활용하면 보다 편리한 코딩이 가능해집니다.

1. 원을 클래스로 표시해 보자. 원은 반지름(radius)을 가지고 있다. 원의 넓이와 둘레를 계산하는 메소드도 정의해보자. 설정자와 접근자메소드도 작성한다.

코드

```
import math
class Circle:
        def__init__(self, radius=1.0):
        self.__radius= radius

        defsetRadius(self, r):
        self.__radius= r

        defgetRadius(self):
        return self.__radius

        defcalcArea(self):
        area = math.pi*self.__radius*self.__radius
        return area
        defcalcCircum(self):
        circumference = 2.0*math.pi*self.__radius
        return circumference

c1=Circle(10)
print("원의 반지름=", c1.getRadius())
print("원의 넓이=", c1.calcArea())
print("원의 둘레=", c1.calcCircum())
```

실행 결과

```
원의 반지름= 10
원의 넓이= 314.1592653589793
원의 둘레= 62.83185307179586
```

2. 직원을 나타내는 클래스 Employee를 작성해보자. 직원은 이름(name)과 월급(salary)을 가지고 있고 전체 직원의 수는 클래스 변수인 empCount에 저장된다.

코드

```
class Employee:
  empCount = 0

  def __init__(self, name, salary):
    self.name = name
    self.salary = salary
    Employee.empCount += 1

  def displayCount(self):
   print("전체 직원수=", Employee.empCount)

  def displayEmployee(self):
    print( "이름: ", self.name,  ", 월급: ", self.salary)
```

3. 학생 성적처리 프로그램을 클래스와 객체를 이용하여 작성해보자.

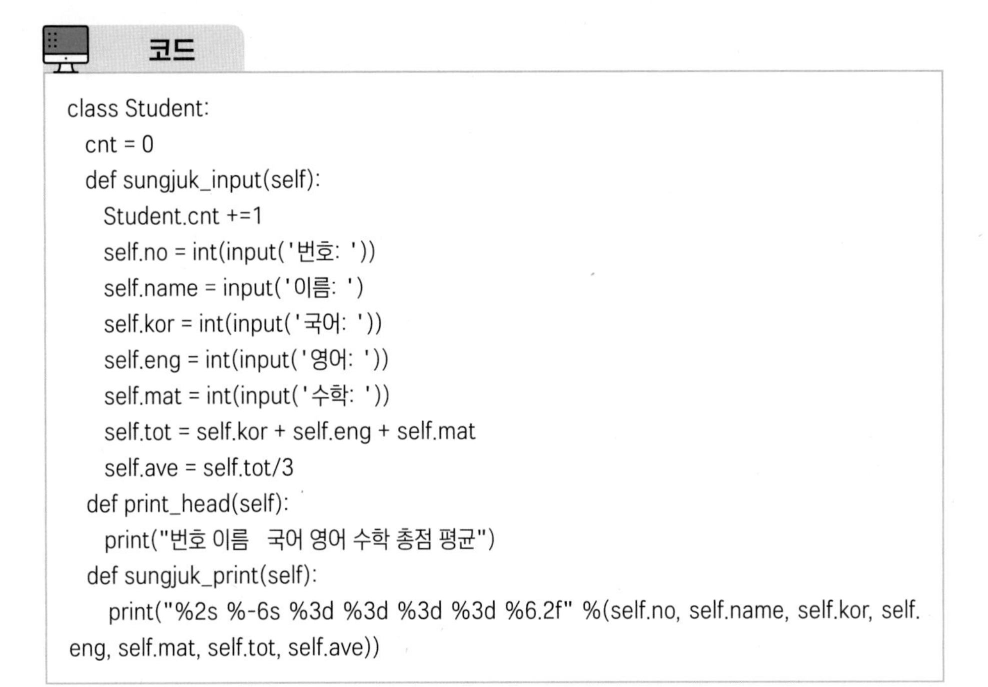

코드

```
class Student:
    cnt = 0
    def sungjuk_input(self):
        Student.cnt +=1
        self.no = int(input('번호: '))
        self.name = input('이름: ')
        self.kor = int(input('국어: '))
        self.eng = int(input('영어: '))
        self.mat = int(input('수학: '))
        self.tot = self.kor + self.eng + self.mat
        self.ave = self.tot/3
    def print_head(self):
        print("번호 이름   국어 영어 수학 총점 평균")
    def sungjuk_print(self):
        print("%2s %-6s %3d %3d %3d %3d %6.2f" %(self.no, self.name, self.kor, self.
eng, self.mat, self.tot, self.ave))
```

코드

```
for i in range(4):
    st = Student()
    st.sungjuk_input()
    lst.append(st)

print("총 학생수는%d명 입니다"%Student.cnt)

st.print_head()

for i in range(len(lst)):
    st = lst[i]
    st.sungjuk_print()
```

실행 결과

```
번호: 1
이름: 파이썬
국어: 80
영어: 90
수학: 60
번호: 2
이름: 코드
국어: 80
영어: 70
수학: 70
번호: 5
이름: 랜덤
국어: 60
영어: 80
수학: 80
번호: 3
이름: 조선
국어: 50
영어: 90
수학: 90
총 학생수는 4명 입니다
번호 이름  국어 영어 수학 총점 평균
 1 파이썬   80  90  60 230  76.67
 2 코드    80  70  70 220  73.33
 5 랜덤    60  80  80 220  73.33
 3 조선    50  90  90 230  76.67
```

CHAPTER 10

모듈과 패키지

1. 모듈
2. 패키지

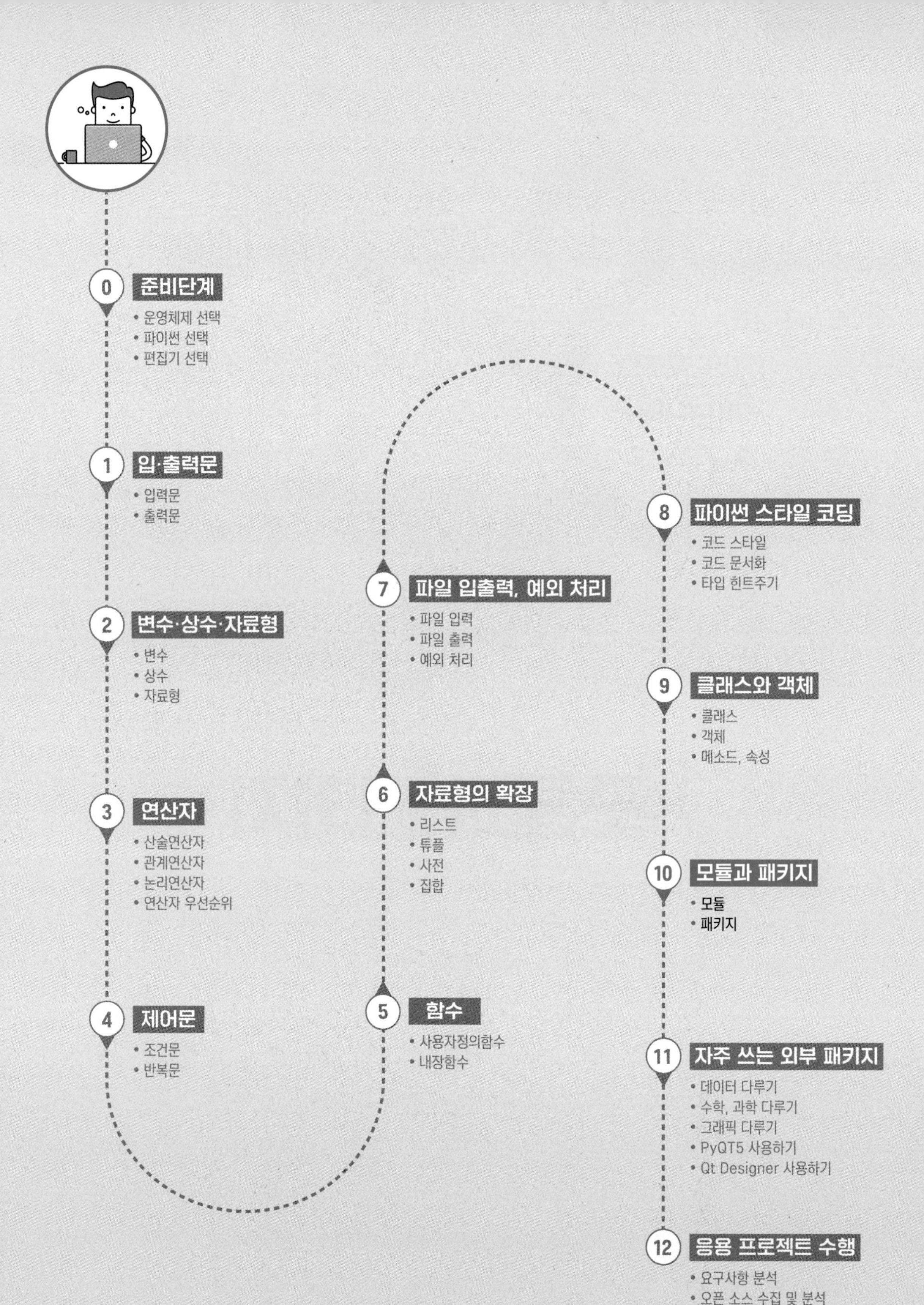
0 준비단계
• 운영체제 선택
• 파이썬 선택
• 편집기 선택
1 입·출력문
• 입력문
• 출력문
2 변수·상수·자료형
• 변수
• 상수
• 자료형
3 연산자
• 산술연산자
• 관계연산자
• 논리연산자
• 연산자 우선순위
4 제어문
• 조건문
• 반복문
5 함수
• 사용자정의함수
• 내장함수
6 자료형의 확장
• 리스트
• 튜플
• 사전
• 집합
7 파일 입출력, 예외 처리
• 파일 입력
• 파일 출력
• 예외 처리
8 파이썬 스타일 코딩
• 코드 스타일
• 코드 문서화
• 타입 힌트주기
9 클래스와 객체
• 클래스
• 객체
• 메소드, 속성
10 모듈과 패키지
• 모듈
• 패키지
11 자주 쓰는 외부 패키지
• 데이터 다루기
• 수학, 과학 다루기
• 그래픽 다루기
• PyQT5 사용하기
• Qt Designer 사용하기
12 응용 프로젝트 수행
• 요구사항 분석
• 오픈 소스 수집 및 분석
• 관련 패키지 설치
• 프로그램 설계
• 응용 프로그램 개발
• 스네이크 게임

1. 모듈

모듈의 개념을 이해하기 위해 구글 안드로이드 개발팀(과거 모토로라 모빌리티)의 프로젝트 아라를 설명하겠습니다. 프로젝트 아라는 아래 그림과 같은 모듈형 스마트폰 프로젝트로, 부품의 덩어리 즉 모듈을 조립하여 하나의 스마트폰을 구성하는 오픈 소스 하드웨어를 기반으로 진행한 프로젝트입니다. 키보드, 디스플레이, 카메라 등 부품(모듈)을 조립하여 스마트폰이 고장이 나면 고장 모듈만 교환하여 전자 폐기물을 줄이고자 하였습니다.

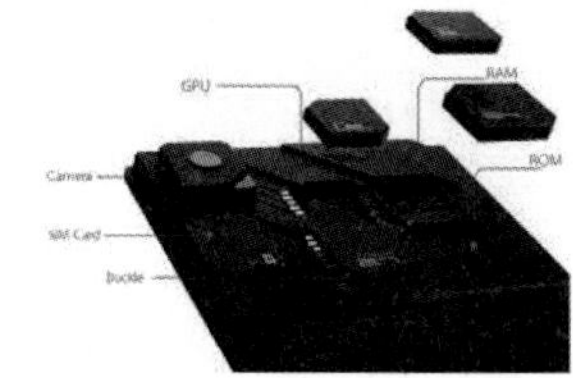

파이썬에서 모듈은 함수, 변수, 클래스들을 모아 놓은 파일로 모듈이름.py형태로 저장됩니다. 소프트웨어를 제작할 때 보통 전문적인 처리를 담당하는 클래스를 모듈로 만들어 관리하게 됩니다. 모듈 내에는 클래스가 여러 개 있을 수 있습니다.

[test.py]

```
# test.py
no = 100
def func_1():
    print('This is function')
class TestClass(object):
    def c_func(self):
        print('This is Class function')
```

현재 모듈에서 다른 모듈의 클래스를 사용하기 위해서는 대상 모듈을 로드해야 합니다. 모듈을 로드하기 위해서는 import 키워드를 사용합니다. import문을 통해 모듈을 로드하게 되면 다음과 같은 일이 수행됩니다. 모듈 안에 정의된 모든 객체를 담을 컨테이너 역할을 하는 네임스페이스가 생성되고, 생성된 네임스페이스 안에서 모듈 코드를 실행합니다.

현재 작성하고 있는 파일이 main.py이고 test.py모듈이 같은 폴더 안에 있으면 다음과 같이 모듈을 로드하고 사용하면 됩니다. 사용할 때 모듈이름.객체 형태로 접근하면 됩니다.

[main.py]

```
# 모듈 로드
import test
main_no = test.no
test.def func_1()
tObject = test.TestClass()
tObject.c_func()
```

모듈을 사용할 때, 모듈 안에 특정한 정의만을 현재 네임스페이스로 불러오려 할 때는 from문을 이용하여 로드합니다. from문으로 새로 생성된 모듈 네임스페이스를 가리키지 않고 모듈에 정의된 특정 객체에 대한 참조를 현재 네임스페이스로 가져옵니다. 만약 test.py 모듈에서 TestClass만 가져오고자 한다면 다음과 같이 수행하면 됩니다.

[main.py]

```
# 모듈 로드
from test import TestClass
tObject = TestClass()
tObject.c_func()
```

모듈 내 여러 객체를 사용하기 위해서, 즉 test.py 모듈에서 여러 개의 객체를 가져오고자 한다면 import문 뒤에 객체의 이름을 콤마(,)를 이용하여 작성해주면 됩니다. 이렇게 작성하면 모듈이름을 작성하지 않고 func_1()과 같이 객체를 바로 접근할 수 있습니다.

[main.py]

```
# 모듈 로드
from test import func_1, TestClass
func_1()
tObject = TestClass()
tObject.c_func()
```

모듈의 참조 이름을 다른 이름으로 바꾸어 사용하고 싶으면 as 한정어를 사용하면 됩니다. 만약 test.py의 TestClass를 ts로 이름을 바꾸어 사용하고자 한다면 다음과 같이 사용하면 됩니다.

[main.py]

```
# 모듈 로드
from test import  TestClass as TC
tObject = TC()
tObject.c_func()
```

모듈 내에 객체가 많을 경우 와일드카드 문자인 별표(*)를 이용하면 밑줄 하나로 시작하는 것을 제외한 모든 객체를 가져올 수 있습니다.

[main.py]

```
# 모듈 로드
from test import *
func_1()
tObject = TestClass()
tObject.c_func()
```

[파이썬 내장 모듈 random 사용하기]

```
import random

random.randint(1,1000)

#randint명령을  이용해,1부터 1000사이의 난수를 10회 반복하여 생성하고, 화면에 해당 값을 출력하기

import random

for _ in range(10):
  a = random.randint(1,1000)
  print(a)
```

import로 모듈을 호출하다 보면, 모듈안의 클래스, 함수, 변수명이 작성하고 있는 프로그램 소스의 이름과 동일한 경우를 방지하기 위해 네임스페이스를 지정하여 사용합니다.

별명(alias)를 이용하여 사용하고자 하거나, 모듈의 이름을 바꾸어 부르고자 할 때 한정자 as를 사용합니다. 또, 모듈 이름이 너무 길거나 다른 코드와 헷갈리는 이름을 가질 때에도 as를 사용하여 모듈 이름을 간단하게 바꿔 사용합니다. 다음은 외부 패키지 pandas를 불러와서 본문에서 pd라는 이름으로 사용하고자 할 때 사용한 코드입니다.

[as 사용예]

```
import pandas as pd
pd.read_csv('data.csv')
```

2. 패키지

패키지는 서로 관련 있는 모듈을 계층적으로 관리할 수 있게 해 줍니다. 패키지를 이용해 모듈을 관리하면 다른 패키지에 선언된 클래스의 이름이 동일해도 식별이 가능합니다. 패키지를 만들 때는 같은 성질들 가지고 있는 유사성 있는 모듈을 패키지로 묶어 관리하면 그 자체가 활용하기 좋은 라이브러리가 될 수 있습니다.

■ 패키지 만들기

패키지를 만들기 위해서는 디렉토리 구조를 설계해야 합니다. 최상위 디렉토리를 정의하고 그 아래에 하위 디렉토리와 다른 디렉토리 그리고 모듈을 만들면 됩니다. 레벨별로는 여러 개의 디렉토리나 모듈을 동일 레벨로 만들 수 있습니다.

이렇게 프로젝트를 패키지로 구성한 후, 모듈에서 다른 패키지에 있는 모듈과 모듈 안에 있는 객체를 사용해보겠습니다. 패키지 구성요소를 접근 하기 위해서는 from문 뒤에 최상위 패키지를 쓰고 소속연산자 점(.)을 이용하여 하위 패키지로 접근하면 됩니다.

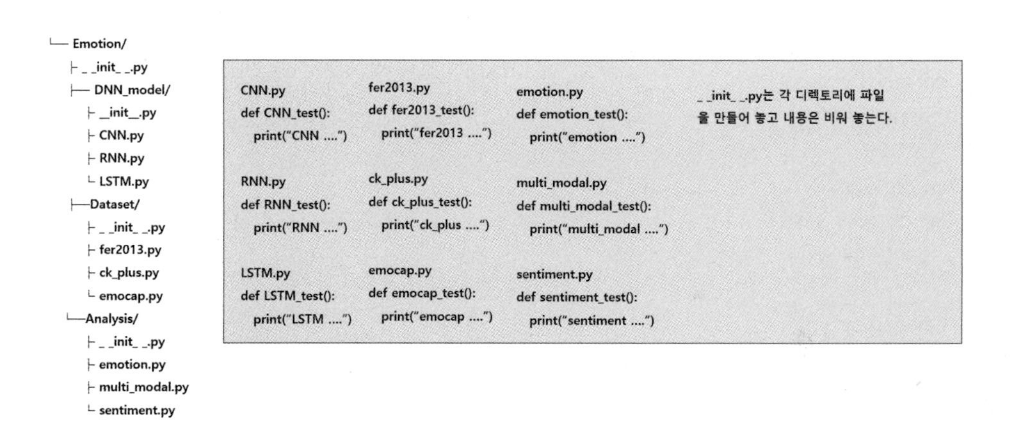

감정인식 프로젝트를 위한 패키지 Emotion을 위와 같이 디렉터리와 파이썬 모듈로 구성해봅니다. Emotion패키지(Packages)는 점(.)을 이용하여 파이썬 모듈을 계층적(디렉터리 구조)으로 관리하기 때문에 모듈 이름이 Emotion.DNN_model인 경우에 Emotion는 패키지 이름이 되고 DNN_model은 Emotion 패키지의 DNN_model모듈이 됩니다. Emotion 디렉토리의 각 디렉토리 별로 다음과 같은 파일을 작성합니다. 모든 디렉토리의 __init__.py 파일은 내용없이 빈 파일로 만들어 놓습니다.

[DNN_model 디렉토리]

```
CNN.py
def CNN_test():
  print("CNN ….")

RNN.py
def RNN_test():
  print("RNN ….")

LSTM.py
def LSTM_test():
  print("LSTM ….")
```

[Dataset 디렉토리]

```
fer2013.py
def fer2013_test():
  print("fer2013 ….")

ck_plus.py
def ck_plus_test():
  print("ck_plus….")

emocap.py
def emocap_test():
  print("emocap….")
```

[Analysis 디렉토리]

```
emotion.py
def emotion_test():
  print("emotion ….")

multi_modal.py
def multi_modal_test():
  print("multi_modal….")

sentiment.py
def sentiment_test():
  print("sentiment ….")
```

■ 모듈실행할 때 주의할 점

- import Emotion 후 CNN_test() 실행 안됨
- Import Emotion.DNN_model.CNN.CNN_test는 실행 안됨
- 점(.)연산에서 import a.b.c와 같이 작성할 때에 c는 반드시 패키지 또는 모듈명이어야 합니다. 함수명을 c에 작성할 수 없습니다.

[CNN모듈 실행하기]

```
• import 사용
import Emotion.DNN_model.CNN
Emotion.DNN_model.CNN.CNN_test()

• import alias사용
import Emotion.DNN_model.CNN as dCNN
dCNN.CNN_test()

• from ~import사용
fromEmotion.DNN_modelimport CNN
CNN.CNN_test()

• 직접 함수호출
fromEmotion.DNN_model.CNNimport CNN_test
CNN_test()
```

자가진단문제

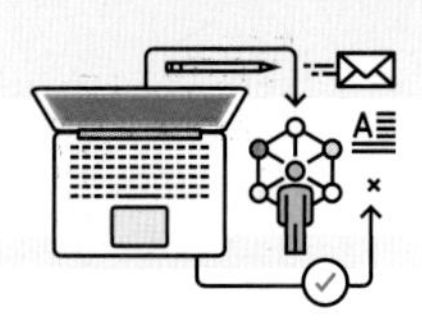

1. 각각의 코드 실행 결과는?

```
>>> a = 3.5
>>> b = int(3.5)
>>> print(a**((a // b) * 2))
```

(가)

```
>>> print(((a - b) * a) // b)
```

(나)

```
>>> b = (((a - b) * a) % b)
>>> print(b)
```

(다)

```
>>> print((a * 4) % (b * 4))
```

(라)

2. 다음 코드의 실행 결과를 쓰시오.

```
>>> a = '3'
>>> b = float(a)
>>> print(b ** int(a))
```

3. 다음 코드의 실행 결과를 쓰시오.

```
a = [0, 1, 2, 3, 4]
print(a[:3], a[:-3])
```

4. 다음 코드의 실행 결과를 쓰시오.

```
a = [0, 1, 2, 3, 4]
print(a[::-1])
```

5. 다음 코드의 실행 결과를 쓰시오.

```
num = [1, 2, 3, 4]
print(num * 2)
```

6. 다음 코드의 실행 결과를 쓰시오.

```
def add_and_mul(a, b, c):
    return b + a * c + b

print(add_and_mul(3, 4, 5) == 63)
```

7. 다음 코드의 실행 결과는?

```
a = 11
b = 9

print('a' + 'b')
```

8. 다음 코드의 실행 결과를 쓰시오.

```
a = "abcd e f g"
b = a.split()
c = (a[:3][0])
d = (b[:3][0][0])

print(c + d)
```

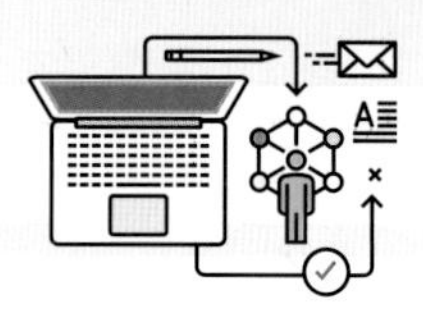

9. 다음 코드의 실행 결과를 쓰시오.

```
def add_number(original_list):
    original_list += [1]
mylist = [1, 2, 3, 4]
add_number(mylist)
print(set(mylist))
```

10. 다음 코드의 실행 결과를 쓰시오.

```
>>> a = [1, 2, 3]
>>> b = [4, 5, ]
>>> c = [7, 8, 9]
>>> print([[sum(k), len(k)] for k in zip(a, b, c)])
```

11. 다음과 같이 리스트 컴프리헨션으로 되어 있는 코드를 람다(lambda) 함수와 map() 함수를 사용하여 표현하시오.

```
>>> ex = [1, 2, 3, 4, 5]
>>> [value **2 for value in ex]
[1, 4, 9, 16, 25]
```

12. 다음 코드의 실행 결과를 쓰시오.

```
class Hero(object):
    def __init__(self, name, characteristic):
        self.name = name
        self.characteristic = characteristic
    def __str__(self):
        return "My name is {0} and my weapon is {1}.".format(self.name, self.character-
istic)

class Villain(Hero):
    pass
```

```
first_villain = Villain("Admiral Lee", "Turtle Ship")
print(first_villain)
```

13. 두 코드 파일인 'fah_converter.py'와 'module_ex.py'는 같은 디렉터리에 있다. 다음과 같은 결과값을 얻기 위해 빈칸에 들어갈 적합한 코드를 쓰시오.

fah_converter.py

```
def covert_c_to_f(celsius_value):
    return celsius_value * 9.0 / 5 + 32

test_value = 0
```

module_ex.py

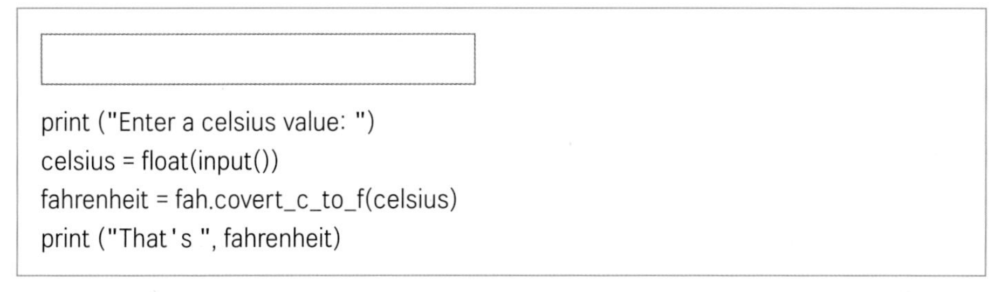

```
[          ]

print ("Enter a celsius value: ")
celsius = float(input())
fahrenheit = fah.covert_c_to_f(celsius)
print ("That's ", fahrenheit)
```

14. 다음과 같이 game 패키지를 만들었다. 패키지 내에서 다른 디렉터리의 모듈을 부를 때 부모 디렉터리 기준으로 호출하는 방법은?
단, render,py에 정의된 render_test()를 기준으로 작성하시오.

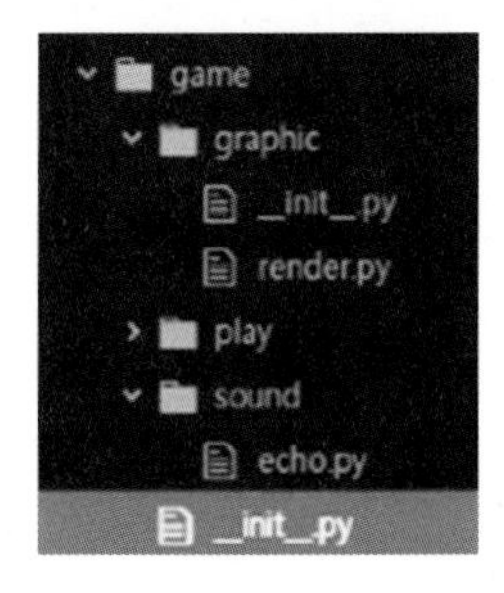

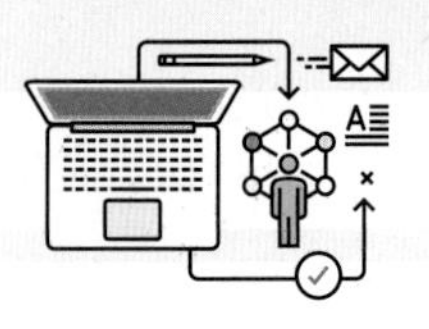

정답

1. (가) 12.25 (나) 0.0 (다) 1.75 (라) 0.0

2. 27.0

3. [0, 1, 2] [0, 1]

4. [4, 3, 2, 1, 0]

5. [1, 2, 3, 4, 1, 2, 3, 4]

6. False

7. ab

8. aa

9. {1, 2, 3, 4}

10. [[12, 3], [15, 3]]

11.
```
>>> f = lambda x : x ** 2
>>> list(map(f, ex))
```

12. My name is Admiral Lee and my weapon is Turtle Ship.

13. import fah_converter as fah

14. from game.graphic.render import render_test( )

CHAPTER 11
외부 패키지

1. PyQT5 사용하기
2. Qt Designer 사용하기

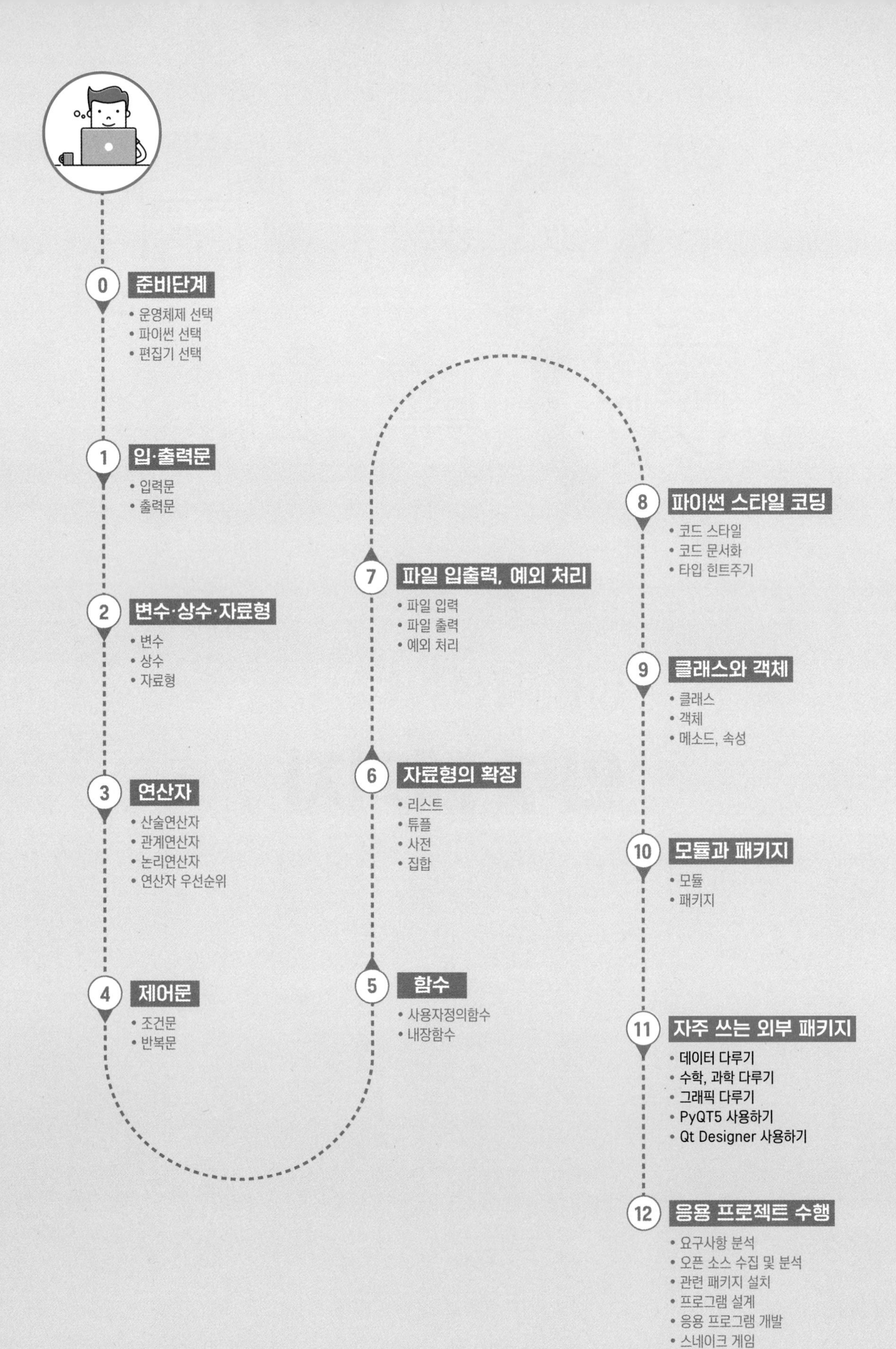

0 준비단계
• 운영체제 선택
• 파이썬 선택
• 편집기 선택
1 입·출력문
• 입력문
• 출력문
2 변수·상수·자료형
• 변수
• 상수
• 자료형
3 연산자
• 산술연산자
• 관계연산자
• 논리연산자
• 연산자 우선순위
4 제어문
• 조건문
• 반복문
5 함수
• 사용자정의함수
• 내장함수
6 자료형의 확장
• 리스트
• 튜플
• 사전
• 집합
7 파일 입출력, 예외 처리
• 파일 입력
• 파일 출력
• 예외 처리
8 파이썬 스타일 코딩
• 코드 스타일
• 코드 문서화
• 타입 힌트주기
9 클래스와 객체
• 클래스
• 객체
• 메소드, 속성
10 모듈과 패키지
• 모듈
• 패키지
11 자주 쓰는 외부 패키지
• 데이터 다루기
• 수학, 과학 다루기
• 그래픽 다루기
• PyQT5 사용하기
• Qt Designer 사용하기
12 응용 프로젝트 수행
• 요구사항 분석
• 오픈 소스 수집 및 분석
• 관련 패키지 설치
• 프로그램 설계
• 응용 프로그램 개발
• 스네이크 게임

지금까지 일상생활의 문제를 컴퓨터 프로그램으로 구현하기 위한 파이썬 문법을 배웠습니다. 세상의 많은 컴퓨터 프로그램 개발자들이 분야별로 잘 만들어 놓은 라이브러리를 앞 장에서 배운 패키지 형태로 공개하여 공유하고 있습니다. 특히 파이썬은 이런 패키지의 공유를 적극적으로 지원합니다. 이렇게 파이썬에 내장되어있지 않고 외부로부터 가져와 사용하는 라이브러리를 외부 패키지라 부릅니다.

분야별로 대표적인 몇몇 패키지는 다음과 같습니다. 또 부록에 해당 패키지의 공직 지원 사이트를 작성해 놓았으니 참고 바랍니다. 이 패키지들의 사용은 여러분들이 앞으로 중급, 그리고 고급 개발자로 나아가는데 필수적인 내용이므로 계속 프로그램 공부를 하게 되면 반드시 만나게 될 것입니다.

- 데이터 다루기: pandas
- 수학, 과학데이터 다루기: numpy
- 그래픽 다루기: matplotlib, seaborn
- 딥러닝 다루기: tensorflow, keras, sklearn, pytorch
- 컴퓨터비전: opencv
- 웹, 데이터베이스: requests, mysql

이 장에서는 프로그램을 잘 만들었을 때 메뉴 등의 인터페이스를 제공하는 패키지를 소개 하겠습니다. 많이 사용하는 패키지는 Tkinter, openCV, PyQT5 등입니다. 물론 pygame등을 사용하여서도 게임 인터페이스를 그래픽 환경으로 잘 제공합니다. 우리는 PyQT5의 간단한 사용 예를 살펴보고 추후 프로젝트 개발에 활용하였으면 합니다.

- tkinter: https://docs.python.org/3/library/tkinter.html
- opencv: https://docs.opencv.org/4.x/d6/d00/tutorial_py_root.html
- https://pypi.org/project/PyQt5/
- https://www.pygame.org/docs/

1. PyQT5 사용하기

VSCode의 터미널 창에서 pip install pyqt5-tools를 설치 후 실행합니다.

- PyQt를 이용하여 "Hello, World!!!"를 출력하시오.

코드

```
import sys
from PyQt5.QtWidgets import *

class MyWindow(QMainWindow):
def __init__(self):
super().__init__()
self.setupUI()

def setupUI(self):
self.resize(400,300)
self.setGeometry(800, 400, 300, 150)

textLabel = QLabel("Hello, World!!!", self)
textLabel.move(100, 60)

if __name__ == "__main__":
   app = QApplication(sys.argv)
   mywindow = MyWindow()
   mywindow.show()
   app.exec_()
```

실행 결과

- PyQt를 이용하여 왼쪽 버튼과 오른쪽 버튼을 만들어 gui의 상태를 출력하시오.

코드

```
import sys
from PyQt5.QtWidgets import *

class MyWindow(QMainWindow):
  def __init__(self):
    super().__init__()
    self.setupUI()

  def setupUI(self):
    self.resize(400,300)
    self.setGeometry(800, 400, 300, 150)

    self.label = QLabel("", self)
    self.label.move(80, 20)
    self.label.resize(200, 50)

    btn1 = QPushButton("왼쪽 버튼", self)
    btn1.move(40, 70)
    btn1.clicked.connect(self.btn1_clicked)

    btn2 = QPushButton("오른쪽 버튼", self)
    btn2.move(150, 70)
    btn2.clicked.connect(self.btn2_clicked)

  def btn1_clicked(self):
    self.label.setText("왼쪽 버튼이 클릭되었습니다.")

  def btn2_clicked(self):
    self.label.setText("오른쪽 버튼이 클릭되었습니다.")

if __name__ == "__main__":
app = QApplication(sys.argv)
mywindow = MyWindow()
mywindow.show()
app.exec_()
```

실행 결과

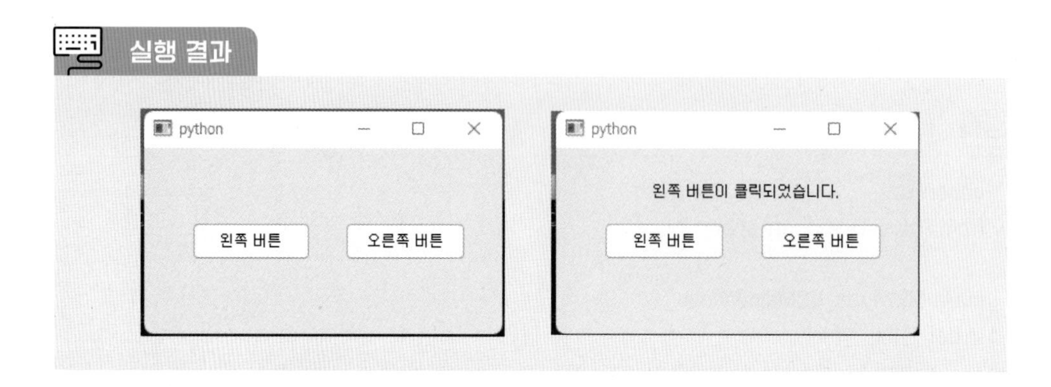

- PyQt를 이용하여 이미지를 출력하시오.

코드

```
import sys
from PyQt5.QtWidgets import *
from PyQt5 import QtCore, QtGui, QtWidgets
import cv2

class MyWindow(QMainWindow):
    def __init__(self):
        super().__init__()
        self.setupUI()

    def setupUI(self):
        self.setGeometry(800, 400, 400, 400)

        textLabel = QLabel("", self)
        textLabel.move(20, 20)

        self.label = QLabel("", self)
        self.label.move(80, 20)
        self.label.resize(200, 30)
        self.label.setPixmap(QtGui.QPixmap("images.jpg"))
        img = cv2.imread("images.jpg")
        w,h,c = img.shape
        self.label.setGeometry(QtCore.QRect(100, 100, w, h))
```

```
if __name__ == "__main__":
    app = QApplication(sys.argv)
    mywindow = MyWindow()
    mywindow.show()
    app.exec_()
```

실행 결과

• PyQt의 QRadioButton을 이용하여 선택된 박스가 출력되는 프로그램을 작성하시오.

코드

```
import sys
from PyQt5.QtWidgets import *

class MyWindow(QMainWindow):
    def __init__(self):
        super().__init__()
        self.setupUI()

    def setupUI(self):
        self.setGeometry(800, 200, 300, 300)
```

```
        groupBox = QGroupBox("message", self)
        groupBox.move(10, 10)
        groupBox.resize(280, 80)

        self.radio1 = QRadioButton("Python", self)
        self.radio1.move(20, 20)
        self.radio1.setChecked(True)
        self.radio1.clicked.connect(self.radioButtonClicked)


        self.radio2 = QRadioButton("JAVA", self)
        self.radio2.move(20, 40)
        self.radio2.clicked.connect(self.radioButtonClicked)

        self.radio3 = QRadioButton("C++", self)
        self.radio3.move(20, 60)
        self.radio3.clicked.connect(self.radioButtonClicked)

        self.statusBar = QStatusBar(self)
        self.setStatusBar(self.statusBar)

    def radioButtonClicked(self):
        msg = ""
        if self.radio1.isChecked():
            msg = "Python"
        elif self.radio2.isChecked():
            msg = "JAVA"
        else:
            msg = "C++"
        self.statusBar.showMessage(msg + "선택 됨")

if __name__ == "__main__":
    app = QApplication(sys.argv)
    mywindow = MyWindow()
    mywindow.show()
    app.exec_()
```

실행 결과

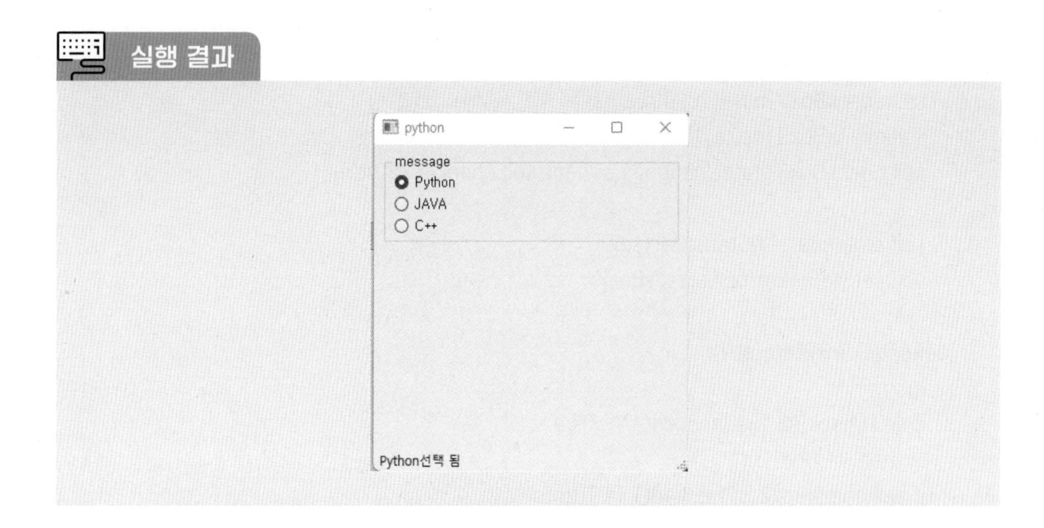

- PyQt의 QCheckbox를 이용하여 체크한 박스가 출력되는 프로그램을 작성하시오.

코드

```
import sys
from PyQt5.QtWidgets import *

class MyWindow(QMainWindow):
    def __init__(self):
        super().__init__()
        self.setupUI()

    def setupUI(self):
        self.setGeometry(800, 200, 300, 300)

        self.checkBox1 = QCheckBox("Python", self)
        self.checkBox1.move(10, 20)
        self.checkBox1.resize(150, 30)
        self.checkBox1.stateChanged.connect(self.checkBoxState)

        self.checkBox2 = QCheckBox("JAVA", self)
        self.checkBox2.move(10, 50)
        self.checkBox2.resize(150, 30)
        self.checkBox2.stateChanged.connect(self.checkBoxState)
```

```
        self.checkBox3 = QCheckBox("C++", self)
        self.checkBox3.move(10, 80)
        self.checkBox3.resize(150, 30)
        self.checkBox3.stateChanged.connect(self.checkBoxState)

        self.statusBar = QStatusBar(self)
        self.setStatusBar(self.statusBar)

    def checkBoxState(self):
        msg = ""
        if self.checkBox1.isChecked() == True:
            msg += "Python"
        if self.checkBox2.isChecked() == True:
            msg += "JAVA"
        if self.checkBox3.isChecked() == True:

            msg += "C++"
        self.statusBar.showMessage(msg)

if __name__ == "__main__":
    app = QApplication(sys.argv)
    mywindow = MyWindow()
    mywindow.show()
    app.exec_()
```

실행 결과

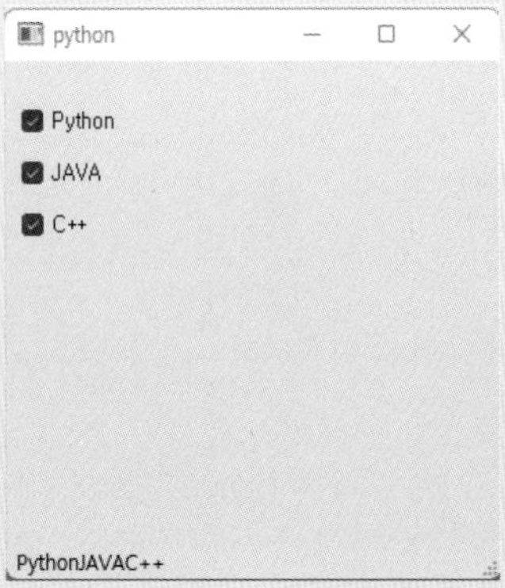

python
Python
JAVA
C++
PythonJAVAC++

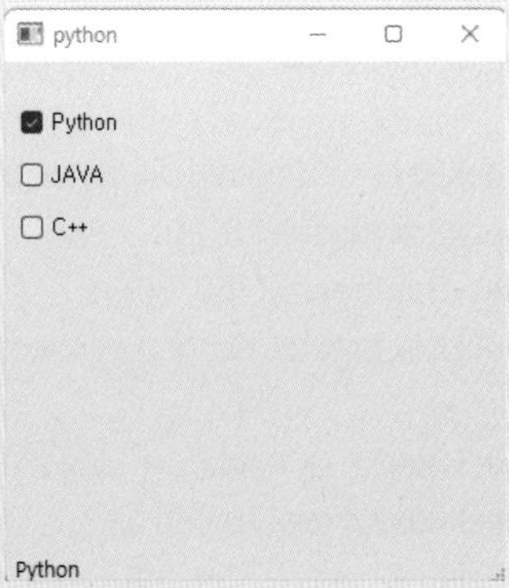

python
Python
JAVA
C++
Python

- PyQt의 QSpinbox를 이용하여 선택된 수가 출력되는 프로그램을 작성하시오.

코드

```
import sys
from PyQt5.QtWidgets import *

class MyWindow(QMainWindow):
    def __init__(self):
        super().__init__();
        self.setupUI()

    def setupUI(self):
        self.setGeometry(800, 200, 300, 300)


        label = QLabel("선택: ", self)
        label.move(10, 20)

        self.spinBox = QSpinBox(self)
        self.spinBox.move(70, 25)
        self.spinBox.resize(80, 22)
        self.spinBox.valueChanged.connect(self.spinBoxChanged)
        self.statusBar = QStatusBar(self)
        self.setStatusBar(self.statusBar)

    def spinBoxChanged(self):
        val = self.spinBox.value()
        msg = '%d를 선택하셨습니다.' % (val)
        self.statusBar.showMessage(msg)

if __name__ == "__main__":
    app = QApplication(sys.argv)
    mywindow = MyWindow()
    mywindow.show()
    app.exec_()
```

실행 결과

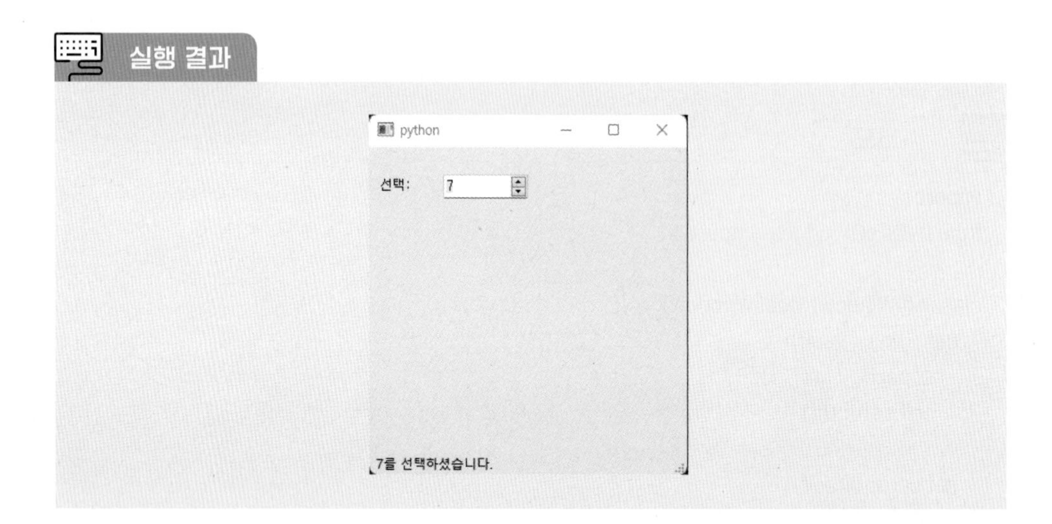

- PyQt의 QTableWidget를 이용하여 선택된 수가 출력되는 프로그램을 작성하시오.

코드

```
import sys
from PyQt5.QtWidgets import *

class MyWindow(QMainWindow):
    def __init__(self):
        super().__init__()
        self.setupUI()

    def setupUI(self):
        self.setGeometry(800, 200, 300, 300)

        self.tableWidget = QTableWidget(self)
        self.tableWidget.resize(290, 290)
        self.tableWidget.setRowCount(2)
        self.tableWidget.setColumnCount(2)
        self.setTableWidgetData()

    def setTableWidgetData(self):
        self.tableWidget.setItem(0, 0, QTableWidgetItem("(00)"))
        self.tableWidget.setItem(0, 1, QTableWidgetItem("(01)"))
```

```
        self.tableWidget.setItem(1, 0, QTableWidgetItem("(10)"))
        self.tableWidget.setItem(1, 1, QTableWidgetItem("(11)"))

if __name__ == "__main__":
    app = QApplication(sys.argv)
    mywindow = MyWindow()
    mywindow.show()
    app.exec_()
```

실행 결과

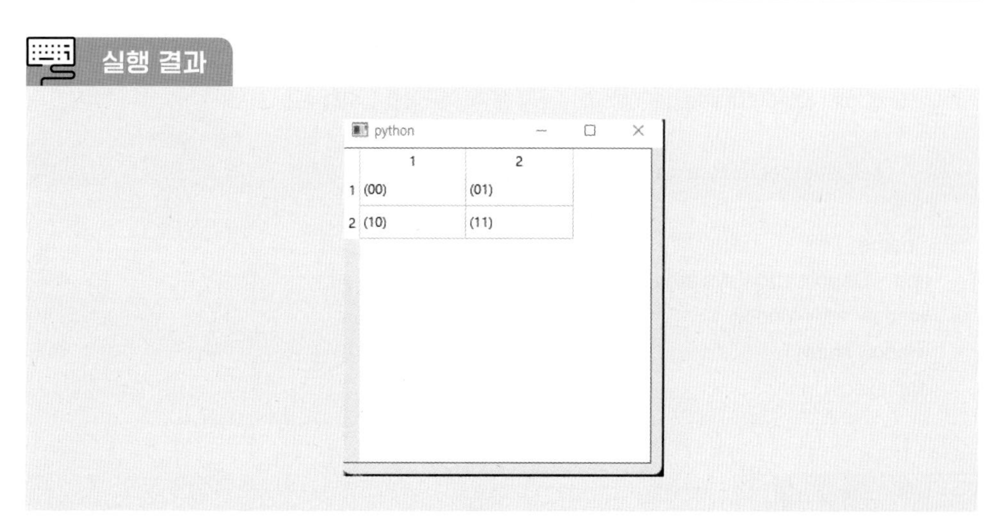

- PyQt의 QInputDialog를 사용하여 원하는 숫자를 입력하는 프로그램을 작성하시오.

코드

```
import sys
from PyQt5.QtWidgets import *

class MyWindow(QWidget):
    def __init__(self):
        super().__init__()
        self.setupUI()

    def setupUI(self):
        self.setGeometry(800, 200, 300, 300)
        self.setWindowTitle("PyStock v0.1")
```

```
        self.pushButton = QPushButton("번호를 넣어주세요")
        self.pushButton.clicked.connect(self.pushButtonClicked)
        self.label = QLabel()

        layout = QVBoxLayout()
        layout.addWidget(self.pushButton)
        layout.addWidget(self.label)

        self.setLayout(layout)

    def pushButtonClicked(self):
        text, ok = QInputDialog.getInt(self, '숫자 선택', '숫자를 입력하세요.')
        if ok:
            self.label.setText(str(text))

if __name__ == "__main__":
    app = QApplication(sys.argv)
    window = MyWindow()
    window.show()
    app.exec_()
```

실행 결과

2. Qt Designer 사용하기

■ Qt Desinger 설치하기

1. pip install pyqt5-tools을 통하여 pyqt5에 필요한 designer을 설치합니다.cmd에서 designer을 입력하여 Qt designer을 실행시킵니다. (anaconda를 설치한 경우 anaconda prompt에서 바로 designer을 입력하면 Qt designer가 실행됩니다.)

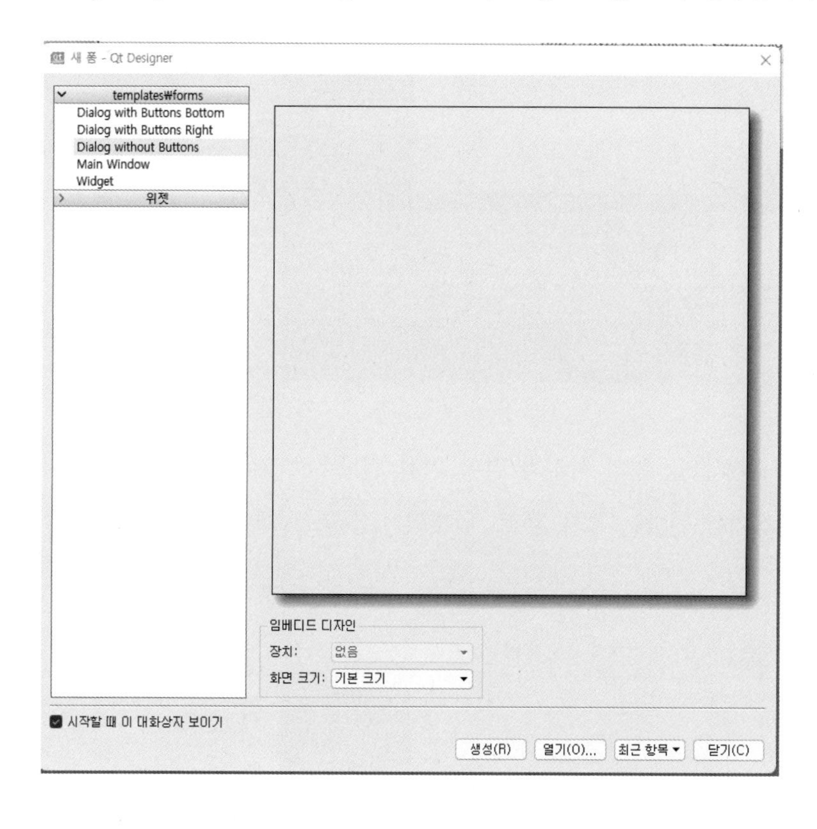

2. Main Window 생성하면 위의 사진과 같이 중앙에 편집 윈도우가 나타나며 왼쪽에 있는 위젯들을 중앙에 있는 편집 윈도우로 드래그 앤드 드롭해서 위치시켜, 객체 탐색기나 속성 편집기를 통해 값을 변경합니다.

3. 왼쪽의 위젯들을 위의 사진과 같이 편집 윈도우로 가져오게되면 각각의 위젯들의 속성편집기를 원하는 크기, 폰트, 위젯의 이름 등을 제어할 수 있습니다.

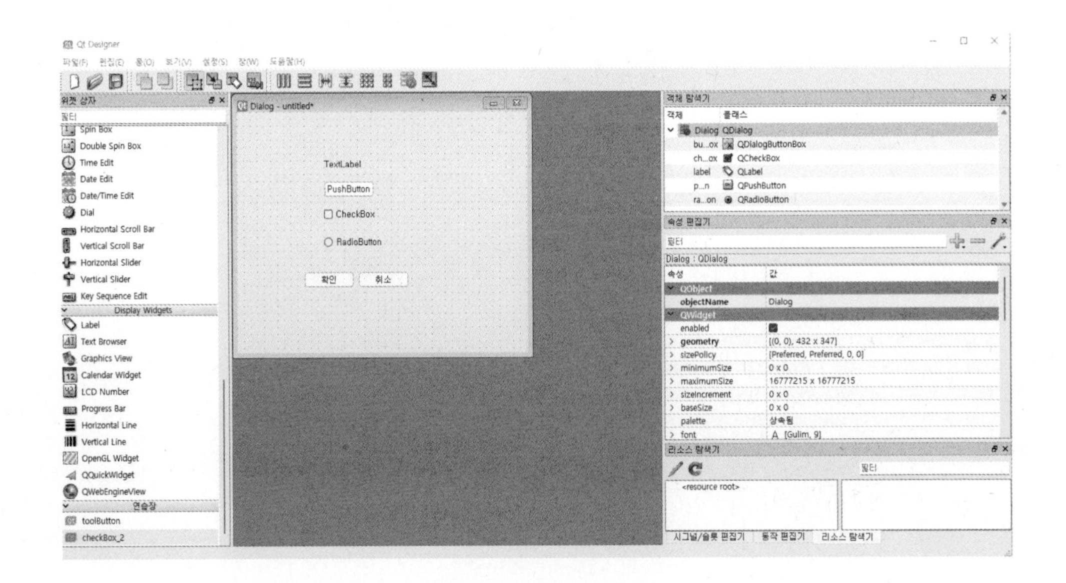

4. 원하는 위젯들의 수정작업이 완료하게 되면 파일메뉴에서 저장을 하여 ui파일로 저장이 됩니다.

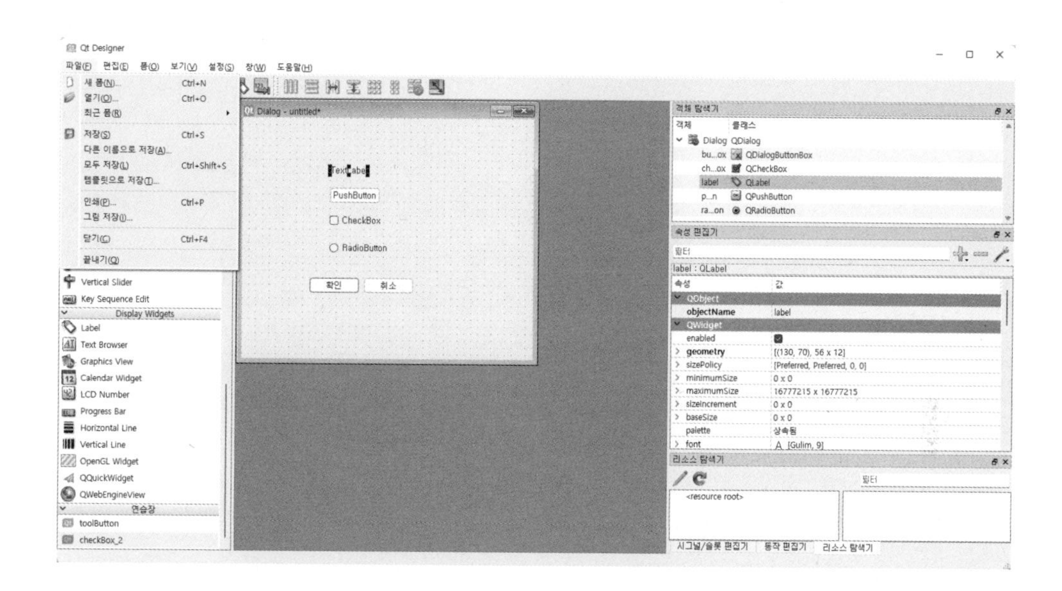

5. ui파일을 python에서 사용하기 위해서는 from PyQt5 import uic와 같이 PyQt5의 uic패키지를 가져옵니다. uic.loadUiType("main.ui")와 같이 ui파일을 가져옴으로써 designer에서 작업한 모든 gui를 가져올 수 있습니다.

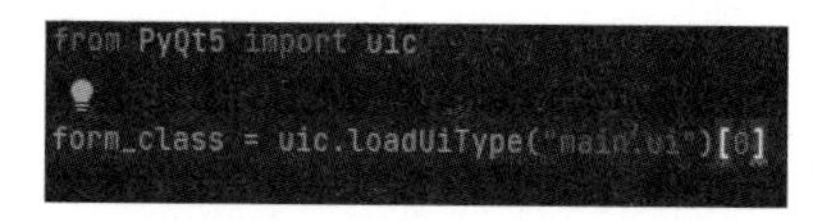

6. ui파일에서 코드를 통한 수정이 필요하게 되면, 위의 사진과 같이 PyQt5의 uic폴더에서 다음과 같은 명령어를 통해 ui파일을 py파일로 변환할 수 있습니다.

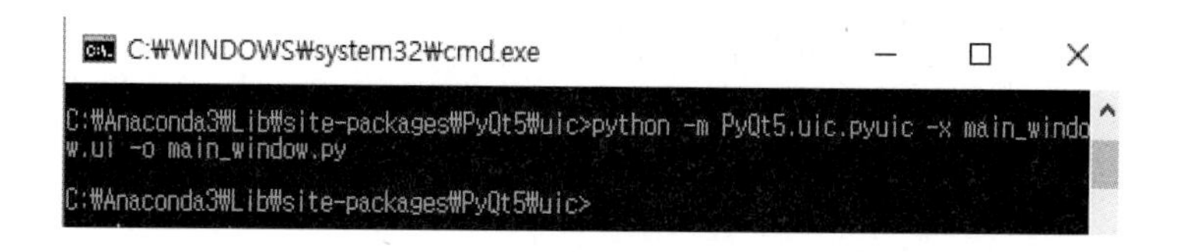

CHAPTER 12
응용 프로젝트 수행

1. 사용자가 입력한 다양한 함수를 가시화하는 프로그램 작성
2. 스네이크 게임

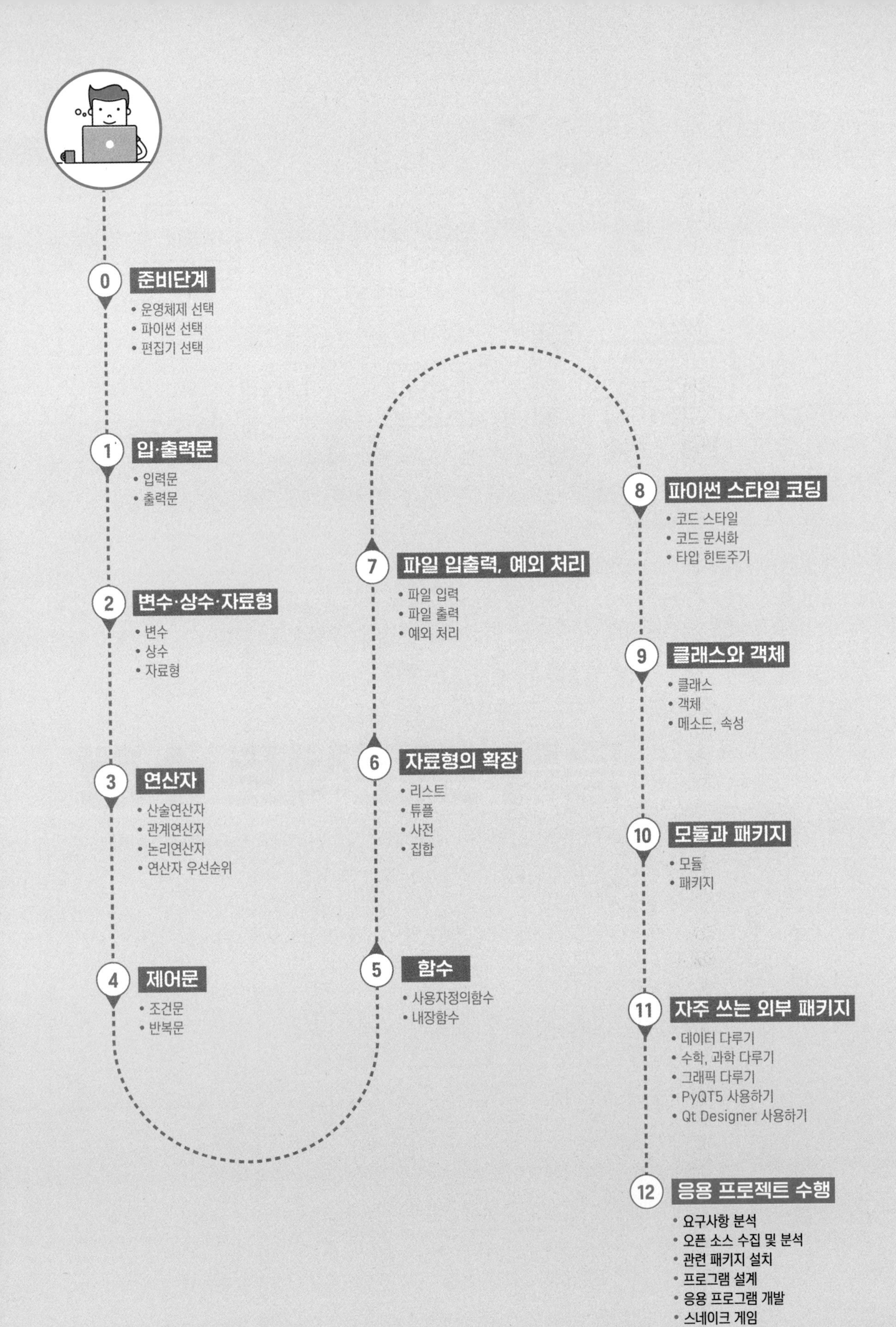

0 준비단계
• 운영체제 선택
• 파이썬 선택
• 편집기 선택
1 입·출력문
• 입력문
• 출력문
2 변수·상수·자료형
• 변수
• 상수
• 자료형
3 연산자
• 산술연산자
• 관계연산자
• 논리연산자
• 연산자 우선순위
4 제어문
• 조건문
• 반복문
5 함수
• 사용자정의함수
• 내장함수
6 자료형의 확장
• 리스트
• 튜플
• 사전
• 집합
7 파일 입출력, 예외 처리
• 파일 입력
• 파일 출력
• 예외 처리
8 파이썬 스타일 코딩
• 코드 스타일
• 코드 문서화
• 타입 힌트주기
9 클래스와 객체
• 클래스
• 객체
• 메소드, 속성
10 모듈과 패키지
• 모듈
• 패키지
11 자주 쓰는 외부 패키지
• 데이터 다루기
• 수학, 과학 다루기
• 그래픽 다루기
• PyQT5 사용하기
• Qt Designer 사용하기
12 응용 프로젝트 수행
• 요구사항 분석
• 오픈 소스 수집 및 분석
• 관련 패키지 설치
• 프로그램 설계
• 응용 프로그램 개발
• 스네이크 게임

일상생활의 문제를 기반으로 응용 프로젝트를 수행하기 위해서는 요구사항 분석, 이미 만들어진 유사한 오픈 소스 수집 및 분석, 프로그램 설계, 관련 패키지 설치 그리고 응용 프로그램을 개발하게 됩니다.

- 요구사항 분석
- 오픈 소스 수집 및 분석
- 프로그램 설계
- 관련 패키지 설치
- 응용 프로그램 개발

1. 사용자가 입력한 다양한 함수를 가시화하는 프로그램 작성

(1) 프로그램 개발 순서

[개발 진행순서]

가시화 정의 파악 → 사용자 입력 가능한 후보 함수 선택 → 개발 프로그래밍 언어 선택 → 프로그램 개발 환경 구축 → 화면설계 → 세부 프로그램 구조 설계 → 실행 및 에러 수정 → 완료

① 가시화의 정의

입력한 함수에 대한 복잡한 데이터를 알아보기 쉽게 보여주기 위한 표현 방법

② 후보 함수 선택

주변에서 흔히 접할 수 있는 sin(x), sin(x)/x, cos(x), tan(x), log, plot, scatter, histogram, polar, box plot를 선택함.

③ 개발 프로그램 언어 선택

C언어와 파이썬 중 시각화에 유리한 파이썬을 선택

④ 개발 환경

파이썬 3.9.6 64비트용과 과학 계산을 위한 numpy 그리고 시각화를 위한 matplotlib 사용

⑤ 화면설계

텍스트 화면에 가시화할 함수 목록을 출력하고, 해당 메뉴의 번호를 선택하면 관련 함수의 가시화 진행

```
-------------------- 가시화 할 함수를 선택하세요. --------------------
1. sin(x) 함수
2. sin(x)/x 함수
3. sin(x), cos(x) 함수
4. sin(x), cos(x), tan(x) 함수
5. logspace 함수
6. linspace vs logspace 함수 가시화 비교(plot, scatter, histogram)
7. polar 함수 가시화
8. box plot 함수 가시화
9. Exit
----------------------------------------------------------------------
Enter your choice [1-9]:
```

■ 설치 라이브러리

① 넘파이(numpy) : 과학 관련 함수를 사용하기

- 설치 명령 : pip install numpy

② 메트플롯라이브러리(matplotlib) : 화면에 그래프 그리기

- 설치 명령 : pip install matplotlib

(2) 가시화 가능 함수 종류

- sin(x) 함수 : 사인 함수
- sin(x)/x 함수 : 사인 함수
- sin(x), cos(x) 함수 : 사인과 코사인 함수 비교

- sin(x), cos(x), tan(x) 함수 : 사인과 코사인, 탄젠트 함수 비교
- logspace 함수 : 로그 데이터
- linspace vs logspace 함수 가시화 비교(plot, scatter, histogram) : 플롯, 산포도, 히스토그램, 히스토그램 로그값 비교
- polar 함수 : 극좌표 함수
- box plot 함수 : 상자–수염 함수

(3) 프로그램 시연 화면

- sin(x) 함수 : 입력값 –20 20 100은 범위 –20에서 20까지 샘플 100개 생성

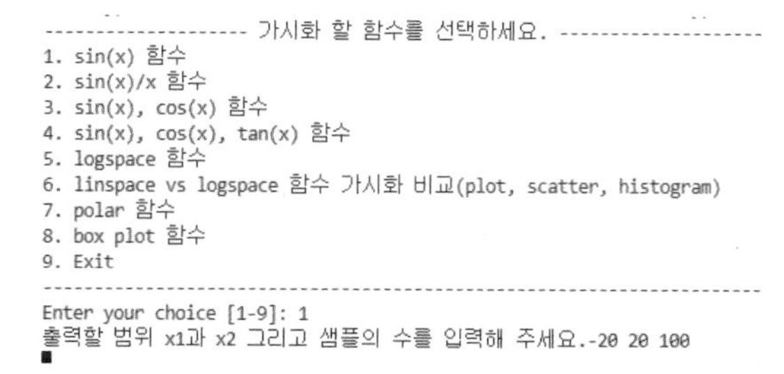

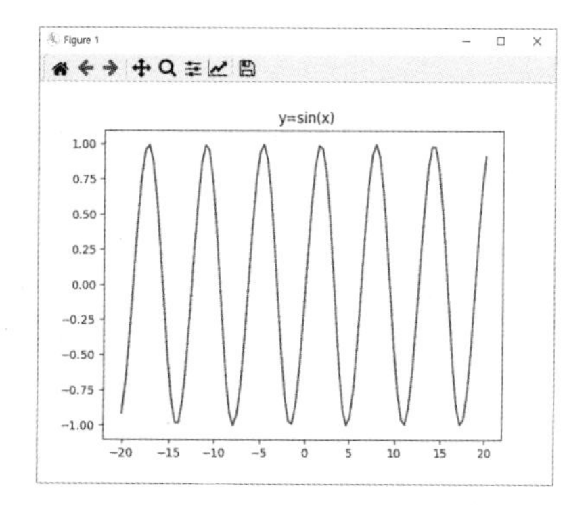

- sin(x)/x 함수 : 입력값 –20 20 100은 –20에서 20까지 샘플 100개 생성

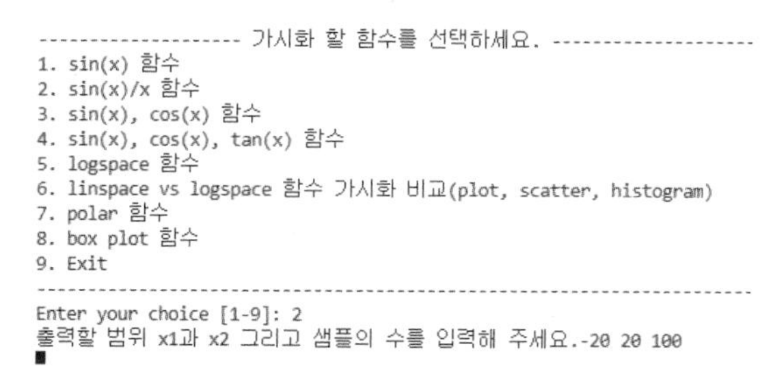

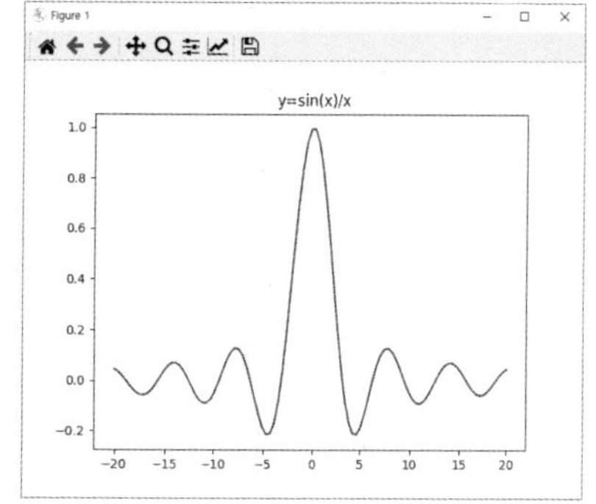

- sin(x), cos(x) 함수 : 입력값은 −20에서 20까지 샘플 100개 생성

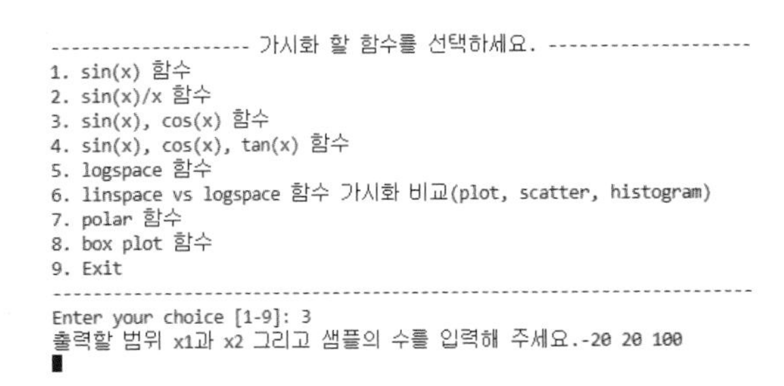

```
-------------------- 가시화 할 함수를 선택하세요. --------------------
1. sin(x) 함수
2. sin(x)/x 함수
3. sin(x), cos(x) 함수
4. sin(x), cos(x), tan(x) 함수
5. logspace 함수
6. linspace vs logspace 함수 가시화 비교(plot, scatter, histogram)
7. polar 함수
8. box plot 함수
9. Exit
----------------------------------------------------------------------
Enter your choice [1-9]: 3
출력할 범위 x1과 x2 그리고 샘플의 수를 입력해 주세요.-20 20 100
```

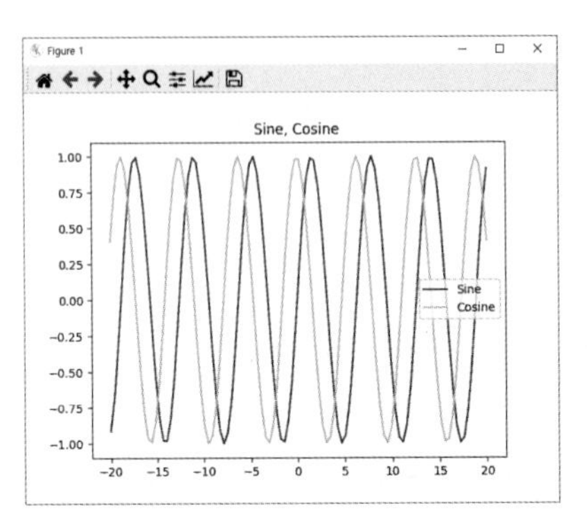

- sin(x), cos(x), tan(x) 함수 : 입력값은 −20에서 20까지 샘플 100개 생성

```
-------------------- 가시화 할 함수를 선택하세요. --------------------
1. sin(x) 함수
2. sin(x)/x 함수
3. sin(x), cos(x) 함수
4. sin(x), cos(x), tan(x) 함수
5. logspace 함수
6. linspace vs logspace 함수 가시화 비교(plot, scatter, histogram)
7. polar 함수
8. box plot 함수
9. Exit
----------------------------------------------------------------------
Enter your choice [1-9]: 4
출력할 범위 x1과 x2 그리고 샘플의 수를 입력해 주세요.-20 20 100
```

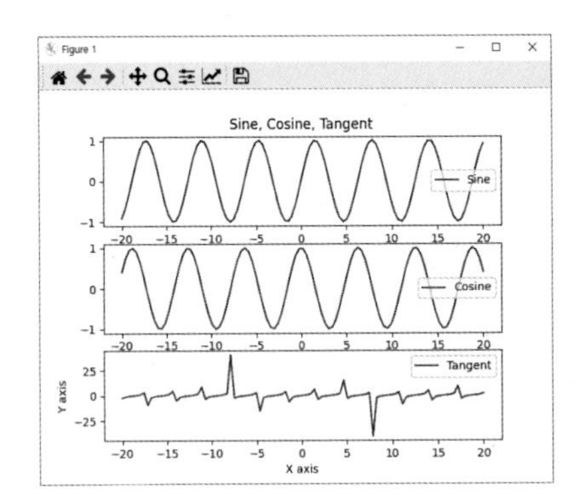

- logspace 함수 : 입력값은 −20에서 20까지의 값을 0부터 1사이의 값으로 정규화한 샘플 100개 생성, 밑은 2

```
-------------------- 가시화 할 함수를 선택하세요. --------------------
1. sin(x) 함수
2. sin(x)/x 함수
3. sin(x), cos(x) 함수
4. sin(x), cos(x), tan(x) 함수
5. logspace 함수
6. linspace vs logspace 함수 가시화 비교(plot, scatter, histogram)
7. polar 함수
8. box plot 함수
9. Exit
----------------------------------------------------------------------
Enter your choice [1-9]: 5
log의 출력할 범위 x1, x2 , 샘플의 수 그리고 base를 입력해 주세요.-20 20 100 2
```

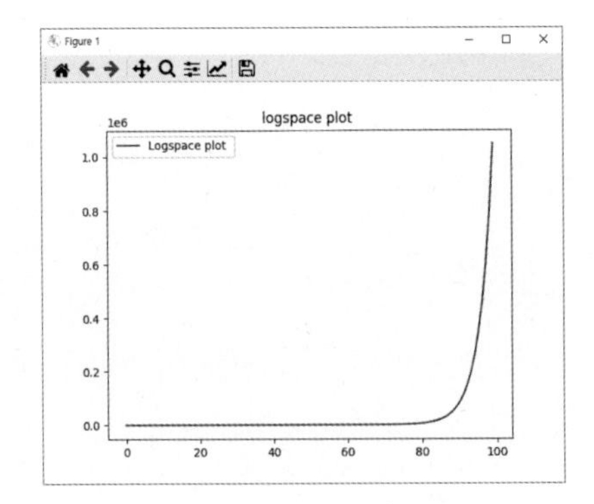

- linspace vs logspace 함수 가시화 비교(plot, scatter, histogram) : 입력값은 -20에서 20까지 샘플 100개 생성, 위쪽 4개의 플롯은 linspace로 생성한 -20부터 20사이의 100개의 값, 아래쪽 4개의 플롯은 logspace로 생성한 -20부터 20사이의 값을 0부터 1사이의 값으로 정규화한 100개의 값

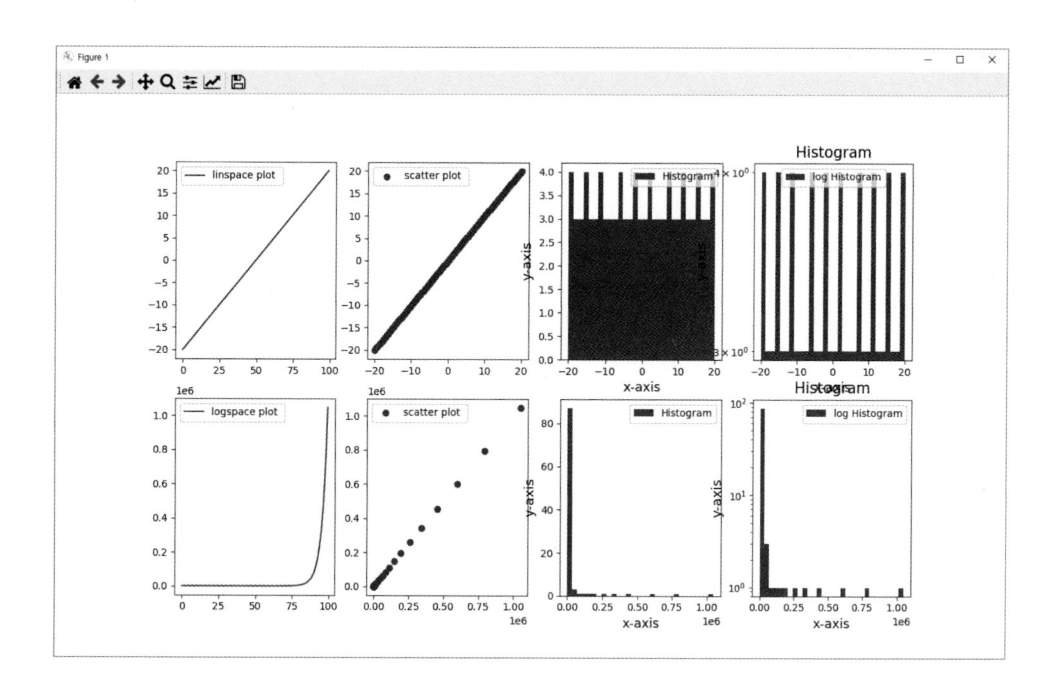

- polar 함수 가시화 : 극좌표에 나선 그래프와 꽃잎 그래프

```
-------------------- 가시화 할 함수를 선택하세요. --------------------
1. sin(x) 함수
2. sin(x)/x 함수
3. sin(x), cos(x) 함수
4. sin(x), cos(x), tan(x) 함수
5. logspace 함수
6. linspace vs logspace 함수 가시화 비교(plot, scatter, histogram)
7. polar 함수
8. box plot 함수
9. Exit
-------------------------------------------------------------------
Enter your choice [1-9]: 7
```

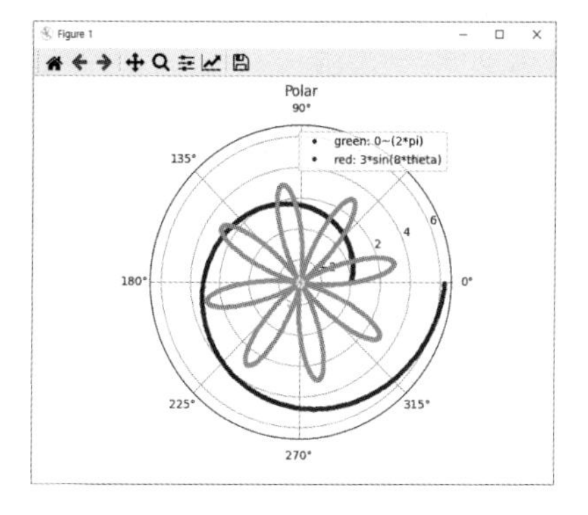

- box plot 함수 가시화 : 입력값은 −20에서 20까지 샘플 100개 생성

```
-------------------- 가시화 할 함수를 선택하세요. --------------------
1. sin(x) 함수
2. sin(x)/x 함수
3. sin(x), cos(x) 함수
4. sin(x), cos(x), tan(x) 함수
5. logspace 함수
6. linspace vs logspace 함수 가시화 비교(plot, scatter, histogram)
7. polar 함수
8. box plot 함수
9. Exit
----------------------------------------------------------------------
Enter your choice [1-9]: 8
log의 출력할 범위 x1, x2 , 샘플의 수를 입력해 주세요.-20 20 100
```

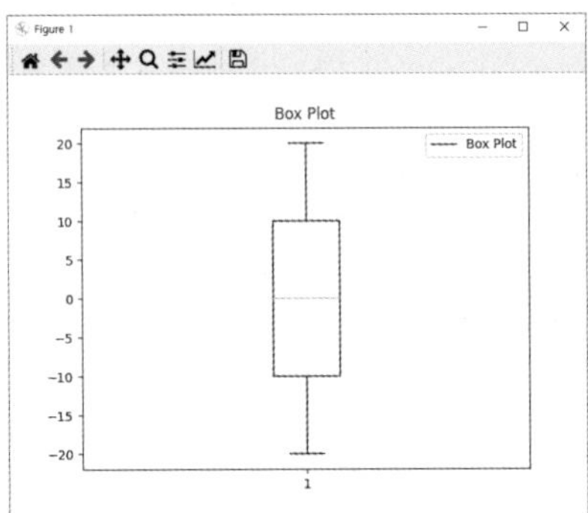

코드

```
from numpy import *    # 과학 관련 함수를 사용하기 위해 numpy 호출
from matplotlib.pyplot import *   # 그래프 관련 함수를 사용하기 위해 matplotlib.pylot 호출

def print_menu():        ## 메뉴 항목 출력
    print ("-" * 20 , "가시화 할 함수를 선택하세요." , "-" * 20)   # 설명 양쪽에 20개씩 대시(-)출력
    print ("1. sin(x) 함수")
    print ("2. sin(x)/x 함수")
    print ("3. sin(x), cos(x) 함수")
    print ("4. sin(x), cos(x), tan(x) 함수")
    print ("5. logspace 함수")
    print ("6. linspace vs logspace 함수 가시화 비교(plot, scatter, histogram) ")
    print ("7. polar 함수 ")
    print ("8. box plot 함수  ")
    print ("9. Exit")
    print ("-" * 70)   #70개 만큼 대시(-)를 출력

#
#sin(x) 함수: 입력값 -20 20 100은 범위 -20에서 20까지 샘플 100개 생성
def my_sin1():
    x1,x2, samples = input('출력할 범위 x1과 x2 그리고 샘플의 수를 입력해 주세요.').split()   # 여러 
개의 변수를 입력받기 위해 split() 사용
    x1 = int(x1); x2 = int(x2); samples = int(samples)    # input으로 입력 받은 값이 문자값이므로 
숫자로 자료형을 변환
    x = linspace(x1,x2,samples)   # linespace는 numpy함수로 x1과 x2 사이에 samples 수 만큼의 
샘플을 생성
```

```
    plot(x,sin(x))              # sin(x) 곡선 그리기
    title('y=sin(x)')           #그래프 화면에 타이틀 출력
    savefig('sin1.png')         # 프로그램 소스가 저장된 곳에 sin(x)함수 출력 이미지 저장
    show()

#
#sin(x)/x 함수: 입력값 -20 20 100은 -20에서 20까지 샘플 100개 생성
def my_sin2():
    x1,x2, samples = input('출력할 범위 x1과 x2 그리고 샘플의 수를 입력해 주세요.').split()   # 여러 개의 변수를 입력받기 위해 split() 사용
    x1 = int(x1); x2 = int(x2); samples = int(samples)    # input으로 입력 받은 값이 문자값이므로 숫자로 자료형을 변환
    x = linspace(x1,x2,samples) #linespace는 numpy패키지 함수로 x1과 x2 사이에 samples 수 만큼의 샘플을 생성

    plot(x,sin(x)/x)            # sin(x)/x 함수 그리기
    title('y=sin(x)/x')         # 그래프 화면에 타이틀 출력
    savefig('sin2.png')         # 프로그램 소스가 저장된 곳에 sin(x)/x함수 출력 이미지 저장
    show()

#
#sin(x), cos(x) 함수: 입력값은 -20에서 20까지 샘플 100개 생성
def my_sin_cos():
    x1,x2, samples = input('출력할 범위 x1과 x2 그리고 샘플의 수를 입력해 주세요.').split()   # 여러 개의 변수를 입력받기 위해 split() 사용
    x1 = int(x1); x2 = int(x2); samples = int(samples)    # input으로 입력 받은 값이 문자값이므로 숫자로 자료형을 변환
    x = linspace(x1,x2,samples) #linespace는 numpy패키지 함수로 x1과 x2 사이에 samples 수 만큼의 샘플을 생성

    plot(x,sin(x))                  # sin(x) 함수 그리기
    plot(x,cos(x))                  # cos(x) 함수 그리기
    title('Sine, Cosine')           # 그래프 화면에 타이틀 출력
    legend(['Sine', 'Cosine'])  # 화면에 범례 표시
    savefig('sin_cos.png')    # 프로그램 소스가 저장된 곳에 sin_cos()함수 출력 이미지 저장
    show()

#
#sin(x), cos(x), tan(x) 함수: 입력값은 -20에서 20까지 샘플 100개 생성
def my_sin_cos_tan():
```

```
    x1,x2, samples = input('출력할 범위 x1과 x2 그리고 샘플의 수를 입력해 주세요.').split()   # 여러 개의 변수를 입력받기 위해 split() 사용
    x1 = int(x1); x2 = int(x2); samples = int(samples)    # input으로 입력 받은 값이 문자값이므로 숫자로 자료형을 변환
    x = linspace(x1,x2,samples) # linespace는 numpy패키지 함수로 x1과 x2 사이에 samples 수 만큼의 샘플을 생성


    subplot(3, 1, 1)                    # 3 x 1의 구조로 출력하려함. 3행의 1열의 첫 번째 그래프
    title('Sine, Cosine, Tangent')      # 그래프 화면에 타이틀 출력
    plot(x,sin(x))                      # sin(x) 함수 그리기
    legend(['Sine'])                    # 화면에 범례 표시

    subplot(3, 1, 2)                    # 3행의 1열의 두 번째 그래프
    plot(x,cos(x))                      # cos(x) 함수 그리기
    legend(['Cosine'])                  # 화면에 범례 표시

    subplot(3, 1, 3)                    # 3행의 1열의 세 번째 그래프
    plot(x,tan(x))                      # tan(x) 함수 그리기
    legend(['Tangent'])                 # 화면에 범례 표시
    xlabel('X axis', fontsize=10)       # X축 label을 설정하고 폰트 사이즈를 10으로
    ylabel('Y axis', fontsize=10)       # Y축 label을 설정하고 폰트 사이즈를 10으로

    savefig('sin_cos_tan.png')    # 프로그램 소스가 저장된 곳에 sin_cos_tan()함수 출력 이미지 저장
    show()

#
#logspace 함수: 입력값은 -20에서 20까지의 값을 0부터 1사이의 값으로 정규화한 샘플 100개 생성, 밑은 2
def my_logspace():
    x1,x2, samples, baseNo = input('log의 출력할 범위 x1, x2 , 샘플의 수 그리고 base를 입력해 주세요.').split()  # 여러 개의 변수를 입력받기 위해 split() 사용
    x1 = int(x1); x2 = int(x2); samples = int(samples); baseNo = int(baseNo)    # input으로 입력 받은 값이 문자값이므로 숫자로 자료형을 변환
    x = logspace(x1,x2,samples,base=baseNo) #logspace는 numpy패키지 함수로 x1과 x2 사이에 samples 수 만큼의 샘플을 생성, 밑은 base를 가짐

    plot(x)                             # l ogspace 함수 그리기
    title('logspace plot')              # 그래프 화면에 타이틀 출력
```

```
    legend(['Logspace plot '])           # 화면에 범례 표시

    savefig('logspace.png')              # 프로그램 소스가 저장된 곳에 sin_cos()함수 출력 이미지 저장
    show()

#
#linspace vs logspace 함수 가시화 비교(plot, scatter, histogram): 입력값은 -20에서 20까지 샘플 100개 생성,
# 위쪽 4개의 플롯은 linspace로 생성한 -20부터 20사이의 100개의 값,
# 아래쪽 4개의 플롯은 logspace로 생성한 -20부터 20사이의 값을 0부터 1사이의 값으로 정규화한 100개의 값
def my_hist_scatter():  # 플롯, 히스토그램, 산포도
    x1,x2, samples = input('log의 출력할 범위 x1, x2 , 샘플의 수를 입력해 주세요.').split()  # 여러 개의 변수를 입력받기 위해 split() 사용
    x1 = int(x1); x2 = int(x2); samples = int(samples)  # input으로 입력 받은 값이 문자값이므로 숫자로 자료형을 변환

    x = linspace(x1,x2,samples) #linspace는 numpy패키지 함수로 x1과 x2 사이에 samples 수 만큼의 샘플을 생성
    y = logspace(x1,x2,samples,base=2) #logspace는 numpy패키지 함수로 x1과 x2 사이에 samples 수 만큼의 샘플을 생성, 밑은 base를 가짐

    subplot(2,4,1)                       # 2x4행렬의 1번째 plot
    plot(x)                              # linspace 함수 그리기
    # title('linspace plot')             # 그래프 화면에 타이틀 출력
    legend(['linspace plot '])           # 화면에 범례 표시

    subplot(2,4,2)                       # 2x4행렬의 2번째 plot
    scatter(x,x)
    # title(' scatter')                  # 그래프 화면에 타이틀 출력
    legend(['scatter plot '])            # 화면에 범례 표시

    nbins=30
    subplot(2,4,3)                       # 2x4행렬의 3번째 plot
    hist(x, bins=nbins)                  # 구간을 30으로 한 히스토그램
    # title('Histogram', fontsize=15)
    xlabel('x-axis', fontsize=13)
    ylabel('y-axis', fontsize=13)
    legend(['Histogram'])
```

```
    subplot(2,4,4)                        # 2x4행렬의 4번째 plot
    hist(x, bins=nbins, log=True)         # 구간을 30으로 한 히스토그램, log 값
    title('Histogram', fontsize=15)
    xlabel('x-axis', fontsize=13)
    ylabel('y-axis', fontsize=13)
    legend(['log Histogram'])

#------  log space data visualization -----------
    subplot(2,4,5)                        # 2x4행렬의 5번째 plot
    plot(y)                               # logspace 함수 그리기
    # title('logspace plot')              # 그래프 화면에 타이틀 출력
    legend(['logspace plot '])            # 화면에 범례 표시

    subplot(2,4,6)                        # 2x4행렬의 6번째 plot
    scatter(y,y)                          # 2차원 scatter 함수 출력
    # title(' scatter')                   # 그래프 화면에 타이틀 출력
    legend(['scatter plot '])             # 화면에 범례 표시

    nbins=30
    subplot(2,4,7)                        # 2x4행렬의 7번째 plot
    hist(y, bins=nbins)                   # 구간을 30으로 한 히스토그램
    # title('Histogram', fontsize=15)
    legend(['Histogram'])
    xlabel('x-axis', fontsize=13)
    ylabel('y-axis', fontsize=13)

    nbins=30
    subplot(2,4,8)                        # 2x4행렬의 8번째 plot
    hist(y, bins=nbins, log=True)         #구간을 30으로 한 히스토그램, log 값
    title('Histogram', fontsize=15)
    legend(['log Histogram'])
    xlabel('x-axis', fontsize=13)
    ylabel('y-axis', fontsize=13)

    savefig('hist_scatter.png')    # 프로그램 소스가 저장된 곳에 hist_scatter()함수 출력 이미지 저장
    show()

#
#polar 함수 가시화: 극좌표에 나선 그래프와 꽃잎 그래프
def my_polar():
    axes(projection = 'polar')
```

```
    rads = arange(0, (2 * pi), 0.01)
    for i in rads:
        polar(i, i, 'g.')           # spiral 나선(달팽이와 껍질형태 같은) 그리기

    theta = linspace(0, 2* pi, 360*4)  #원의 각도 세타값을 360도의 4배 개수 만큼 생성
    r = 3* sin(8 * theta)       # 꽃잎 좌표
    polar(theta, r, 'r.')       # 꽃잎 극좌표 그리기

    title ('Polar', color='b')
    legend(['green: 0~(2*pi)','red: 3*sin(8*theta)'])

    savefig('polar.png')    # 프로그램 소스가 저장된 곳에 polar()함수 출력 이미지 저장
    show()

#
#box plot 함수 가시화: 입력값은 -20에서 20까지 샘플 100개 생성
def my_boxplot():
    x1,x2, samples = input('log의 출력할 범위 x1, x2 , 샘플의 수를 입력해 주세요.').split()   # 여러 개
의 변수를 입력받기 위해 split() 사용
    x1 = int(x1); x2 = int(x2); samples = int(samples)   # input으로 입력 받은 값이 문자값이므로 숫
자로 자료형을 변환

    x = linspace(x1,x2,samples) #linspace는 numpy패키지 함수로 x1과 x2 사이에 samples 수 만큼
의 샘플을 생성

    boxplot(x)  #box plot 그리기

    title ('Box Plot', color='b')
    legend(['Box Plot'])

    savefig('boxplot.png')    # 프로그램 소스가 저장된 곳에 polar()함수 출력 이미지 저장
    show()

def s_main():
    loop=True

    while loop:                 ## While loop which will keep going until loop = False
        print_menu()            ## Displays menu
        choice = input("Enter your choice [1-9]: ")
```

```
    if choice=='1':
        my_sin1()                # sin(x) 가시화 함수  실행
    elif choice=='2':
        my_sin2()                # sin(x)/x  가시화 함수 실행
    elif choice=='3':
        my_sin_cos()             # sine과 cosine 가시화 함수 실행(함께 출력)
    elif choice=='4':
        my_sin_cos_tan()         # sine, cosine, tangent 가시화 함수 실행(따로 출력)
    elif choice=='5':
        my_logspace()            # logspace 가시화 함수 실행
    elif choice=='6':
        my_hist_scatter()        # linspace와 logspace 데이터의 plot, histogram, scatter(산
포도) 가시화 함수 실행
    elif choice=='7':
        my_polar()               # polar(극좌표) 가시화 함수 실행
    elif choice=='8':
        my_boxplot()             # box plot 가시화 함수 실행

    elif choice=='9':
        return
    else:
        print("\n\n 잘못 된 메뉴를 선택했습니다. 다시 선택하세요!\n\n")

s_main()
```

2. 스네이크 게임

이 번에는 8비트 컴퓨터 시절부터 많은 사람들의 사랑을 받았던 스네이크 게임을 분석해 보겠습니다. 이 프로그램 소스는 인터넷 상의 공개된 코드이며, Edureka가 작성한 코드임을 알려드립니다.

프로그램을 실행하기 전에 Visual Studio Code 편집기의 터미널에서 반드시 pygame 패키지를 pip install pygame과 같이 설치하여야 프로그램이 정상적으로 작동합니다. 또, 코랩이나 주피터 노트북과 같은 노트북 환경 즉, 브라우저를 기반으로 파이썬을 실행하는 환경에서는 pygame의 그래픽 환경을 지원하지 않음을 공지하니, 반드시 작업 환경을 확인 바랍니다.

■ pip install pygame

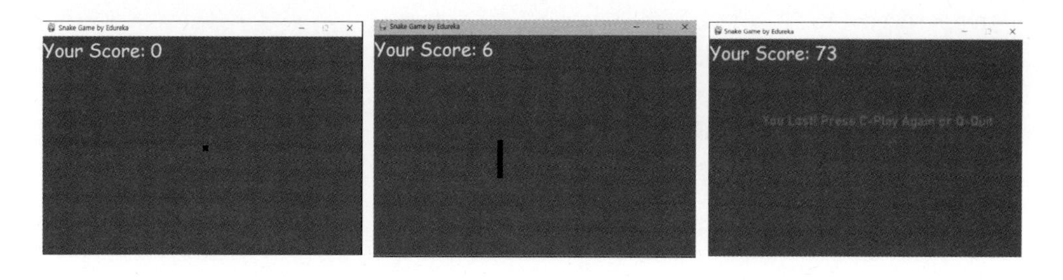

■ pygame패키지를 이용한 스네이크 게임

```
import pygame
import time
import random
#파이게임 모듈을 들여오고 시간과 랜덤을 들여오는 과정이다.

pygame.init()
#파이게임 초기화를 해주어야 한다.

white = (255, 255, 255)
yellow = (255, 255, 102)
black = (0, 0, 0)
red = (213, 50, 80)
green = (0, 255, 0)
blue = (50, 153, 213)
#나중에 번호로 쓰면 길어지기 때문에 편하게 쓰기 위한 색 설정(정의)단계이다.

dis_width = 600
dis_height = 400

dis = pygame.display.set_mode((dis_width, dis_height))
#창을 만들고 크기를 설정한다.

pygame.display.set_caption('Snake Game by Edureka')
#창 상단의 캡션(이름)을 설정하는 단계이다.

clock = pygame.time.Clock()
#시간을 들여온다.(뱀의 속도를 부여하기 위함)
```

```
snake_block = 10
snake_speed = 15
#스네이크의 크기와 속도를 설정한다.

font_style = pygame.font.SysFont("bahnschrift", 25)
score_font = pygame.font.SysFont("comicsansms", 35)
#글꼴 설정단계이다.

def Your_score(score):
    value = score_font.render("Your Score: " + str(score), True, yellow)

    #"Your Score"에 대한 글꼴 확정 및 색상 설정이다.
    dis.blit(value, [0, 0])
    #"Your Score"의 위치 설정이다.


def our_snake(snake_block, snake_list):
    for x in snake_list:
        pygame.draw.rect(dis, black, [x[0], x[1], snake_block, snake_block])
        #뱀의 형태(사각형), 창(dis), 색상(black), 사각형의 크기(snake_block)설정이다.

def message(msg, color):
    mesg = font_style.render(msg, True, color)
    dis.blit(mesg, [dis_width / 6, dis_height / 3])
    #메세지의 글꼴, 색깔, 위치에 대한 설정이다.

def gameLoop():
    game_over = False
    game_close = False
#게임 시작과 끝변수의 초기값을 설정한다.

    x1 = dis_width / 2
    y1 = dis_height / 2
    #초기 뱀의 위치를 설정한다.

    x1_change = 0
    y1_change = 0
    #초기 스텐바이 상태에서의 이동을 금지시키는 설정이다.
```

```
snake_List = []
#뱀이 지나간 흔적(사각형들이 지나가면서 저장된 좌표값)을 초기화 한다.

Length_of_snake = 1
#초기 뱀의 길이를 설정한다.

foodx = round(random.randrange(0, dis_width - snake_block) / 10.0) * 10.0
foody = round(random.randrange(0, dis_height - snake_block) / 10.0) * 10.0
#뱀이 먹어야 하는 음식의 생성 위치(무작위 위치)를 설정한다.

while not game_over:
  while game_close == True:
    dis.fill(blue)
    message("You Lost! Press C-Play Again or Q-Quit", red)
    Your_score(Length_of_snake - 1)
    pygame.display.update()
    #게임 오버가 되었을 경우 나오는 멘트 설정 및 점수설정 단계이다.

    for event in pygame.event.get():
      if event.type == pygame.KEYDOWN:
        if event.key == pygame.K_q:
          game_over = True
          game_close = False
        if event.key == pygame.K_c:
          gameLoop()
          #게임 오버 상태에서 사용자가 Q키, C키를 눌렀을 때 각각의 프로그램 동작을 설정하는 단계이다.

  for event in pygame.event.get():
    if event.type == pygame.QUIT:
      game_over = True
      #이벤트 type이 pygame.QUIT이면 game_over을 True로 만들어서 루프를 탈출하게 한다.

    if event.type == pygame.KEYDOWN:
      if event.key == pygame.K_LEFT:
        x1_change = -snake_block
        y1_change = 0
      elif event.key == pygame.K_RIGHT:
        x1_change = snake_block
        y1_change = 0
```

```
        elif event.key == pygame.K_UP:
            y1_change = -snake_block
            x1_change = 0
        elif event.key == pygame.K_DOWN:
            y1_change = snake_block
            x1_change = 0
            #QUIT이 아닐 경우(키보드가 눌린 경우)각각 눌린 키보드 방향키에 따른 뱀의 이동 설정 단계이다.

if x1 >= dis_width or x1 < 0 or y1 >= dis_height or y1 < 0:
    game_close = True
    #뱀이 화면 밖을 넘어갈 경우 게임 오버를 시키는 설정이다.

x1 += x1_change
y1 += y1_change
#방향키에 의해 바뀐 change값을 x1,y1값으로 설정하는 것이다.

dis.fill(blue)
#화면을 재 세팅한다.

pygame.draw.rect(dis, green, [foodx, foody, snake_block, snake_block])
#먹이를 생성하는 과정이다.

snake_Head = []
snake_Head.append(x1)
snake_Head.append(y1)
#위의 x1, y1값을 snake_Head에 추가시킨다.

snake_List.append(snake_Head)
#위의 snake_Head를 snake_List에 추가시킨다.

if len(snake_List) > Length_of_snake:
    del snake_List[0]
    #뱀의 길이를 맞춰주기위해 'Length_of_snake'에 맞춰 전에 있던 칸의 꼬리를 잘라내는 과정이다.
    #(뱀이 일정한 길이로 지나다니는 것처럼 보이게 하기 위함)

for x in snake_List[:-1]:
    if x == snake_Head:
        game_close = True
        #뱀의 머리가 자신의 꼬리에 닿았을 때 게임 오버가 되도록 하는 작업이다.
```

```
        our_snake(snake_block, snake_List)
        Your_score(Length_of_snake - 1)
        #뱀의 길이와 그에 따른 점수를 업데이트 해주는 작업이다.

        pygame.display.update()
        #계속해서 변동사항들을 화면에 업데이트 시켜주어야 한다.

        if x1 == foodx and y1 == foody:
            foodx = round(random.randrange(0, dis_width - snake_block) / 10.0) *  10.0
            foody = round(random.randrange(0, dis_height - snake_block) / 10.0) * 10.0
            Length_of_snake += 1
            #뱀이 먹이를 먹었을 때 먹이가 랜덤하게 생성되게 하는 설정과 뱀의 길이가 늘어나게 하는 설정이다.

        clock.tick(snake_speed)
       #컴퓨터는 틱 기준으로 시간을 제기 때문에 뱀의 속도를 여기에 부여해야 한다.

    pygame.quit()
    #프로그램을 종료한다.

    quit()


gameLoop()
```

APPENDIX
부록

1. Visual Studio Code 단축키

■ 기본 편집 단축키

단축키	의미	비 고
Ctrl + K → Ctrl + C	블럭 주석 처리	한 줄 주석(#) 의미
Ctrl + K → Ctrl + U	주석 삭제	한 줄 주석(#) 삭제
Ctrl + /	한 줄 주석처리	한 줄 주석(#) 의미 누를 때마다 주석 표기 토글
Alt + Shift + A	블럭 주석 처리	'''~'''의 의미 드래그 된 부분을 블럭 주석
Ctrl + C	커서 위치 행 메모리에 복사	한 행 메모리에 저장
Ctrl + V	다음 행에 행 복사	Ctrl + C 또는 Ctrl + X 값을 복사
Ctrl + X	커서 위치 행 삭제	메모리에 저장(잘라내기)
Ctrl + Shift + K	커서 위치 행 삭제	
Ctrl + Enter	커서 아래 행 빈줄 생성	행의 코드 중간 부분에서도 사용가능
Ctrl + Shift + Enter	커서 위 행 빈줄 생성	행의 코드 중간 부분에서도 사용
alt + (↑)화살표	행을 위로 이동	행의 코드 윗줄과 순서를 바꿀 때 사용
alt + (↓)화살표	행을 아래로 이동	행의 코드 아랫줄과 순서를 바꿀 때 사용
Ctrl + alt + ↑	다중 선택(위)	여러 행을 선택 후 한곳에 수정, 추가하면 여러 행에 동시 적용
Ctrl + alt + ↓	다중선택(아래)	여러 행을 선택 후 한곳에 수정, 추가하면 여러 행에 동시 적용
Ctrl + Shift + [	커서 영역 접기	퍼블리싱 작업시 해당 블럭의 코딩 접기
Ctrl + Shift +]	커서 영역 펼치기	퍼블리싱 작업시 해당 블럭의 코딩 열기

■ 검색 단축키

단축키	의미	비 고
Ctrl + F	찾기	현재 파일에서 찾기
Ctrl + Shift + F	전체 파일에서 찾기	폴더 내의 전체 파일에서 찾기
Ctrl + H	바꾸기	현재 열린 파일 내에서 문자열을 찾아 수정하기 (바꾸기)
Ctrl + Shift + H	전체파일에서 바꾸기	폴더 내의 전체 파일에서 문자열을 찾아 수정하기
Ctrl + G	행(줄 번호) 이동	특정 줄 번호로 이동
Ctrl + P	빠른 파일 열기	프로젝트 폴더 내에서 빠르게 파일을 찾아 열때
F8	오류 또는 경고 찾기	오류 또는 경고가 있는 경우 해당 위치를 찾아서 보여주기

■ 파일 관리 단축키

단축키	의미	비 고
Ctrl + N	새로운 편집 탭 열기	빠르게 새로운 파일을 생성하고자 할 때 새 탭 열기
Ctrl + Shift + N	새로운 창 열기	새로운 프로젝트를 생성할 때 새로운 창 열기
Ctrl + O	파일 열기	프로젝트 폴더내의 기존 파일 열기
Ctrl + W	파일 창 닫기	Ctrl + N 등으로 편집 창이 많이 열렸을 때 창 닫기
Ctrl + Shift + T	바로 전 편집 파일 열기	편집하다 닫은 바로 전 편집 창 열기
Ctrl + S	파일 저장	현재 편집 파일을 저장
Ctrl + Shift + S	다른 이름으로 파일 저장	새로운 파일 이름으로 저장
Ctrl + \	파일 화면 창 분할	편집 창을 여러개 창으로 분할
Ctrl + N(숫자)	화면 분할 창 위치 포커싱	여러 분할 창의 커서 위치 변경

■ 문자열 단축키

단축키	의미	비 고
Ctrl + ← 또는 Ctrl + →	단어별 커서 이동	글자 아닌 단어별 좌우 이동
Ctrl + Shift + ← Ctrl + Shift + →	단어 선택	마우스로 영역 설정하듯 단어 선택
Alt + Shift + →	선택 확장	문단 또는 태그 단위로 확장 선택
Alt + Shift + ←	선택 축소	문단 또는 태그 단위로 축소 선택
alt + 마우스 클릭	문자열 다중 선택	필요한 문자열을 골라서 동시 수정
Ctrl + K → Ctrl + F	자동 정렬	Ctrl + A 후 Ctrl + K → Ctrl + F단축키, 들여 쓰기 자동 정렬
Ctrl + D	특정 문자열 여러 개 찾기	동일 문자열 여러 개를 한 번에 수정, 바꿀 횟수 만큼 Ctrl + D 누름
Ctrl + Shift + L	특정 문자열 모두 선택	찾아야 할 문자열을 블록 한 후 Ctrl + Shift + L 단축키 누른 후 수정

2. 파이썬 내장 함수 목록(알파벳 순)

내장 함수 목록 (알파벳 순)			
A	E	L	R
abs()	enumerate()	len()	range()
aiter()	eval()	list()	repr()
all()	exec()	locals()	reversed()
any()			round()
anext()	F	M	
ascii()	filter()	map()	S
	float()	max()	set()
B	format()	memoryview()	setattr()
bin()	frozenset()	min()	slice()
bool()			sorted()
breakpoint()	G	N	staticmethod()
bytearray()	getattr()	next()	str()
bytes()	globals()		sum()
		O	super()
C	H	object()	
callable()	hasattr()	oct()	T
chr()	hash()	open()	tuple()
classmethod()	help()	ord()	type()
compile()	hex()		
complex()		P	V
	I	pow()	vars()
D	id()	print()	
delattr()	input()	property()	Z
dict()	int()		zip()
dir()	isinstance()		_
divmod()	issubclass()		__import__()
	iter()		

3. 주요 파이썬 패키지 참조 사이트 목록

패키지명	참조 사이트
numpy	https://numpy.org/doc/1.19/reference/index.html
scipy	https://docs.scipy.org/doc/scipy/reference/api.html
sympy	https://docs.sympy.org/1.6.1/index.html
matplotlib	https://matplotlib.org/api/
seaborn	https://seaborn.pydata.org/api.html
pandas	https://pandas.pydata.org/docs/reference/index.html
folium	https://python-visualization.github.io/folium/index.html
tqdm	https://github.com/tqdm/tqdm#documentation
beautifulsoup4	https://www.crummy.com/software/BeautifulSoup/bs4/doc/
selenium	https://www.selenium.dev/documentation/en/

4. ASCII 문자 집합

10진수	16진수	2진수	ASCII	문자
0	00	0000 0000	NUL	Ctrl + 1
1	01	0000 0001	SOH	Ctrl + A
2	02	0000 0010	STX	Ctrl + B
3	03	0000 0011	ETX	Ctrl + C
4	04	0000 0100	EOT	Ctrl + D
5	05	0000 0101	ENQ	Ctrl + E
6	06	0000 0110	ACK	Ctrl + F
7	07	0000 0111	BEL	Ctrl + G
8	08	0000 1000	BS	Ctrl + H, BackSpace
9	09	0000 1001	HT	Ctrl + I, Tab
10	0A	0000 1010	LF	Ctrl + J, Line Feed
11	0B	0000 1011	VT	Ctrl + K
12	0C	0000 1100	FF	Ctrl + L
13	0D	0000 1101	CR	Ctrl + M, Return
14	0E	0000 1110	SO	Ctrl + N
15	0F	0000 1111	SI	Ctrl + O

10진수	16진수	2진수	ASCII	문자
16	10	0001 0000	DLE	Ctrl + P
17	11	0001 0001	DC1	Ctrl + Q
18	12	0001 0010	DC2	Ctrl + R
19	13	0001 0011	DC3	Ctrl + S
20	14	0001 0100	DC4	Ctrl + T
21	15	0001 0101	NAK	Ctrl + U
22	16	0001 0110	SYN	Ctrl + V
23	17	0001 0111	ETB	Ctrl + W
24	18	0001 1000	CAN	Ctrl + X
25	19	0001 1001	EM	Ctrl + Y
26	1A	0001 1010	SUB	Ctrl + Z, EOF
27	1B	0001 1011	ESC	ESC, Escape
28	1C	0001 1100	FS	Ctrl + \
29	1D	0001 1101	GS	Ctrl +]
30	1E	0001 1110	RS	Ctrl + =
31	1F	0001 1111	US	Ctrl + −
32	20	0010 0000	SP	SPACE
33	21	0010 0001	!	!
34	22	0010 0010	"	"
35	23	0010 0011	#	#
36	24	0010 0100	$	$
37	25	0010 0101	%	%
38	26	0010 0110	&	&
39	27	0010 0111	'	'
40	28	0010 1000	(	(
41	29	0010 1001	)	)
42	2A	0010 1010	*	*
43	2B	0010 1011	+	+
44	2C	0010 1100	,	,
45	2D	0010 1101	−	−
46	2E	0010 1110	.	.
47	2F	0010 1111	/	/
48	30	0011 0000	0	0
49	31	0011 0001	1	1
50	32	0011 0010	2	2
51	33	0011 0011	3	3
52	34	0011 0100	4	4
53	35	0011 0101	5	5
54	36	0011 0110	6	6
55	37	0011 0111	7	7
56	38	0011 1000	8	8

10진수	16진수	2진수	ASCII	문자
57	39	0011 1001	9	9
58	3A	0011 1010	:	:
59	3B	0011 1011	;	;
60	3C	0011 1100	〈	〈
61	3D	0011 1101	=	=
62	3E	0011 1110	〉	〉
63	3F	0011 1111	?	?
64	40	0100 0000	@	@
65	41	0100 0001	A	A
66	42	0100 0010	B	B
67	43	0100 0011	C	C
68	44	0100 0100	D	D
69	45	0100 0101	E	E
70	46	0100 0110	F	F
71	47	0100 0111	G	G
72	48	0100 1000	H	H
73	49	0100 1001	I	I
74	4A	0100 1010	J	J
75	4B	0100 1011	K	K
76	4C	0100 1100	L	L
77	4D	0100 1101	M	M
78	4E	0100 1110	N	N
79	4F	0100 1111	O	O
80	50	0101 0000	P	P
81	51	0101 0001	Q	Q
82	52	0101 0010	R	R
83	53	0101 0011	S	S
84	54	0101 0100	T	T
85	55	0101 0101	U	U
86	56	0101 0110	V	V
87	57	0101 0111	W	W
88	58	0101 1000	X	X
89	59	0101 1001	Y	Y
90	5A	0101 1010	Z	Z
91	5B	0101 1011	[	[
92	5C	0101 1100	\	\
93	5D	0101 1101	]	]
94	5E	0101 1110	^	^
95	5F	0101 1111	_	_
96	60	0110 0000	`	`
97	61	0110 0001	a	a

10진수	16진수	2진수	ASCII	문자
98	62	0110 0010	b	b
99	63	0110 0011	c	c
100	64	0110 0100	d	d
101	65	0110 0101	e	e
102	66	0110 0110	f	f
103	67	0110 0111	g	g
104	68	0110 1000	h	h
105	69	0110 1001	i	i
106	6A	0110 1010	j	j
107	6B	0110 1011	k	k
108	6C	0110 1100	l	l
109	6D	0110 1101	m	m
110	6E	0110 1110	n	n
111	6F	0110 1111	o	o
112	70	0111 0000	p	p
113	71	0111 0001	q	q
114	72	0111 0010	r	r
115	73	0111 0011	s	s
116	74	0111 0100	t	t
117	75	0111 0101	u	u
118	76	0111 0110	v	v
119	77	0111 0111	w	w
120	78	0111 1000	x	x
121	79	0111 1001	y	y
122	7A	0111 1010	z	z
123	7B	0111 1011	{	{
124	7C	0111 1100	|	|
125	7D	0111 1101	}	}
126	7E	0111 1110	~	~
127	7F	0111 1111	Del	Del
128	80	1000 0000	Ç	Ç
129	81	1000 0001	ü	ü
130	82	1000 0010	é	é
131	83	1000 0011	â	â
132	84	1000 0100	ä	ä
133	85	1000 0101	à	à
134	86	1000 0110	å	å
135	87	1000 0111	ç	ç
136	88	1000 1000	ê	ê
137	89	1000 1001	ë	ë
138	8A	1000 1010	è	è

10진수	16진수	2진수	ASCII	문자
139	8B	1000 1011	ï	ï
140	8C	1000 1100	î	î
141	8D	1000 1101	ì	ì
142	8E	1000 1110	Ä	Ä
143	8F	1000 1111	Å	Å
144	90	1001 0000	É	É
145	91	1001 0001	æ	æ
146	92	1001 0010	Æ	Æ
147	93	1001 0011	ô	ô
148	94	1001 0100	ö	ö
149	95	1001 0101	ò	ò
150	96	1001 0110	û	û
151	97	1001 0111	ù	ù
152	98	1001 1000	ÿ	ÿ
153	99	1001 1001	Ö	Ö
154	9A	1001 1010	Ü	Ü
155	9B	1001 1011	¢	¢
156	9C	1001 1100	£	£
157	9D	1001 1101	¥	¥
158	9E	1001 1110	Pt	Pt
159	9F	1001 1111	ƒ	ƒ
160	A0	1010 0000	á	á
161	A1	1010 0001	í	í
162	A2	1010 0010	ó	ó
163	A3	1010 0011	ú	ú
164	A4	1010 0100	ñ	ñ
165	A5	1010 0101	Ñ	Ñ
166	A6	1010 0110	ª	ª
167	A7	1010 0111	º	º
168	A8	1010 1000	¿	¿
169	A9	1010 1001	⌐	⌐
170	AA	1010 1010	¬	¬
171	AB	1010 1011	½	½
172	AC	1010 1100	¼	¼
173	AD	1010 1101	¡	¡
174	AE	1010 1110	≪	≪
175	AF	1010 1111	≫	≫
176	B0	1011 0000	░	░
177	B1	1011 0001	▒	▒
178	B2	1011 0010	▓	▓
179	B3	1011 0011	│	│

10진수	16진수	2진수	ASCII	문자
180	B4	1011 0100	┤	┤
181	B5	1011 0101	╡	╡
182	B6	1011 0110	╢	╢
183	B7	1011 0111	╖	╖
184	B8	1011 1000	╕	╕
185	B9	1011 1001	╣	╣
186	BA	1011 1010	║	║
187	BB	1011 1011	╗	╗
188	BC	1011 1100	╝	╝
189	BD	1011 1101	╜	╜
190	BE	1011 1110	╛	╛
191	BF	1011 1111	┐	┐
192	C0	1100 0000	└	└
193	C1	1100 0001	┴	┴
194	C2	1100 0010	┬	┬
195	C3	1100 0011	├	├
196	C4	1100 0100	─	─
197	C5	1100 0101	┼	┼
198	C6	1100 0110	╞	╞
199	C7	1100 0111	╟	╟
200	C8	1100 1000	╚	╚
201	C9	1100 1001	╔	╔
202	CA	1100 1010	╩	╩
203	CB	1100 1011	╦	╦
204	CC	1100 1100	╠	╠
205	CD	1100 1101	═	═
206	CE	1100 1110	╬	╬
207	CF	1100 1111	╧	╧
208	D0	1101 0000	╨	╨
209	D1	1101 0001	╤	╤
210	D2	1101 0010	╥	╥
211	D3	1101 0011	╙	╙
212	D4	1101 0100	╘	╘
213	D5	1101 0101	╒	╒
214	D6	1101 0110	╓	╓
215	D7	1101 0111	╫	╫
216	D8	1101 1000	╪	╪
217	D9	1101 1001	┘	┘
218	DA	1101 1010	┌	┌
219	DB	1101 1011	█	█
220	DC	1101 1100	▄	▄

10진수	16진수	2진수	ASCII	문자
221	DD	1101 1101	▌	▌
222	DE	1101 1110	▐	▐
223	DF	1101 1111	▀	▀
224	E0	1110 0000	α	α
225	E1	1110 0001	β	β
226	E2	1110 0010	Γ	Γ
227	E3	1110 0011	π	π
228	E4	1110 0100	Σ	Σ
229	E5	1110 0101	σ	σ
230	E6	1110 0110	µ	µ
231	E7	1110 0111	τ	τ
232	E8	1110 1000	Φ	Φ
233	E9	1110 1001	Θ	Θ
234	EA	1110 1010	Ω	Ω
235	EB	1110 1011	δ	δ
236	EC	1110 1100	∞	∞
237	ED	1110 1101	∅	∅
238	EE	1110 1110	ε	ε
239	EF	1110 1111	∩	∩
240	F0	1111 0000	≡	≡
241	F1	1111 0001	±	±
242	F2	1111 0010	≥	≥
243	F3	1111 0011	≤	≤
244	F4	1111 0100	⌠	⌠
245	F5	1111 0101	⌡	⌡
246	F6	1111 0110	÷	÷
247	F7	1111 0111	≈	≈
248	F8	1111 1000	ο	ο
249	F9	1111 1001	·	·
250	FA	1111 1010	·	·
251	FB	1111 1011	√	√
252	FC	1111 1100	n	
253	FD	1111 1101	²	²
254	FE	1111 1110	■	■
255	FF	1111 1111		

INDEX